Manuel Leon

Madrid, Junio 2005

Homero

ODISEA

**Introducción y notas de
JOSÉ ALSINA
catedrático de la Universidad de Barcelona**

**Traslación en verso de
FERNANDO GUTIÉRREZ**

Planeta

© Editorial Planeta, S. A., 1980
    Córcega, 273-277, 08008 Barcelona (España)
Diseño colección y cubierta de Hans Romberg (realización de Jordi Royo)
Ilustración cubierta: fragmento de vaso griego, Museo Británico, Londres (foto
 Giraudon)
Primera edición en Clásicos Universales Planeta, mayo de 1980
Segunda edición en Clásicos Universales Planeta, enero de 1981
Tercera edición en Clásicos Universales Planeta: abril de 1983
Cuarta edición en Clásicos Universales Planeta: julio de 1985
Depósito legal: B. 25.770-1985
ISBN 84-320-3832-6
ISBN 84-320-1655-1 (primera publicación)
Printed in Spain - Impreso en España
IGOL, S. A., Lluís Millet, 59-63, Esplugues de Llobregat (Barcelona)

SUMARIO

INTRODUCCIÓN

I

EL POEMA DE ULISES

La antigüedad atribuyó a Homero, junto a otros poemas, la Ilíada y la Odisea. Pero los críticos antiguos sintieron también que entre estas dos epopeyas, junto a semejanzas profundas, mediaban ciertas diferencias, en lo estilístico, en el ambiente general en que se desenvuelve la narración, en el espíritu mismo que anima a los dos poemas. El autor anónimo del Tratado sobre el sublime, recogiendo acaso ecos de la crítica de su tiempo, caracterizaba así las dos grandes creaciones del poeta: «El haber escrito la Ilíada en la plenitud de su genio es la razón, creo yo, de que lograra dar a este poema un tono dramático y combativo, mientras que en la Odisea predomina lo narrativo, rasgo precisamente típico de la vejez. Y así en la Odisea se puede comparar perfectamente a Homero con el sol poniente que, sin poseer ya su fuerza, conserva sin embargo todo su esplendor. Aquí no conserva ya aquella vehemencia de su famoso poema troyano, aquella sublimidad de tono constantemente mantenida y que no admite depresiones de ninguna clase, aquella profusión de pasajes emotivos que se suceden uno tras otro, ni, en fin, aquella proteiforme agilidad y conocimiento de la existencia... Al contrario, al igual que cuando el Océano se replie-

*ga sobre sí mismo y abandona sus propios límites,
no se percibe ya sino el reflujo de su grandeza y
un perderse en un mundo de fantasía»[1]. Creo que
merecía la pena hacer esa larga cita de uno de los
críticos más finos que ha tenido la Humanidad antes
de que intentemos penetrar en el mundo maravilloso de la* Odisea *porque, efectivamente, hallamos
en esta epopeya un espléndido mundo de aventuras,
una interminable sucesión de episodios fantásticos
que debían de encantar a los oyentes de la antigüedad, como encantan al lector de nuestros días; pero,
al tiempo, una humanísima novela en la que el ánimo
del lector está constantemente pendiente del destino
de sus héroes, con el alma encogida cada vez que un
nuevo peligro amenaza a sus protagonistas, tenso el
espíritu ante las múltiples peripecias que debe afron-
tar Ulises hasta alcanzar definitivamente la anhelada
paz del hogar...*

*Porque novela es, al fin y al cabo, la maravillosa
historia de Ulises, que pugna durante veinte años
por conseguir llegar sano y salvo, desde Troya hasta
Ítaca. La crítica homérica actual está, como veremos
más adelante, convencida de que la* Odisea *repre-
senta un logradísimo intento por apartarse del estilo que impregna la* Ilíada, *creando una nueva forma artística que sabe armonizar lo épico con lo
puramente novelesco[2]. Cada época tiene sus propios
gustos, y la* Odisea, *que refleja un mundo más avan-
zado que el que hallamos en la* Ilíada *(fruto de una
sociedad puramente guerrera), es el maravilloso ex-
ponente del espíritu de una nueva sociedad, cuyos
valores ya no se corresponden con los del inmediato
pasado. Si el héroe de la* Ilíada *cifra todos sus actos*

---

[1] Anónimo, *Tratado sobre lo sublime*, XIII. Citamos por nuestra edición, con traducción castellana, Barcelona, Bosch, col. Eras-
mo, 1977.
[2] De entre los defensores de esta postura cabe citar, en último
lugar, el estudio de R. Friedrich, *Stilwandel im hom. Epos*, Heidelberg, 1975.

en el honor³, en lo que entonces se llamaba la areté, a la que hay que sacrificar incluso la propia existencia, Ulises lucha por salvar la vida y conseguir el retorno a la patria. Un nuevo ideal de hombre y de vida anima este segundo poema...

El lector de la Ilíada sabe muy bien que, en ella, el curso de la narración sigue un claro proceso rectilíneo. Jamás el poeta se detiene para hacer marcha atrás. Los episodios siguen un proceso lineal, que se precipita en los últimos cantos del poema para conducirnos rápidamente al desenlace. Nada de eso ocurre en la Odisea. Su autor es un poeta de genio que, aunque ha aprendido posiblemente su técnica del autor de la Ilíada, ensaya sus propios medios, dándonos una obra originalísima tanto en la concepción como en la estructura⁴. En efecto; la Odisea consta de tres partes claramente diferenciadas a las que podemos dar un nombre: primero, un grupo de cantos que reciben el nombre de «Telemaquia»; en el centro, las «Aventuras de Ulises», el verdadero núcleo del poema, y que comprende desde el canto V al XV; finalmente, la «Venganza». Que cada una de estas partes hubiera podido existir, originariamente, como poema independiente, es la tesis sostenida por no pocos críticos⁵, aunque en verdad es poco probable, porque ni se comprende una «Telemaquia» (es decir, las aventuras del hijo de Ulises en busca de noticias de su padre) desentendida de los errabundeos de Ulises, ni una «Venganza» sin que, como telón de fondo, tengamos ante los ojos los atropellos de los

³ Aunque no hay que entender el código del honor de los héroes homéricos similar al medieval, algo se acerca. Se trata, en los dos casos, de una ética caballeresca propia de una sociedad guerrera. Cfr. O. F. Bollnow, *Esencia y cambio de las virtudes*, Madrid, 1960.
⁴ El profesor A. Heubeck ha realizado un interesante estudio, del que se desprende que el poeta de la *Odisea* era un discípulo del autor de la *Ilíada* (*Der Odyssee-Dichter und die Ilias*, Erlangen, 1954).
⁵ Entre los más recientes, R. Merkelbach, *Untersuchungen zur Odyssee*, Munich, 1951.

pretendientes contra la hacienda del rey de Ítaca.

En realidad cabría decir que las líneas de la primera y de la segunda parte convergen maravillosamente hasta desembocar en la definitiva venganza. Que el poeta sabe mantener tensos los hilos de la trama hasta el momento decisivo en que, reencontrados padre e hijo, están en disposición de preparar, conjuntamente, el ataque final contra sus enemigos comunes.

Pero vayamos por partes, y procuremos, ante todo, resumir el contenido básico del poema. De lo contrario podríamos desorientar al lector.

Desde Homero, todo poeta épico que se precie escribirá un preludio en el que esbozará, a grandes rasgos, las líneas maestras de su obra. La Odisea no podía ser una excepción: tras invocar a la Musa, se dispone a cantar al hombre de los mil recursos que luchó a brazo partido durante veinte años para alcanzar las costas de Ítaca, su patria añorada. Largo será el viaje desde Troya (finalmente caída bajo los golpes de los griegos) hasta el hogar, donde le aguardan su esposa y su hijo, amenazados por los innumerables pretendientes que quieren forzar a Penélope, la fiel esposa de Ulises, a elegir uno de ellos. Porque todos están convencidos de que el rey ha muerto. Todos no. Ni Penélope ni Telémaco quieren rendirse a la evidencia, y resisten. Pero ¿hasta cuándo podrán mantenerse inquebrantables sus fuerzas?

Ya todos los griegos que habían participado en la conquista de Troya estaban en su patria. Sólo Ulises se veía privado del dulce regreso a la mansión añorada, al hogar donde dejara, veinte años atrás, a su esposa y a su hijo. Retenido por el amor insaciable de la ninfa Calipso, que pretendía hacerle su esposo, se pasa largas horas junto al mar, contemplando el lejano horizonte. Hay un rasgo romántico en esta

*primera aparición del héroe, roído por la nostalgia.
Y no será, realmente, el último. Mas esa presentación que hace el poeta de su personaje va a redu-
cirse a eso: a una mera presentación. Porque al instante cambia la escena del poema. Nos hallamos ahora
en el Olimpo, en la feliz mansión de los dioses, que
se han congregado precisamente para discutir el destino de Ulises. La diosa Atenea interviene en favor de
su protegido, y sus razones mueven a los demás olímpicos a intervenir para decretar, ¡al fin!, el retorno
del héroe a su patria. Y sin embargo, va a ocurrir
algo, al parecer al menos, insólito, extraño. De esa
reunión olímpica surgirá solamente la decisión de
enviar un mensajero —será la propia Atenea— al
palacio de Ítaca para reconfortar a los familiares de
Ulises y hacerles concebir esperanzas. De Ulises,
aparentemente, se olvidan ahora los dioses. Será en
el canto V cuando una nueva asamblea divina de-
cretará el envío de Hermes junto a Calipso para
ordenarle que deje partir a Ulises. He aquí uno de
los problemas que, de entrada, plantea ya la* Odisea,
y que los críticos han resuelto de modo muy diverso[6].

*De hecho, con la visita de Atenea al palacio de Uli-
ses entramos en la primera parte de la* Odisea. *Como
es habitual en Homero, la diosa aparecerá tomando la
figura de un mortal, Mentes, huésped antiguo de Ulises. Fingiendo una historia de viajes por mar, el falso
Mentes es acogido en el palacio de Ulises por Telémaco, a quien va a inspirar la idea de iniciar un viaje
en busca de noticias de su padre. «Porque Ulises vive,
sin duda», le cuenta. Lo que ocurre es que los dioses
ponen obstáculos a su regreso. Pero que al fin con-
seguirá regresar, ¿quién lo duda?*

*La finalidad artística de esta primera parte del
poema reside en la intención del poeta de presen-*

---

[6] Una explicación poética de esta aparente contradicción puede
verse en la obra de H. D. F. Kitto, *Poiesis. Structure and Thought*,
Berkeley, 1966, pp. 127 y ss.

tarnos la fuerte tensión en que viven el hijo y la
esposa; de ofrecernos una galería de personajes muy
dispares: unos —la esposa, el hijo— ansiando, anhelando el regreso del ser querido; otros —los pretendientes—, confiando en que jamás logrará llegar a
la patria.

Pero es incuestionable, asimismo, que toda la «Telemaquia» cumple una función artística. Ya el poeta
de la Ilíada había empleado la técnica de la retardación, procedimiento por el cual, durante la mitad
del poema, todo parece conjurarse para retrasar lo
que constituye el motivo central de la obra: la manifestación de la cólera de Aquiles con todas sus conse-
cuencias. También aquí juega su papel este mismo
procedimiento[7]: durante cuatro largos cantos perde-
mos completamente de vista el destino de Ulises, y el
poeta se complacerá en evocar todo un mundo de
míticas figuras: Néstor en Pilos, Helena y Menelao
en Troya. Y todos ellos hablarán de Ulises, de sus
gestas en Troya, de su participación en las empresas
más arriesgadas durante el sitio y la captura de la
codiciada ciudad. De este modo, aunque indirecta-
mente, la figura del héroe no es del todo olvidada en
esta parte del poema. Sigue estando presente, si bien
de un modo indirecto.

Pero la «Telemaquia» cumple otra finalidad, aunque
sea una finalidad secundaria. Las escenas del canto I,
y en parte las del II, nos ponen en contacto con los
personajes que podríamos calificar de negativos. Sobre todo los pretendientes. Su orgullo, su soberbia, su
crueldad incluso, ponen más de relieve los obstáculos
que habrá de superar Ulises en cuanto llegue a su
casa. Pero, al tiempo, aumenta el valor de la audacia
de Telémaco cuando, en el canto II, se decide por fin
a tomar la palabra y a enfrentarse abiertamente con
Antinoo y los restantes pretendientes. La «Telema-

---

[7] Para la técnica de la retardación en la Ilíada, cfr. W. Scha-
dewalt, Iliasstudien, Darmstadt, 1966³.

quia», en suma, es la manifestación de que el hijo de
Ulises ha dejado de ser un niño para convertirse en
un hombre.

La parte central de la Odisea está constituida por
la serie de aventuras y peligros a los que tiene que
hacer frente, y de los que saldrá siempre victorioso
nuestro héroe. Ulises, el hombre de los mil recursos,
con el auxilio de Atenea[8] logrará salir airoso de la
prueba. Ya sean monstruos o tempestades, ardides o
trampas mortales, o la misma ira rencorosa de Poseidón, nada podrá oponerse a que regrese sano y salvo
a la patria añorada. Una segunda asamblea divina abre el canto V del poema. Y ahora se decide
ya que ha llegado el momento en que Calipso, la
ninfa que retiene, amorosa, a Ulises, permita que el
héroe se construya una balsa y se lance al mar vinoso[9] para intentar la última, la suprema aventura.

Pero está visto que nuestro héroe tampoco ahora
va a librarse de la oposición que, impertérrito, le
presenta el dios del mar, irritado contra Ulises porque
ha cegado a su hijo, el cíclope Polifemo[10]. Y una
horrible tempestad destruye su frágil embarcación,
aunque logra arribar, agotado, a la playa del país de
los feacios, donde va a vivir una extraña aventura.

El canto VI de la Odisea es uno de los más hermosos del poema. Lleno de encanto y de ternura, en
él ha sabido verter el poeta lo más logrado de su
genio. Dos van a ser ahora los protagonistas de la
acción. De un lado, nuestro héroe, que duerme, agotado, en una espesura junto a la playa; de otro, la
joven princesa feacia Nausica, de la que va a servirse
Atenea para conseguir que Ulises llegue al palacio del

---

[8] La constante protección de Ulises por parte de Atenea ha sido
últimamente estudiada por M. Müller, *Athene als göttliche Hel-
ferin in der Odyssee*, Heidelberg 1966.
[9] Utilizamos aquí el habitual epíteto homérico aplicado al mar
(oinops).
[10] El tema de la cólera divina en Homero ha sido abordado por
J. Irmscher, *Götterzorn bei Homer*, Leipzig, 1950.

rey, y, de este modo, se haga con una embarcación que lo traslade definitivamente a Itaca[11].

Atenea se ha aparecido en sueños a la doncella; le ha sugerido que vaya al río a lavar las ropas de sus hermanos y de su padre, y la suya propia. «Porque —le susurra— se acerca el día en que tendrás que tomar un esposo...» Y la joven no duda un instante: pide a su padre un carro de mulas, y acompañada de sus sirvientas acude al lugar donde duerme Ulises.

Y se produce el encuentro. La joven le indica el camino que conduce al palacio, y Ulises, al fin, arriba junto al rey Alcinoo, que le acoge benévolo y le invita a permanecer unos días.

En honor del huésped se celebra una fiesta. Y, tras el banquete, un cantor interpreta, al son de la cítara, un pasaje que alude a la guerra de Troya. Ulises no puede contener el llanto al escuchar el canto de Demódoco. Alcinoo se extraña y pregunta a Ulises por la razón de sus lágrimas. Y Ulises no tiene más remedio que contar a sus anfitriones las mil aventuras que ha vivido. Estamos en el centro mismo del poema.

El material de que disponía el poeta no podía ser más abigarrado: monstruos, personajes fabulosos, hechiceras, seres de la más variada condición constituyen el tema que, con sumo arte, sabe organizar Homero hasta ofrecernos un todo artístico y coherente. Es muy posible que, en su origen, el tema de las aventuras de Ulises constituyera una narración en tercera persona y que, a su vez, esta confusa peripecia fuese la expresión objetiva de un viaje del alma al mundo de los muertos, una especie de rito de inmortalidad al estilo de las katábasis órficas, de las que nos quedan no pocos residuos en la literatura griega[12]. Lo que sí

---

[11] Dos poetas modernos (Goethe, Maragall) han construido, sobre el texto homérico, sendas obras trágicas.

[12] Cfr. K. Meuli, *Odyssee und Argonautika*, 1921. Sobre las *katábasis* órficas y su relación con el *chamanismo*, cfr., además, la lúcida exposición de E. R. Dodds, *Los griegos y lo irracional*, Madrid, 1960, pp. 131 y ss.

es cierto es que el poeta ha sabido organizar perfectamente su material y ofrecernos una nítida exposición en la que se conjugan los elementos maravillosos de la saga tradicional con sus intenciones poéticas.

Porque la variedad preside esta amplia narración, que abarca desde el canto IX al XII. Y, en efecto, las aventuras de Ulises comprenden una serie de escenas que podemos clasificar del modo siguiente:

1) El encuentro con los lotófagos, el Cíclope, llegada a la isla de Eolo, y aventuras con los lestrigones y Circe.

2) El viaje al país de los muertos y consulta del espíritu de Tiresias por parte de Ulises. Al mismo tiempo, el héroe entra en relación con el alma de los principales guerreros que tomaron parte en la conquista de Troya.

3) Las aventuras finales: encuentro con las Sirenas, la terrible prueba de Escila y Caribdis, el episodio de las Vacas del Sol.

Las aventuras del primer grupo ofrecen una gran variedad, tanto en el tono como en la expresión. Los lotófagos dan a probar a los compañeros de Ulises la flor de loto, que les hace olvidar el regreso. Aquí comienza Ulises a perder a algunos de sus amigos, proceso que culminará en el episodio de las Vacas del Sol, que le privará de los restantes. La aventura con el cíclope Polifemo está elaborada con un fino humor, con una delicada ironía que la hace grata pese a las inverosimilitudes que contiene. Pero la aventura más importante de este primer grupo es, acaso, la que vive Ulises en la mansión de la hechicera Circe, que convierte en animales a los hombres. Los antiguos quisieron ver en ella una alegoría del placer que envilece al ser humano. Ahora, la astucia de Ulises va a salvarle nuevamente la vida, como siempre con la ayuda de la divinidad que vela constantemente por el héroe.

La evocación de los muertos (Nekyia), *que comprende todo el canto XI, es capítulo central del
poema. Virgilio la imitará en el canto VI de la* Eneida,
y de ésta, a su vez, tomará Dante el tema de su Divina Commedia. *Ulises acude al país de los muertos
—situado por el poeta en el extremo del mundo—
para consultar, por consejo de Circe, el alma del adivino Tiresias, e informarse del rumbo que le es preciso tomar para volver a su patria. Mas aquí el poeta
se ha complacido en enriquecer considerablemente la
narración, ofreciéndonos un cuadro maravilloso en
el que Ulises conversa con el espíritu de su madre
y con los de los grandes guerreros griegos muertos
(Agamenón, Aquiles, Ayante). Pero es posible que esta
parte del poema sea una interpolación.*

*El tercer grupo de aventuras comprende tres epi-
sodios de distinto carácter. Cada uno de ellos enfren-
ta al héroe con un peligro de naturaleza dispar: las
Sirenas, con sus cantos misteriosos, con su dulce y a
la vez mortífero hechizo, llegan a poner el regreso de
Ulises en un serio peligro. Pero el astuto Ulises sabe
conjugar su ardiente deseo de escuchar sus cantos y,
a la vez, de asegurarse de que no se dejará arras-
trar a la perdición por ellos. Y, en efecto, tapona con
cera los oídos de sus compañeros, y él es atado al
mástil de la nave para que, arrastrado por el encanto
de las voces de las Sirenas, no se lance al mar y
perezca entre las olas.*

*El episodio de Escila y Caribdis ofrece otros esco-
llos. Ya no se trata, ahora, de sucumbir a una fuerza
de carácter espiritual, sino de presentar una dura
resistencia a los ataques físicos de dos monstruos,
que con sus garras pretenden destruir la nave del
héroe. Aquí es la decisión y la audacia odiseicos lo
que le da el triunfo, si bien en la empresa perecen no
pocos de sus compañeros.*

*Finalmente, el episodio de las Vacas del Sol repre-
senta la culminación de la aventura de nuestro héroe.*

Acuciados por un hambre indecible, insoportable, sus compañeros dan muerte a algunas de esas vacas, lo que provoca su muerte. Ulises llegará, así, solo, a la isla de Calipso, desde donde, en una balsa, como hemos visto, y por orden de las deidades olímpicas, arribará al país feacio.

Hasta aquí el poema ha estado dominado por el principio de la retardación. *A partir de este momento, el ritmo se hace más rápido, para alcanzar, en algunos momentos, una aceleración precipitada. Distingamos las fases decisivas:*

1) Conducido en una embarcación feacia, Ulises llega a su patria Ítaca, donde es depositado en la playa, dormido. Inmediatamente se dirige a la choza del porquerizo Eumeo, a quien, empero, no se da a conocer.

2) Telémaco, terminado su viaje por el Peloponeso en busca de noticias de su padre, arriba asimismo a Ítaca, y, antes de reintegrarse a su hogar, se dirige a la choza de Eumeo. Allí, padre e hijo pueden finalmente reconocerse y preparar, de este modo, la venganza contra los pretendientes.

3) El plan que trazan padre e hijo es el siguiente: Telémaco irá solo al palacio; más tarde, disfrazado de pordiosero, Ulises penetrará asimismo en el palacio. De esta suerte, podremos asistir a unas escenas emotivas como el reconocimiento de Ulises por su perro Argos, y la lucha que el héroe tiene que sostener contra otro pordiosero que le disputa los mendrugos. Al tiempo, el poeta insiste en los ultrajes que sirvientas y pretendientes infligen a Ulises.

4) Penélope tiene la feliz idea de proponer un concurso entre los pretendientes: el que consiga tensar el arco de Ulises podrá hacerla su esposa. Ulises pide tomar parte en el concurso, a lo que se accede entre múltiples risotadas de burla. Nadie consigue tender el arco, pero Ulises sí. Ésa era la señal convenida entre el héroe y su hijo: inmediatamente tiene

lugar la terrible lucha entre los dos y los pretendien-
tes, que finalmente son abatidos.

5) *Tras la victoria, Ulises y Penélope se recono-*
cen, con lo que, de hecho, termina propiamente la
Odisea. *Todo lo que sigue a esta escena fue conside-*
rado ya en la antigüedad como un mero añadido, y
no pocos críticos se adhieren a esa tesis. Y, en cier-
to modo, y sobre todo juzgando por nuestra sensi-
bilidad moderna, la segunda evocación de los muer-
tos, la visita de Ulises a su padre Laertes, el intento
de los habitantes de Ítaca por vengar la muerte de
los pretendientes, y el pacto final, pueden parecer
añadidos que más bien dañan la estructura del poe-
ma. Pero se ha ya observado en varias ocasiones que
la sensibilidad estética de las antiguos por rematar
las obras es más bien escasa...

El pensamiento antiguo se ha esforzado en múl-
tiples ocasiones por hallar un sentido oculto a la
Odisea. *Los filósofos neoplatónicos realizaron exége-*
sis alegóricas del poema, en el que veían una plasma-
ción poética del viaje del alma hasta la unión con el
Uno; los estoicos vieron en Ulises el ideal del sabio,
indiferente al dolor; los cínicos presentaron a Ulises
como prototipo de su ideal de hombre, indiferente a
la fatiga, a los insultos, a los peligros externos; los
sofistas veían en él al hombre camaleóntico, que sabe
adoptar en cada situación la actitud precisa para sa-
lir airoso de la empresa vital. Todos estos aspectos
alegóricos del poema han sido muy bien estudiados
por el profesor Buffière (Les mythes d'Homère et
la pensée grecque, *París, 1956).*

II

TRADICIÓN Y ORIGINALIDAD EN LA «ODISEA»

Dᴇsᴅᴇ *Herder nos hemos habituado a buscar en la obra literaria lo que de nuevo aporta cada poeta al acervo de toda tradición espiritual. Surge así, en la crítica literaria, la dicotomía tradición-innovación, que constituye la base de un método de análisis que en Alemania ha recibido el nombre de* historia del espíritu *(Geistes-Geschichte). De acuerdo con esa metodología, y partiendo muchas veces, aunque no siempre, de la mera expresión lingüística, el crítico va a la búsqueda de los descubrimientos espirituales de un autor frente a la historia cultural que le ha precedido[13].*

Enfocada en esa perspectiva, cabe distinguir en la Odisea dos grandes elementos: los tradicionales y las innovaciones específicas del poema. Y eso, además, por una doble razón: porque los poemas homéricos —hoy estamos plenamente convencidos de ello tras los estudios de M. Parry y sus continuadores— son una grandiosa creación que se elaboró y se transmitió por vía oral en una civilización esencialmente tradicional y cuyas manifestaciones no son todavía literarias en el sentido de una literatura escrita, tal como es la europea. Pero dentro de esa naturaleza oral de la poesía homérica, como han demostrado recientes investigaciones[14], nada impide que el poeta pueda manejar, con personalidad, con maestría, los elementos tradicionales realizando innovaciones im-

---

[13] Siguen esta tendencia interpretativa, entre otros, Br. Snell, H. Fraenkel, M. Treu.
[14] Cfr. A. Hoekstra, *Homeric Modifications of Formulaic Prototypes*, Amsterdam, 1965.

portantes. Tradición no es sinónimo de fosilización.

Ese carácter oral, formulario, tradicional de la poesía homérica explica que el autor de la Odisea emplee, en lo esencial, los mismos procedimientos, las mismas técnicas poéticas que el autor de la Ilíada. El verso es el mismo; la lengua, la misma; las fórmulas empleadas casi siempre coinciden, aunque sea posible descubrir, aquí y allá, algunas desviaciones. Si la técnica básica de la Ilíada consiste en combinar pasajes narrativos con discursos, discursos y pasajes narrativos usará el autor de la Odisea. Los discursos, por otra parte, están elaborados con la misma técnica, la de la composición anular, *que consiste en terminar un discurso con frases iguales a como se ha iniciado*[15].

Una lectura atenta de la Odisea *pone inmediatamente al descubierto que su autor, pese a emplear técnicas iliádicas, de hecho se dispone a organizar su obra y su material con procedimientos muy distintos. La Ilíada tiene un curso rectilíneo; jamás el poeta abandona la narración para reemprender la marcha de un suceso que ha dejado, antes, como detenido. Muy distinto el caso de la Odisea, donde hallamos algo que cabría llamar «relieve narrativo» o perspectiva literaria. Telémaco es abandonado en el canto IV en Esparta, y el poeta reemprende la narración de las aventuras de Ulises meramente apuntadas en el canto I; e inversamente, cuando Ulises ha llegado a la isla de Ítaca, el poeta lo abandona para ocuparse del joven Telémaco, a quien había dejado con sus huéspedes en Esparta durante bastantes cantos. Todo ello da a la Odisea un aire de mayor complicación, de emplear en ella el poeta una técnica refinada que en el autor de la Ilíada apenas si apunta.*

Pero la dificultad mayor que se presentaba al poeta de la Odisea es de otra índole. La unidad estructu-

---

[15] Cfr. el libro de Van Otterlo citado en la bibliografía.

ral de la Ilíada *es lo que los críticos llaman la* aristía, *que cabría traducir por* gesta. *Se trata de las hazañas que un héroe, por impulso de una divinidad, realiza en el campo de batalla. En este sentido cabe afirmar que la* Ilíada *es, junto a otros elementos superiores llamados episodios, una suma de principalías, gestas, hazañas llevadas a cabo por sus principales protagonistas: Diomedes, Eneas, Agamenón, Patroclo, Héctor, realizan las suyas.*

Pero ¿cómo organizar la Odisea *a base de aristías si el poema no es, en lo esencial, una obra guerrera, sino una epopeya de aventuras? Sencillamente, realizando una simple operación y convirtiendo la hazaña odiseica en una acción inspirada por una divinidad, Atenea, que impulsa al héroe a obrar y prestándole, en todo momento, su auxilio, del mismo modo que en la* Ilíada. *Así, la* Odisea *se convierte en una colosal* aristía, *que culmina en la matanza de los pretendientes, donde, como en un eco de la* Ilíada, *se enfrentan, en combate mortal, Ulises y sus enemigos[16].*

En el campo ético-religioso hallamos también en la Odisea *importantes innovaciones. Ya en el umbral mismo del poema (I,32 y ss.) hallamos programáticamente expresado el designio ético del poema frente a una cierta indiferencia moral propia de la* Ilíada. *Zeus se lamenta aquí de la injusta conducta de los humanos, quienes «dicen que sus males proceden de nosotros, cuando son ellos mismos quienes, con sus locuras, se causan infortunios no decretados por el destino». Frente a la eticidad de este (y otros) pasaje, la* Ilíada *nos ofrece a unos dioses guiados más por su capricho que por un cierto imperativo moral.*

Con éste, otro importante detalle que delata el nuevo espíritu del autor de la Odisea: *en la* Ilíada *resulta de todo punto imposible establecer una distinción entre los personajes de los dos bandos. Las*

---

[16] Esto ha sido muy bien visto por R. Schroeter, *Die Aristie als Grundform epischer Dichtung*, Diss. Marburgo, 1950.

*simpatías del poeta están claramente repartidas. Pero
no se trata sólo de una simpatía personal, sino incluso de que no es fácil, objetivamente, buscar culpables e inocentes. Cierto que los troyanos sienten un
cierto pudor moral, porque, con su retención de Helena, han motivado la expedición griega a Troya.
Pero ¿quién sería capaz de afirmar que Héctor no
aparece a nuestros ojos tan inocente como el propio
Aquiles?*

Muy distinto el caso de la Odisea. *Aquí, una clara,
rotunda separación entre los personajes que favore-
cen el regreso de Ulises (Penélope, como es natural;
su hijo; Eumeo, el porquerizo; Euriclea, la nodriza,
y sobre todo, la diosa Atenea, auxiliar constante del
héroe en su empresa), y los que se oponen a ella
(ante todo, los pretendientes, algunas esclavas del palacio de Ulises, el dios Poseidón).*

*Pero hay otras diferencias entre los dos poemas.
De algunas hemos hecho ya mención de pasada en
páginas anteriores. Que en la* Odisea *apunta un nuevo ideal de vida se patentiza en el motivo central del
poema, el interés de Ulises en salvar su vida: a este
fin subordina el protagonista todos sus actos. Si en
la* Ilíada *la doblez, el engaño, la hipocresía son nor-
malmente combatidos como indicio de falta de espíritu heroico, aquí la mentira, la doblez es el tema
constante. Ulises, el prudente, cuenta infinidad de
historias falsas con tal de despistar a sus potenciales
o reales enemigos. Un ideal cuasi burgués, en suma,
ha venido a sustituir al ideal heroico de la* Ilíada.

*Lo mismo cabe decir de la religión. No es que haya
diferencias sustanciales. Sí hay una evidente reduc-
ción de la variada riqueza divina típica de la* Ilíada.
*Posiblemente la explicación de este fenómeno esté
en relación con la técnica, antes apuntada, de hacer
de la* Odisea *una* aristía *perpetua. Una aristía en la
que la diosa protectora es, constantemente, la misma:
Atenea. Pero los dioses son los mismos, aunque, evi-*

dentemente, si descontamos las escenas de asambleas olímpicas, sólo dos tienen un papel activo: Atenea, que favorece al héroe, y Poseidón, que lo combate.

Finalmente, el clima poético. La atmósfera espiritual de los dos poemas difiere notablemente. Hecho que no cabe explicar por meras consideraciones temáticas. Verdad es que la Ilíada *es un poema guerrero y que la* Odisea, *según frase del Pseudo-Longino, es una* comedia de caracteres; *pero ¿puede eso explicarlo todo? El autor de la* Ilíada *evoca, de vez en cuanto, sobre todo en las famosas comparaciones, el mundo multivario de la naturaleza. Pero eso es todo. En cambio, en la* Odisea *se revela un espíritu abierto constantemente a la belleza del paisaje, a las tonalidades del mar y del bosque, a la naturaleza, en una palabra. Hallamos en la* Odisea *paisajes de todas clases, míticos unos, fantásticos otros, sin que falte el* locus amoenus (la gruta de Calipso, en el canto V, *es una muestra evidente). El mar embravecido, la calma, el maravilloso paisaje de la isla de los feacios, la playa de Ítaca, el jardín de Alcinoo, los campos feraces de los lestrigones, la huerta de Laertes. Es verdad: cuando hablamos de los paisajes homéricos, hay que referirse necesariamente a los que sabe evocar el autor de la* Odisea[17].

JOSÉ ALSINA

BIBLIOGRAFÍA HISPANA SOBRE LA «ODISEA»

ALSINA, J., «Helena de Troya: historia de un mito», *Helmantica* (Salamanca), VIII, núm. 27 (1957), pp. 374-394.
ALSINA, J., «Pequeña introducción a Homero», *Estudios clásicos*, V, núm. 27 (1959), pp. 61-95.

[17] Muy bien estudiados en un capítulo del libro de W. Nestle, *Griechische Studien*, Gottinga, 1942 (*Odysseelandschaften*)

ALSINA, J., «Homerika», *Helmantica* (Salamanca), núm. 20 (1955), pp. 125 y ss.

ALSINA, J., «Religión y ética en los poemas homéricos», *Convivium* (Barcelona), VIII (1959), pp. 77-82.

ALSINA, J., «En torno a las repeticiones homéricas», *Boletín de la Real Academia de Buenas Letras de Barcelona*, XXXI (1965-1966), pp. 27-34.

BALASCH, M., «Sobre la entidad poética de Homero», *Estudios clásicos*, VIII (1964), pp. 1-6.

BARCENILLA, A., «En torno a Homero», *Perficit* (Salamanca, 1964), 100 pp.

BASABE, E. (S. J.), «El canto XX de la Odisea», *Helmantica* (Salamanca), VIII (1957), pp. 347-372.

BASABE, E. (S. J.), «Odisea. Canto XXI», *Helmantica* (Salamanca), VI (1955), pp. 129-161.

CARRAMIÑANA, A., «Breve análisis de una virtud homérica: la *areté*», *Dorô syn oligô*, Homenaje al profesor J. Alsina, Barcelona, 1969, pp. 19-34.

FERNÁNDEZ-GALIANO, M., «Nuevamente sobre el papiro de los días de la *Odisea*», *Emerita* (Madrid), XXVIII (1960), pp. 95-98.

GARCÍA YEBRA, V., *El león en las comparaciones homéricas*, Madrid, Dirección de Enseñanza Media, 1964.

GIL FERNÁNDEZ, L., «Poesía de la *Ilíada*», *Tres lecciones sobre Homero*, Madrid, Cuadernos de la Fundación Pastor, Taurus, 1965, pp. 9-37.

MARTINO, E. (S. J.), *Grecia: orientaciones metodológicas en torno a Homero*, Santander, Sal Terrae, 1964.

PASTOR, A., «Liberación de Odiseus», *Tres lecciones sobre Homero*, Madrid, Cuadernos de la Fundación Pastor, Taurus, 1965, pp. 65-109.

ORTEGA, A., «El baño de Ulises en el c. XXIII de la Odisea», *Emerita* (Madrid), XXXI, 1963, pp. 11-19.

RODRÍGUEZ ADRADOS (y otros), *Introducción a Homero*, Madrid, Guadarrama, 1963.

SALAZAR, A., «La música en la edad homérica», *Anuario musical*, VI, 1951, pp. 107-154.

SCOTT, J. A., *Homero y su influencia*, Buenos Aires, Ed. Nova, 1946.

SÁNCHEZ, R., «Homero, educador de la antigüedad», *Atenas* (Madrid), XIII, 1942, pp. 185-200.

ODISEA

CANTO I

[*Invocación*]

Habla, Musa, de aquel hombre astuto que erró largo tiem-
después de destruir el alcázar sagrado de Troya,   [po
del que vio tantos pueblos y de ellos su espíritu supo,
de quien tantas angustias vivió por los mares, luchando
por salvarse y salvar a los hombres que lo acompañaban;
mas no pudo, ¡ay!, salvarlos, no obstante el esfuerzo que
                                                [hizo.
¡Insensatos! La muerte a sus propias locuras debieron.
Se comieron las vacas del Sol[1], Hijo de las Alturas,
que apartó de sus vidas el día feliz del retorno.
Diosa, hija de Zeus, cuéntanos parte de sus andanzas.

[*La asamblea de los dioses*]

Ya en sus casas se hallaban los héroes que habían podido
evitarse la muerte, escapar de la guerra y las olas,
y, anhelando el regreso y la esposa, tan sólo él quedaba;
lo tenía en su gruta la ninfa Calipso[2], la augusta,

[1] *Sol* o *Helios.* Divinidad o demonio perteneciente a la estirpe de los
Titanes, anterior a la de los Dioses olímpicos, esposo de Perseis y padre
de la hechicera Circe. Sobre su mito, cf. n. 1 al c. III. Sobre las *vacas*,
cf. n. 1 al c. XI.
[2] *Calipso.* Ninfa, hija de Atlas y Pleione, que habitaba la isla Ogigia,
en el occidente del Mediterráneo (¿península de Ceuta, frente a Gibraltar?).

pues la diosa divina quería que fuera su esposo.
Mas, al fin, cuando hubieron cerrado sus ciclos los años,
llegó el tiempo que, para el regreso a su patria, a Ítaca[3],
decretaron los dioses; empero, ni en ella ni en brazos
de los suyos debían cesar sus trabajos. Los dioses
le tenían piedad, pero no Poseidón que sentía
ira contra el divino Odiseo hasta verlo en su tierra.

Mas entonces el dios fue al país de los Negros[4] lejanos
que, en su doble dominio, en el fin del humano linaje,
se hallan, en los lugares que están al ocaso y al orto.
Asistiendo a una ofrenda de toros y ovejas vivía
jubiloso, sentado al banquete, mas los otros dioses
se reunían en tanto en las salas de Zeus Olímpico[5],
donde el padre de dioses y de hombres tomó la palabra,
pues pensaba en el ínclito Egisto, en el héroe intachable,
muerto a manos del célebre Orestes, el Agamenónida.
Recordándolo, de esta manera habló a los inmortales:

—Los mortales se atreven, ¡ay!, siempre a culpar a los dioses
porque dicen que todos sus males nosotros les damos,
y son ellos que, con sus locuras, se atraen infortunios
que el Destino jamás decretó. Tal pasó con Egisto:
desposó a la mujer del Atrida, oponiéndose al hado,
y a él mató a su regreso, y sabía que era esto la muerte,
pues nosotros se lo prevenimos por medio de Hermes,
el alerto Argifontes[6], diciendo que al rey no matase
ni a su esposa tomara, pues de él vengaríase Orestes
cuando fuera mayor y añorase la tierra paterna.
Hermes, buen consejero, le habló de esta forma y no pudo
dominar los deseos de Egipto, y lo paga ahora él todo.

[3] *Itaca*. Esta pequeña y montañosa isla se halla en el mar Jónico, al
N.E. de Cefalonia, frente a la Acarnania.
[4] *País de los Negros*. Nótese que el marco geográfico de la Odisea es
mucho más amplio que el de la Ilíada. Aquí alude el autor a *Etiopía*,
país de los *etíopes* (lit. «los de caras quemadas»).
[5] *Zeus Olímpico*. La reunión de los dioses en torno al Zeus Olímpico
—*primus inter pares*— tiene como trasfondo histórico una sociedad feudal,
agrupada en torno a su caudillo guerrero.
[6] *Argifontes*. Epíteto de Hermes (lit. «mensajero rápido»; más adelante,
por confusión nacida de la leyenda, «el matador de Argos»).

Y Atenea, la diosa de claras pupilas, repuso:

—¡Padre mío, Cronida, el más grande de cuantos imperan!
Yace aquél en la tumba y su muerte justísima ha sido,
¡que así muera el que un día proceda de idéntico modo!
Mas a mí el corazón se me parte por un desdichado,
Odiseo. Hace tiempo dejado de todos los suyos,
malandanzas padece en una isla de dobles riberas.
En su tierra arbolada, un ombligo del mar, vive ahora
una diosa que es hija de Atlante[7], el terrible, el que sabe
cuáles son las honduras del ponto, y sostiene él tan sólo
las enormes columnas que el cielo y la tierra separan.
Al lloroso infeliz lo retiene su hija en la isla
y con dulces y tiernas palabras aturde su mente
porque quiere que olvide a su Ítaca, mas él, que quisiera
ver el humo otra vez de su patria, desea la muerte.
Y a ti, olímpico Zeus, ¿nada acaso conmueve tu pecho?
Las ofrendas que te hizo Odiseo en los campos de Troya
cerca de los argivos navíos, ¿no te han sido gratas?
¿Por qué entonces, ¡oh Zeus!, contra él de esta forma te
[airaste?

Y repúsole Zeus, el que nubes reúne, diciendo:

—¡Qué palabras, oh hija, se van del vallar de tus dien-
[tes!
¿Cómo quieres que pueda olvidar a Odiseo divino,
más ilustre que todo mortal y el que más sacrificios
ha ofrecido a los dioses, los dueños del cielo anchuroso?
Poseidón, el que ciñe la tierra, es quien odio le tiene
porque un día Odiseo cegó la pupila del Cíclope,
Polifemo divino, el más fuerte de todos los cíclopes,
que nació de la ninfa Toosa, la hija de Forcis,
consejero del mar infecundo, allí en cuyas profundas
espeluncas se dio a Poseidón. Desde entonces no intenta
Poseidón, el que agita la tierra, la muerte de Odiseo,

---

[7] *Atlante.* Famoso gigante, hijo de Jápeto y hermano de Prometeo, partícipe en la lucha contra los dioses, y condenado por Zeus a raíz de ello a sostener la bóveda del cielo.

pero, errante, lo aleja del patrio solar de los suyos.
Mas venid; los que estamos aquí decretemos su vuelta
y busquemos los medios. Tendrá Poseidón que aplacarse
pues no puede oponerse al deseo de todos los dioses
ni luchar contra su voluntad, sin ayuda de nadie.

Y Atenea, la diosa de claras pupilas, repuso:

—¡Padre mío, Cronida, el más grande de cuantos imperan!
Si a los dioses dichosos complace que vuelva a su casa
el prudente Odiseo, mandemos nosotros al punto
a Hermes, el mensajero Argifontes, a la isla de Ogigia[8];
que al instante revele a la ninfa de pelo rizado
cuáles son esta vez nuestros firmes deseos en cuanto
a que vuelva el paciente Odiseo: que el héroe regrese.
Y yo a Ítaca, entretanto, me iré a dar aliento a su hijo
y a infundir en su pecho el valor de reunir en el ágora
a los viejos aqueos de largos cabellos flotantes
y vedarles a los pretendientes la entrada en su casa,
que a diario le matan carneros y bueyes flexípedes.
Y le llevaré a Esparta y a Pilos, ciudad arenosa,
para que pueda allí preguntar si se sabe el regreso
de su padre, y alcance renombre entre todos los hombres.

Así dijo, y atóse a los pies las hermosas sandalias
siempre jóvenes, y áureas; con ellas, igual que los vientos,
iba en vuelo veloz por encima del mar y la tierra.
La alta lanza de punta de bronce, maciza y pesada,
empuñó, con la cual esta hija del dios de la fuerza,
si se irrita, destroza las largas hileras de héroes.
Y partió descendiendo veloz de las cumbres olímpicas;
se detuvo en Ítaca, ante el atrio del hogar de Odiseo,
al umbral del cavedio, empuñando la lanza de bronce,
y en figura de un huésped, de Mentes el rey de los tafios[9].

---

[8] *Ogigia.* Cf. n. 2 al c. I.
[9] *Tafios.* Habitantes de la pequeña isla de Tafos, en el mar Jónico, a la altura de la Acarnania.

Y encontró ante las puertas a los pretendientes fogosos
que a los dados estaban entonces jugando, sentados
sobre pieles de bueyes que fueron matados por ellos.
Numerosos heraldos y siervos, con gran diligencia,
escanciaban el vino y el agua en las cráteras, y otros
con esponjas de innúmeros ojos limpiaban las mesas,
las ponían ante ellos, y a rodo trinchaban la carne.

Quien primero advirtió su presencia fue el joven Telémaco,
el de rostro divino. Sentado entre los pretendientes,
en su pecho pensaba en si el padre, si el héroe volviese
y si a los pretendientes allí dispersara en la casa
y su real dignidad recobrase y reinara en su hacienda.
Tales cosas, entre ellos, pensaba cuando vio a Atenea
y fue al atrio porque le indignaba que un huésped tuviese
que esperar tanto tiempo a la puerta, y tendióle la diestra.
Y tomándole luego la lanza de punta de bronce,
dirigiéndose a ella, le habló con palabras aladas:

—Bienvenido a mi casa, extranjero; acogida te brindo,
y, después de cenar, nos dirás lo qué tú necesitas.

Dijo, y la acompañó, y Atenea echó a andar a su lado.
Y, ya entrados los dos en la excelsa morada, Telémaco
apoyó contra una columna la lanza de bronce,
dentro de una bruñida lancera donde otras había
en gran número y fueron ayer del paciente Odiseo.
A la diosa sentó en un sitial y a sus pies tendió una
linda alfombra de lino bordada, y le puso un escaño,
y acercó para él un sitial de color, y quedáronse
alejados de los pretendientes, no fuera que al huésped
el molesto bullicio pudiera el festín desabrirle
y, además, él queríale hablar del ausente, su padre.

Con un áureo y bellísimo jarro, una joven doncella
les vertió el aguamanos en una jofaina de plata,
y ante ellos dispuso una mesa pulida, y la grave
despensera acudió con el pan y sirvió los manjares,

y obsequiólos contenta con cuanto tenía guardado;
muchos platos de carne les iba sirviendo el trinchante,
que asimismo dispuso ante ellos las copas de oro,
y a menudo un heraldo acudía a escanciarles el vino.

Se vio entrar allí entonces a los pretendientes soberbios,
y en hilera tomaron asiento en sitiales y sillas.
Aguamanos les dieron también los heraldos, y en cestas
las mujeres el pan colocaron en grandes montones;
los mancebos llenaron de vino hasta el borde las cráteras,
y ellos fueron tendiendo la mano a las cosas servidas.

[Los consejos de Atenea a Telémaco]

Cuando los pretendientes el hambre y la sed aplacaron,
no otra cosa anhelaron entonces en sus corazones
que la danza y el canto, la gala de todo banquete.
Un heraldo dejó la más bella de todas las cítaras
en manos de Femio que entre los pretendientes cantaba
forzado, y, pulsando las cuerdas, cantó un bello canto.

Y Telémaco dijo a Atenea, la de ojos azules,
inclinándose a ella, de modo que nadie lo oyese:

—Caro huésped, ¿habrás de enojarte por lo que te diga?
Míralos, ellos sólo se ocupan del canto y la lira;
les es fácil: impunes, se comen los bienes ajenos,
los de un héroe de quien ya los pálidos huesos se pudren
a la lluvia, en alguna ribera, o a merced de las olas.
¡Ah, si todos le vieran hallarse de vuelta en Ítaca,
de qué modo darían sus áureos tesoros y ropas
por tan sólo poder disponer de unas piernas ligeras!
Mas he aquí que está muerto por causa de un hado funesto,
y ninguna esperanza nos queda siquiera. Aunque un hombre
afirmase su vuelta, ida es ya la ocasión del retorno.
Mas, veamos, respóndeme, dime con toda franqueza.
Mas ¿quién eres, cuál es tu país, tu ciudad y familia?

¿En qué clase de nave viniste? ¿De qué forma a Ítaca
te trajeron las gentes del mar? Mas ¿qué clase de gentes?
Imagino que a pie no pudiste venir a nosotros.
Y respóndeme sinceramente, pues quiero saberlo:
¿por primera vez vienes, o acaso tú ya has sido huésped
de mi padre? Pues muchos venían a nuestra morada,
pues solía Odiseo también visitar a los hombres.

Y Atenea, la diosa de claras pupilas, repuso:

—Sí, deseo contarte estas cosas con toda franqueza.
Jáctome de ser Mentes, hijo del guerrero Anquíalo;
soy aquel que gobierna a los buenos remeros, los tafios.
A esta tierra acosté mi navío con mis compañeros;
surco el ponto vinoso, hacia hombres de lenguas extrañas;
cargaré bronce en Témesa[10], y hierro luciente les llevo.
Ancoré mi navío ante el campo, distante del pueblo,
en el puerto de Retro y al pie del selvático Neyo.
Ufanarnos podemos ahora de que antes ya fueran
mutuos huéspedes nuestros abuelos, y puedes saberlo
preguntando a Laertes, el héroe, quien, dicen, no viene
a la villa, pues mora en el campo, agobiado de penas,
junto con una vieja criada que sirve su mesa
y le da de beber cuando tiene sus miembros cansados
de arrastrarse por esa colina en que tiene la viña.
Vine aquí porque dicen que ha vuelto tu padre a su pueblo;
mas, sin duda, lo impiden los dioses poniéndole obstáculos.
No, no creo haya muerto el divino Odiseo; está vivo
en la tierra, cautivo en el fin de la mar procelosa,
en una isla de dobles riberas, y allí lo retienen
unos hombres salvajes, en contra de sus intenciones.
Mi presagio ahora quiero decirte, tal como los dioses
en el ánimo mío lo inspiran, y así ha de cumplirse.
No es que sea adivino, o un hombre entendido en presagios;
mas te digo que pronto en la tierra paterna Odiseo
estará de regreso, aunque lo aten cadenas de hierro;

---

[10] *Témesa. Retro. Neyo.* Lugares no localizados con exactitud. La narración refleja la situación histórica de una época de comercio y navegación.

él, que es hombre ingenioso, sabrá hacer posible su vuelta.
Mas, veamos, respóndeme, dime con toda franqueza
si es verdad que eres tú, como dicen, hijo de Odiseo.
Ciertamente eres él: su cabeza y sus ojos bellísimos;
bien recuerdo a Odiseo, pues ambos reunirnos solíamos
antes de que embarcara con rumbo a la tierra de Troya,
donde fueron los jefes argivos en cóncavas naves.
A Odiseo no vi desde entonces ni Odiseo me ha visto.

Y, prudente, repuso Telémaco de esta manera:

—Voy a hablarte, ¡oh mi huésped!, con toda franqueza. Mi
dice que el hijo de Odiseo soy, mas yo nada digo;   [madre
nunca nadie logró por sí mismo saber su linaje.
¡Ojalá fuera yo el descendiente de un hombre dichoso
que en su casa, con todos sus bienes, hiciérase viejo!
Mas, pues quieres saberlo, te digo que todos ya dicen
que desciendo del más infeliz de los hombres del mundo.

Y Atenea, la diosa de claras pupilas, repuso:

—No, los dioses jamás han podido negarle su gloria
a un linaje del cual ha parido Penélope un hijo.
Mas, veamos, respóndeme, dime con toda franqueza:
¿Qué festín, qué reunión, dime, es esto? ¿Y por qué lo
                                          [celebras?
¿Se celebra un banquete, unas bodas? Pues nada es a escote.
Digo yo que, a la mesa sentados, en tu propia casa,
estos hombres el límite pasan de toda insolencia;
ante tanta vergüenza airaríase un hombre sensato.

Y, prudente, repuso Telémaco de esta manera:

—Ya que quieres saberlo, ¡oh mi huésped!, y así me interro-
sabe, pues, que esta casa fue rica y también respetada   [gas,
en el tiempo en que el héroe se hallaba viviendo en su tierra.
Mas los dioses mudaron después sus deseos; sus males
de él hicieron el más invisible de todos los hombres.

Porque nunca su muerte doliérame tanto, sabiendo
que ante Troya cayó y entre sus compañeros de armas,
o entre amigos murió, cuando se hubo acabado la guerra,
pues hubiese tenido una tumba de los panaqueos
y le hubiera dejado a su hijo una gloria infinita.
Mas, ya ves, las Harpías[11] sin gloria me lo arrebataron;
ignorado, invisible, ha partido, y pesares y llanto
me dejó; mas no sólo por él me lamento y sollozo,
que otras nuevas funestas desdichas me enviaron los dioses.
Porque todos los jefes que en las islas nuestras gobiernan,
en Duliquio y en Same y en la nemorosa Zacinto[12],
y también los que en la áspera Ítaca gobiernan, pretenden
desposar a mi madre, y están arruinando mi casa.
Y mi madre ni sabe negarse a estas nupcias odiosas
ni acabar con todo esto, y están devorando mi hacienda
con los dientes, y también a mí acabarán devorándome.

Y repuso la diosa Atenea con tono de cólera:

—¡Ay, en qué situación te dejó de Odiseo la ausencia!
¡Bien sabrían sus manos dar fin a tan gran impudicia!
Si volviera y mostrárase en esta mansión, a la puerta
con su yelmo, su escudo y dos lanzas, una en cada mano,
al igual que en mi casa lo vi por primera vez cuando,
a mi lado, bebiendo y alegre, venido ya de Éfira[13]
de regreso se hallaba de casa de Ilos Mermérida
—pues a ella Odiseo fue un día en su rápida nave,
deseoso de hallar un veneno mortal que tiñera
sus saetas de bronce, mas Ilos no quiso buscárselo
por el miedo que a las inmortales deidades tenía,
y mi padre se lo procuró pues lo amaba muchísimo—;
si Odiseo mostrárase así ante los pretendientes,

[11] *Harpías.* Genios femeninos alados —en número de dos (Aello y Oci-
petes)— hijas de Taumas y Electra, de la generación divina preolímpica,
raptoras de niños y de almas.
[12] *Duliquio. Same. Zacinto.* Duliquio es un islote de las diminutas islas
Equínadas, al S. de la Acarnania. Same es ciudad situada al E. de la isla
de Cefalonia. La isla de Zacinto se halla situada al S. de esta isla, frente
a la Élida.
[13] *Éfira. Ilos Mermérida.* Esta ciudad de la Élida (N.O. del Peloponeso) era regentada por Ilos, del linaje de Jasón, hijo de Mermeros.

fueran cortas las vidas de todos y amargas sus nupcias.
Mas que venga o no venga a su casa y se tome venganza,
es designio que ya en las rodillas está de los dioses.
Sin embargo, te invito a que pienses de qué forma puedes
arrojar de tu casa en seguida a los pretendientes.
Y óyeme, si te place, y medita muy bien mis palabras:
citarás a los héroes aqueos mañana en el ágora;
háblales, y de todo los dioses serán testimonio.
Haz que los pretendientes se vayan cada uno a su casa,
y si el ánimo mueve a tu madre a tomar un esposo,
que regrese al hogar de su padre, que es hombre influyente;
dispondrá así su boda, y su dote será tan cuantiosa
como es justo que sea la dote de una hija amadísima.
Mas a ti también quiero ahora darte un prudente consejo:
equipa la nave mejor de veinte remeros que halles,
ve a saber de tu padre, que larga ya se ha hecho su ausencia,
y tal vez un mortal te hable de él, o a tu oído se acerque
la palabra de Zeus, portadora de fama a los hombres.
Parte a Pilos primero y a Néstor divino interroga,
y en Esparta háblale a Menelao, el de rubios cabellos;
es el último aqueo de peto de bronce que ha vuelto.
Si tú oyeras decir que tu padre está vivo y regresa,
aunque estés afligido, soporta paciente otro año.
Mas si oyeses decir que está muerto, gastada su vida,
prontamente regresa a la patria y erígele un túmulo,
hazle muchas exequias, pues bien se le deben y es justo,
y ya puedes entonces buscar un esposo a tu madre.
Luego que hayas llevado estas cosas a término, ponte
a pensar con el ánimo y mente en la forma en que puedes,
en tu casa, quitarles la vida a los pretendientes,
ya de ardides usando, o de frente, porque es necesario
que de juegos prescindas; no tienes ya edad para ello.
¿Desconoces acaso la gloria que Orestes divino
alcanzó entre los hombres, vengando en Egisto el astuto,
matador de su padre, la muerte del noble ascendiente?
También tú, amigo mío, pues eres gallardo y apuesto,
sé valiente para que te elogien los hombres futuros.
Yo me voy a mi rápida nave, pues tiempo es que parta,

y mi gente ya debe, de tanto esperar, fatigarse.
Haz, pues, cuanto te dije y medita muy bien mis palabras.

Y, prudente, repuso Telémaco de esta manera:

—¡Oh, mi huésped! Bien sé que me hablas benévolamente,
como un padre a su hijo, y que no olvidaré tus palabras.
Mas te ruego, por mucho que ahora te apremie el viaje,
que te quedes un rato, te bañes y alegres tu espíritu.
Volverás a tu nave, feliz, con un rico presente,
algún bello regalo que puedas guardar como mío,
el que siempre es costumbre que un huésped dé al huésped
[amado.

Y Atenea, la diosa de claras pupilas, repuso:

—No demores mi marcha, pues debo partir en seguida.
Lo que tu corazón te ha impulsado a que a mí me ofrecie-
[ses,
yo vendré a recogerlo y llevármelo a casa a mi vuelta,
mas escógelo bello; tendrá una respuesta apropiada.

Y esto dicho, Atenea, la diosa de claras pupilas,
como un ave partió, dados ya al corazón de Telémaco
osadía y valor, reavivado el recuerdo del padre.
Y, pensando en todo ello, Telémaco atónito estaba,
porque dábase cuenta de que una deidad le había hablado.

[El festín de los pretendientes]

El deiforme reunióse en seguida con los pretendientes.
Y el aedo famoso cantaba ante ellos sentados,
silenciosos; cantaba el aciago regreso que Palas[14]
Atenea infligió a los aqueos de vuelta de Troya.

---

[14] *Aciago regreso de Troya*. Alusión directa del poeta al ciclo épico copio-
sísimo en torno a Troya, y dentro de él al capítulo de los *Nóstoi* o *Regre-
sos* de los héroes aqueos combatientes, uno de los cuales es la Odisea.

Desde arriba, en la casa, escuchaba la hija de Icario,
la discreta Penélope, el canto, y al alma llegábale.
De su alcoba bajó por la larga escalera, no sola
porque dábanle fiel compañía a su lado dos siervas.
Y al llegar ante los pretendientes, la joven divina
se paró y apoyó en la columna que el sólido techo
sustentaba, y un espléndido velo caíale sobre
sus mejillas, y a un lado y a otro a las siervas tenía.
Y con llanto en los ojos hablóle al aedo divino:

—Tú que sabes, ¡oh Femio!, contar cosas gratas al hombre,
gestas de héroes y dioses, que luego el aedo celebra,
cántales una de ellas, sentado a su lado; en silencio
beban ellos el vino, mas cesa este cántico triste
porque mi corazón se me angustia en el pecho al oírte,
pues de mí se apodera un inmenso pesar que no olvido.
¡Ay, tal es la cabeza que lloro al pensar en el héroe
cuya fama en la Hélade es tal y en el centro de Argos!

Y, mirándola, prudentemente, le dijo Telémano:

—Madre mía, ¿por qué no deseas que tan digno aedo
nos deleite en la forma en que quiera su espíritu hacerlo?
Los culpables no son los aedos, es Zeus que concede
a cada varón ingenioso lo que a él le parece.
No censures a Femio que cuente el aciago destino
de los dánaos; los hombres prefieren brindar sus elogios
a los más nuevos cantos que puedan llegar a su oído.
Tengan tu corazón y tu mente valor para oírlo,
pues no sólo Odiseo fue quien perdió en Troya su día
del regreso, que innúmeros héroes también lo perdieron.
Mas retorna a tu alcoba; en tus propios quehaceres ocúpate:
el telar y la rueca, y ordena el trabajo a las siervas,
porque hablar corresponde tan sólo a los hombres, a todos
y a mí más que a ninguno, pues mío es el mando en la casa.

Asombrada, Penélope fuése a su alcoba, pensando
todas esas discretas palabras que el hijo había dicho.

Y una vez en la alcoba se halló con las siervas reunida,
a Odiseo, su amado consorte, lloró hasta que Atenea,
la de claras pupilas, posó dulce sueño en sus párpados.

En la sala sombría exaltáronse los pretendientes,
puesto que compartir con Penélope el lecho querían.
Mas Telémaco, prudentemente, habló de este modo:

—¡Con qué audaz insolencia ahora aquí os comportáis, pre-
[tendientes
de mi madre! Pensemos tan sólo en gozar del banquete
y acallad vuestros gritos, que es grato escuchar a este aedo
cuya voz se parece a la voz de los dioses eternos.
Que mañana, al albor, en el ágora todos reunidos,
os habré de decir francamente estas solas palabras:
alejaos del palacio, buscaos otros nuevos festines;
lo que es vuestro comed, os podéis convidar mutuamente.
Mas si acaso estimáis que es mejor y más cómodo a todos
destruir cuantos bienes posee un hombre solo, arrasadlos;
pero yo elevaré mi clamor a los dioses eternos
y veremos si Zeus habrá o no de infligiros castigo;
en mi casa podríais morir sin que nadie os vengara.

Así dijo, y los labios mordiéronse todos, atónitos
ante el brío que tuvo al decir estas cosas Telémaco.
Pero el hijo de Eupites, Antínoo, repuso diciendo:

—Ciertamente, Telémaco, puedo decir que los dioses
te enseñaron a ser elocuente y hablar con audacia,
mas que el hijo de Cronos no te haga rey nunca en la Ítaca
por los mares ceñida, aunque tengas derechos de sangre.

Y, prudente, repuso Telémaco de esta manera:

—Es posible que con lo que diga te enojes, Antínoo;
en verdad que quisiera ser rey si así Zeus lo quisiere.
¿Es acaso el peor mal que podría venirme en la tierra?
No, reinar no es un mal. En seguida prospera la casa

y, además, uno mismo se ve más honrado que antes.
En la Ítaca por mares ceñida aun hay jóvenes príncipes
y aun ancianos aqueos, que son numerosos; cualquiera
de ellos puede ser rey, ya que ha muerto el divino Odiseo;
ahora bien, yo he de ser absoluto señor de mi casa
y de los siervos que Odiseo me ganó con sus presas.

Y, mirándolo, el hijo de Pólibo, Eurímaco, dijo:

—¡Ah, Telémaco! Ya en las rodillas está de los dioses
quién será un día el rey de la Ítaca por mares ceñida.
¡Que disfrutes tus bienes y aquí en tu palacio gobiernes!
Y jamás hombre alguno pretenda quitarte tu hacienda
contra tu voluntad y entretanto esté Ítaca habitada.
Mas deseo saber de tu huésped, ¡oh ilustre Telémaco!
¿Desde dónde llegó[15]? ¿Hijo de qué tierra patria se gloria?
¿Tiene aquí o tiene allí su familia y los bienes paternos?
¿O te trajo noticias diciendo que vuelve tu padre?
¿O ha venido tan sólo por cosas de sus intereses?
Tan veloz se marchó que imposible nos fue conocerlo.
Pero pienso que no era en su aspecto cualquier desdichado.

Y, prudente, repuso Telémaco de esta manera:

—La esperanza perdí de que vuelva mi padre, ¡oh Eurí-
                                                    [maco!,
y aunque vengan de donde vinieren, no creo en noticias
ni me curo de las predicciones de los adivinos
a los cuales mi madre a palacio ha llamado y consulta.
Ese huésped lo fue de mi padre, y de Tafos venía,
se precia de ser Mentes, hijo del belicoso Anquíalo,
y es el rey de los tafios, el rey de los buenos remeros.

Así dijo, mas él ya sabía que la diosa era.
Luego los pretendientes la danza y los cantos alegres

[15] La inexistencia del diálogo en este arcaico estadio de la literatura, se
suple mediante la composición de las preguntas y respuestas ininterrumpi-
damente, en bloque.

reanudaron gozosos en tanto venía la noche;
y las sombras nocturnas llegaron y aún divertíanse.
Mas entonces se fue cada uno a dormir a su casa.

Y Telémaco entonces subió al aposento que había
construido para él en el bello cavedio, en un sitio
muy visible, y al lecho se fue, meditando mil cosas.
Y con teas ardientes, tras él, la hija de Ops Pisenórida,
Euriclea, la de pensamientos castísimos, iba.
Tiempo atrás, la compró con sus bienes Laertes, pagando
veinte bueyes por ella, aun apenas llegada a edad púber,
y la honró en el palacio lo mismo que a esposa castísima,
y jamás la tocó para que su mujer no se airase.
Ella daba a Telémaco luz con las teas, pues era
muy amado por ella, y lo había criado de niño.
Y, en llegando, la puerta él abrió de la sólida alcoba,
se sentó sobre el lecho y quitóse la túnica lábil
y la puso en las manos de la prudentísima anciana;
ella, habiendo compuesto sus pliegues, de un gancho que
junto al lecho labrado, colgóla, y salió prestamente   [había
de la alcoba y, tirando del aro de plata, la puerta
entornó, y echó luego el cerrojo con una correa.
Y Telémaco, bajo un vellón, pasó toda la noche
meditando el viaje que le aconsejaba Atenea.

CANTO II

[Ágora de los itacenses]

Al mostrarse en el día la Aurora[1] de dedos de rosa,
el amado hijo de Odiseo saltó de su lecho;
se vistió y luego al hombro se echó la agudísima espada,
a sus nítidos pies ató al punto sus bellas sandalias
y, lo mismo que un dios por su aspecto, salió de la alcoba.
En seguida ordenó a los heraldos de voces sonoras
que llamaran a los melenudos aqueos al ágora;
y el pregón se hizo así, y empezaron muy pronto a reunirse.
Una vez acudieron, y ya congregados, Telémaco
se fue al ágora entonces, la lanza broncínea en la mano
y seguido por dos fuertes canes de patas ligeras.
Con tal gracia divina lo había investido Atenea
que mirábalo, al verle llegar, todo el pueblo. Y le hicieron
los ancianos lugar y sentóse en la silla paterna.

El primero en tomar la palabra fue Egiptios, el héroe
a quien ya la vejez encorvaba; era un hombre muy sabio.
Ántifos, el lancero, hijo suyo muy amado, se había ido
con Odiseo a Ilión la yegüera en las cóncavas naves,
mas el Cíclope cruel lo mató en la caverna profunda
y después preparóse con él un festín postrimero.

[1] *Aurora.* En griego *Eós*, es la personificación de la aurora; pertenece a
la primera generación divina, la de los Titanes. Hija de Hiperión y Teya,
hermana de Helios (el Sol) y Selene (la Luna). Sus «dedos de rosa» abren
las puertas del cielo al carro del Sol.

Aún tres más el anciano tenía, uno de ellos, Eurínomo,
entre los pretendientes, y dos que cuidaban sus tierras;
mas no había olvidado y lloraba afligido al ausente.
Y por esto, al hablar, comenzó este discurso llorando:

—Escuchadme, itacenses, las cosas que voy a deciros.
Nunca el ágora fue convocada ni en ella reunímonos
desde que se embarcara Odiseo en las cóncavas naves.
¿Quién es, pues, el que hoy nos convoca? ¿Es muchacho o
[anciano
ese a quien de tal modo le apremia una urgencia imperiosa?
¿Recibió la noticia de que nuestro ejército vuelve
y nos quiere decir que él ha sido el primero en saberlo?
¿O desea tal vez exponer intereses del pueblo?
Me parece que debe ser hombre importante y honrado.
Zeus le dé cumplimiento feliz al deseo que traiga.

Dijo así, y sus palabras al hijo de Odiseo gustaron,
que sentado no estuvo más tiempo; quería ya hablarles.

Levantóse en el ágora; el cetro en la mano le puso
Pisanor, el heraldo que daba prudentes consejos.
Dirigióse al anciano primero y habló de este modo:

—No está lejos, anciano, ese hombre y sabrás al momento
que soy yo quien os ha convocado, que estoy afligido.
No he tenido noticia de que nuestro ejército vuelve
y no os puedo decir que yo he sido el primero en saberlo,
ni deseo siquiera exponer intereses del pueblo,
sólo que un doble mal se me entró por la puerta de casa:
a mi padre excelente he perdido, que fue en otro tiempo
vuestro rey, y también para todos un padre benigno,
y otro mal aún mayor destruirá prontamente mi casa
y asimismo dará fin a toda la hacienda que tengo.
Amadísimos hijos de ilustres varones de Ítaca
a mi madre pretenden y asedian sin que ella lo quiera.
Y no tienen valor para irse a la casa de Icario,
de su padre, y hacer que le fije a la hija una dote

y la entregue después a quien quiera y al que a ella le plaz-
antes bien, van a casa a diario y se quedan en ella,   [ca;
nos degüellan los bueyes y ovejas y cabras más gordas
y celebran banquetes y el vino rojizo se beben
y consúmenlo todo, que no hay hombre como Odiseo
que se sienta capaz de librar de la ruina mi casa.
No alcancé todavía la edad de luchar: ¿es que acaso
seré siempre un ser débil, un hombre carente de arrojo?
Que si no me faltaran los bríos muy pronto expulsáralos
porque se han cometido indignantes acciones, y piérdese
ya sin honra mi casa. Indignaos asimismo vosotros,
ante vuestros vecinos, los países cercanos, cubríos
de vergüenza. ¡Los dioses se indignan! ¡Temedle a su cólera,
no castigue hoy en vuestras cabezas un crimen como éste!
Os lo ruego por Zeus el olímpico y Temis[2], aquella
que disuelve y reúne las ágoras todas del hombre;
¡basta, amigos, dejadme que a solas yo sufra mi pena!
A no ser que mi padre, el noble Odiseo, malquisiera
o dañase a los hombres aqueos de grebas hermosas
y en venganza vosotros me odiáis y hacéis daño incitando
contra mí a tales gentes, y fuera mejor que os reunierais
y acabarais con todos mis bienes y todo el ganado,
que, si obrárais así, ya en su día tal vez se pagaran,
pues, echándooslo en cara, yo iría por toda la villa
reclamando mis bienes, sin tregua, hasta serme devueltos.
Mas no tiene remedio el dolor que causáis en mi ánimo.

Así dijo, irritado, y, velados en llanto los ojos,
arrojó el cetro al suelo. Y el pueblo a piedad se movía.
Pero todos guardaban silencio y no osaba ninguno
contestar con palabras amargas al noble Telémaco,
salvo Antinoo que, al cabo, le vino a decir en respuesta:

—Elocuente Telémaco, indócil a toda mesura,
nos afrentas hablando. Pretendes manchar nuestros nombres.

---

[2] *Temis.* Diosa de la ley, de la raza de los Titanes, hija de Urano (el
firmamento) y Gea (la tierra), hermana de los Titánidas y segunda esposa
de Zeus después de Metis.

De tus males no culpes a los pretendientes, inculpa
solamente a tu madre, pues nadie en astucia la iguala.
Porque ya hace tres años, y estamos muy cerca del cuarto,
que en los pechos de nuestros aqueos el ánimo apena.
Esperanzas da a todos, y a todos les hace promesas
y mensajes envía, mas su ánimo piensa otras cosas.
Y su espíritu pudo pensar todavía otro engaño:
en palacio se puso a tejer un finísimo lienzo
que jamás terminaba y, a veces, a todos decía:
«Jóvenes pretendientes, pues murió el divino Odiseo,
aunque os urja mi boda, esperad a que acabe este lienzo
—pues en balde perder no quisiera estos hilos ahora—,
con el fin de que tenga Laertes, el héroe, un sudario
cuando venga la parca[3] mortal a otorgarle la muerte;
¡yo no quiero que al verme enterrar sin sudario a quien
                                                    [tanto
poseyó, las mujeres aqueas del pueblo se indignen!»
Así hablaba y, al fin, persuadir se dejaba nuestro ánimo.
Desde entonces pasábase el día tejiendo la tela
y la noche, a la luz del hachón, destejiendo lo hecho.
El engaño un trienio ocultó y los aqueos creyéronla.
Mas al cuarto año vino y de nuevo llegó primavera,
y por una mujer que sabía su acción, lo supimos,
y pudímosla al fin sorprender destejiendo la tela;
así fue como, mal de su grado, se puso a acabarla.
Oye, pues, lo que los pretendientes responden, de modo
que tu ingenio lo alcance y lo sepan también los aqueos:
Haz que vuelva a su casa tu madre y ordénale tome
por esposo a quien quiera su padre y al que a ella le plazca.
Mas si aún largo tiempo atormenta a los nobles aqueos
confiando en los dones sobrados que dióle Atenea
como ser ingeniosa y muy diestra en labores sutiles,
pues se vale de ardides que nadie ha contado de aquellas
primitivas aqueas de pelo rizado, de Tiro

---

[3] *Parca.* En griego *Moira*, es la personificación del destino de cada
mortal, aunque más adelante la leyenda se especificó en las Tres Moiras:
Atropos, Cloto y Laquesis. La primera (la del nacimiento) hila, la segunda (o del casamiento) enrolla el hilo, y la tercera (la de la muerte),
lo corta.

y de Alcmena y Micene[4] de bella diadema —ninguna
concibió pensamientos iguales a los de Penélope—,
no se habrá decidido a elegir su mejor conveniencia,
puesto que sus riquezas y bienes serán devorados
si conserva el sentir que en su pecho infundieron los dioses.
Ganará, ciertamente, gran fama, mas tú tendrás sólo
la añoranza de todos los bienes que un día tuviste.
Y no iremos a nuestros asuntos ni allí donde fuere
mientras no haya elegido Penélope esposo, el que quiera.

Y, mirándolo, prudentemente, repuso Telémaco:

—Yo no puedo, ¡oh Antinoo!, arrojar de mi casa así a
                                                        [aquella
que me ha dado la vida y criado. Además, vivo o muerto,
en la tierra se encuentra mi padre. Y también es muy duro
devolver, con mi madre, muchísimas cosas a Icario.
Males de mi padre sufriré, y han de darme los dioses
otros más; a imprecar se pondrá a las odiosas Erinies
al salir de la casa, y caerá sobre mí la condena
de los hombres. Jamás, por lo tanto, daré yo esta orden.
Mas si en el corazón os indignan los hechos que os nombro,
alejaos de la casa y buscaos otros nuevos festines:
lo que es vuestro, comed; os podéis convidar mutuamente.
Mas si acaso estimáis que es mejor y más cómodo a todos
destruir cuantos bienes posee un hombre solo, arrasadlos;
pero yo elevaré mi clamor a los dioses eternos
y veremos si Zeus habrá o no de infligiros castigo;
en mi casa podríais morir sin que nadie os vengara.

Así dijo Telémaco, y Zeus, el muy longividente,
desde lo alto de un monte envióle volando dos águilas.
Al principio volaron siguiendo los pasos del viento,
con las alas abiertas, y juntas la una a la otra.
Pero en cuanto se hallaron en medio del ágora gárrula,

---

[4] *Alcmena y Micene.* Alcmena es Perseis, esposa de Anfitrión y madre
de Heracles y de Ifides. Micene es hija del río Inaco y heroína de la ciudad del mismo nombre.

revolearon ligeras, batiendo. las alas tupidas;
las cabezas de todos miraron con ojos mortíferos,
con las uñas rasgáronse el cuello y la cara, y lanzáronse
a su diestra, a través de la villa, mas sobre las casas,
y admiráronse todos de ver con sus ojos las aves,
mas en el corazón preguntábanse qué iba a cumplirse.

Y el anciano Haliterses Mastórida, el héroe, habló entonces;
entre los que tenían su edad, solamente él podía
conocer y explicar los augurios y cosas fatales.
Y, benévolamente, arengó a todos ellos, diciendo:

—Itacenses, oíd lo que voy a deciros, aun cuando
de manera especial me dirija a los pretendientes.
¡La desdicha que los amenaza es muy grave! Odiseo
no estará mucho tiempo alejado de todos los suyos;
fácil es que esté cerca y prepare la muerte y la Parca,
y también les vendrá el mal a muchos de cuantos habitan
en Ítaca la que desde lejos se ve. Hora es que todos
meditemos la forma mejor de frenar sus desmanes,
o ellos mismos los frenen, que más provechoso ha de serles.
Pues no soy un novato adivino, lo sé ciertamente,
y ahora os digo que al héroe esta vez se le cumplen las cosas
que predije cuando iban a Ilión en sus cóncavas naves
los aqueos y con ellos iba el astuto Odiseo.
Sus trabajos predije, la muerte de toda su gente
y que regresaría a su patria en el año vigésimo
e ignorado por todos. Ya veis que ahora todo se cumple.

Y, mirándolo, Eurímaco, el hijo de Pólibo, dijo:

—A tu casa retorna, ¡oh anciano!, y predice a tus hijos
cuanto quieras; podrás preservarlos de males futuros.
Ya verás que mejor yo que tú vaticino estas cosas.
Por los rayos del sol van y vienen muchísimas aves,
y agoreras no son todas. Lejos ha muerto Odiseo
de nosotros, y tú deberías, con él, haber muerto,
pues, así, no vendrías hablando de tantos presagios,

ni logaras tampoco incitar al ya airado Telémaco,
esperando te envíe a tu casa algún rico presente.
Yo te digo una cosa, y es cierto que habrá de cumplirse.
Si tu viejo saber y tus falsas palabras consiguen
incitar a este mozo y hacer que se vuelva intratable,
por de pronto se hará mucho más dolorosa su pena;
¡gracias a los augurios tampoco obrará de otro modo!,
y a ti, anciano, una multa, además, te impondremos noso-
                                              [tros
que te duela pagarla y te cause profunda tristeza.
Ahora quiero a Telémaco dar ante todos consejo:
que le ordene a su madre que vuelva a la casa paterna,
dispondrá así su boda, y su dote será tan cuantiosa
como es justo que sea la dote de una hija amadísima.
Pues supongo que así cesarán los muchachos de Acaya
pretensión tan penosa. Ninguno tememos a nadie,
ni siquiera a Telémaco, pese a su grandilocuencia,
ni tememos las agorerías, ¡oh anciano!, que tú haces
y que sólo consiguen hacerte más aborrecible.
Noramala serán devorados sus bienes, y nunca
resarcido será mientras ella demore la boda.
Y nosotros así, día a día, esperando, porfiamos
por sus prendas eximias, sin ir a buscar más mujeres
que nos fueran a todos aun más convenientes que ella.

Y, mirándolo, dijo Telémaco de esta manera:

—¡Oh, tú, Eurímaco y todos, oíd, pretendientes ilustres,
no os suplico ya más ni os arengo por cuanto os he dicho,
pues los dioses y aqueos están enterados de todo!
Aprestadme una nave velera con veinte remeros,
porque quiero emprender un viaje siguiendo las costas.
Iré a Esparta y a Pilos[5] también, la arenosa, tratando
de saber de mi padre, que larga ya se ha hecho su ausencia,
y tal vez un mortal me hable de él o descienda a mi oído
la palabra de Zeus portadora de fama a los hombres.
Y si allí oigo decir que mi padre está vivo y regresa,

---

[5] *Pílos*. Puerto de Mesenia, en el mar Jónico.

aunque triste, sabré soportar otro año de espera.
Mas si oyera decir que está muerto, gastada su vida,
volveré prontamente a la patria y haré hacerle un túmulo
y sobradas exequias, pues bien se le deben y es justo,
y ya entonces podría buscar un esposo a mi madre.

Y sentóse, una vez pronunció estas palabras, y entonces
Méntor se levantó, el gran amigo del noble Odiseo,
a quien cuando él partió le encargó del cuidado de casa,
que al anciano acatasen e intacta él guardase la hacienda,
y arengólos a todos diciendo benévolamente:

—Itacenses, oíd las palabras que voy a deciros.
¡Que ningún rey que empuñe su cetro se muestre suave,
ni benigno ni blando, ni piense en las cosas más justas,
que obre siempre cruelmente y cometa nefandas acciones,
ya que nadie recuerda a Odiseo divino entre aquellos
ciudadanos a quienes regía como un tierno padre!
No odio a los pretendientes altivos por cuantas violencias
cometieron llevados al fin por sus bajos instintos,
pues si arruinan la casa de Odiseo divino, arriesgan
la cabeza, y están convencidos de que ya no vuelve;
antes bien, con el resto del pueblo me indigna ya verlo
en silencio sentado y no intentan con todo y ser tantos,
refrenar con palabras a los pretendientes, tan pocos.

Y Leócrito, el hijo de Evénor, repuso diciendo:

—¡Mala lengua, simplísimo Méntor! ¡Qué cosa dijiste!
¡Incitar para que desistamos! Muy duro sería,
mas no a ellos, sino a muchos más, pelear por banquetes.
Pues bien sabes que aun si el ítaco Odiseo viniera
y encontrara a los pretendientes comiendo en la casa,
y si en su corazón resolviera expulsarlos de ella,
no iba a estar muy contenta su esposa de que hubiese vuelto,
aunque mucho lo quiere. Que allí indigna muerte hallaría,
al luchar contra tantos. No hablaste como era preciso.

¡Bien, aqueos, marchaos; ya podéis ir a vuestros quehace-
Haliterses o Néstor le harán hacedero el viaje,   [res!
puesto que en otro tiempo fueron amigos del padre.
Mas supongo estará mucho tiempo en Ítaca sentado
recibiendo las nuevas que lleguen, y no hará el viaje.

Así dijo, y el ágora al punto quedóse disuelta.
Dispersáronse todos y al cabo a sus casas se fueron,
mas los pretendientes a casa de Odiseo divino.
Y Telémaco fuése a la playa y, después de lavarse
en la mar espumosa las manos, oró así a Atenea:

—¡Oh, deidad! Óyeme tú que ayer a mi casa viniste
y ordenaste surcara el mar negro en mi nao e indagara
si mi padre regresa, pues mucho su ausencia ya dura;
los aqueos estorban mis planes, y los pretendientes,
en aciaga hora llenos de orgullo, aun me ponen más trabas.

Esto dijo rezando, y vio que se acercó a él Atenea,
que ya había tomado la voz y el aspecto de Méntor.
Y, elevando la voz, pronunció estas palabras aladas:

—¡Oh, Telémaco!, sabio y valiente serás desde ahora
si heredaste la ecuanimidad que tenía tu padre.
Hasta el fin él llegaba en sus actos y en cuanto decía.
Necesario es que el viaje fructífero sea y termine.
Pues si ni él ni Penélope fueran los padres que tienes,
dudaría de que consiguieras cumplir tus designios,
pues contados son siempre los hijos que al padre parécense;
que los más son peores y pocos al padre aventajan.
Ahora bien, como sabio y valiente serás desde ahora
y del todo lograste heredar de Odiseo el ingenio,
esperamos que tales acciones a término lleves.
Deja a los pretendientes que busquen consejo y conspi-
                                                    [ren,
locos son, pues a todos les falta cordura y justicia
y no saben cuán cerca la muerte y la lóbrega Parca[6]

[6] *Parca*. Cf. n. 3 al c. II.

están de ellos y habrán de perderlos en un mismo día.
Poco tiempo este viaje que anhelas podrá diferirse;
porque soy para ti, por tu padre, un amigo tan grande
que he de armarte una rápida nave y marcharme contigo.
Vuelve, pues, a tu casa y estate con los pretendientes
y haz que en las oportunas vasijas coloquen los víveres,
en las ánforas vino, y la harina, sustento del hombre,
en pellejos bien fuertes. Y yo, por el pueblo, entretanto,
reuniré a los que quieran seguirte, que nuevas o viejas,
en la Ítaca por mares ceñida, hay innúmeras naves;
para ti buscaré la mejor y, una vez equipada,
en seguida se la entregaremos al mar anchuroso.

Así dijo Atenea, la hija de Zeus, y Telémaco,
una vez escuchó a la deidad, no perdió mucho tiempo.
A su casa marchóse apenado, y a los orgullosos
pretendientes halló, como siempre, instalados en ella,
desollando las cabras y asando en el patio los cerdos.
Y, riéndose, Antinoo se fue a buscar a Telémaco,
lo tomó de la mano y hablóle después de este modo:

—Elocuente Telémaco, indócil a toda mesura,
no revuelvas en tu ánimo malas palabras o acciones;
ven, te ruego, a comer y beber con nosotros como antes.
Deja que los aqueos dispongan las cosas que quieres:
una nao y elegidos remeros, de modo que vayas
pronto a Pilos divina a buscar de tu padre noticias.

Y, mirándolo, dijo Telémaco de ésta manera:

—Imposible es, Antinoo, que viva entre tan orgullosos
personajes, callando y, tranquilo, disfrute el banquete.
¿No es bastante que los pretendientes me hayáis destruido
tantas cosas y tan excelentes, y siendo aun muchacho?
Mas ahora que soy ya mayor y me enteran los otros
de las cosas que ocurren, y crece el arrojo en mi pecho,
probaré de enviaros a todos las Parcas funestas
yendo a Pilos, o aquí, sin moverse de la isla y el pueblo.

Pasajero me iré y no será infructuoso el viaje,
que no es fácil que tenga una nave y tampoco remeros,
porque así preferible a vosotros os ha parecido.

Así dijo, y su mano soltó de la mano de Antinoo
prestamente; en la casa el festín prepaban los otros.
Y reíanse de él y con crueles palabras zaheríanlo.
Y uno de esos muchachos soberbios habló de este modo:

—En verdad que Telémaco piensa ya en cómo matarnos.
Se traerá valedores de Pilos quizá, la arenosa,
o de Esparta, pues son sus deseos de hacerlo muy vivos.
O tal vez se dirija a la ubérrima Éfira[7] en busca
de mortíferas drogas y luego las vierta en las cráteras
y consiga acabar de este modo con todos nosotros.

Y otro de esos muchachos soberbios habló de esta forma:

—Mas ¿quién sabe si al fin, al partirse en la cóncava nave
como, errante, Odiseo, se pierda alejado de todos?
Mayor fuera esta vez el trabajo de todos nosotros:
repartirnos sus bienes y dar esta casa a su madre
para que la posea en común con quien fuere su esposo.

Así hablaron, mas él a la alcoba paterna, ancha y alta,
descendió, donde había montones de oro y de bronce,
vestiduras en cofres y un mar de aromático aceite;
allí había tinajas de un vino dulcísimo y viejo
con la pura y divina bebida hasta el borde, arrimadas
junto al muro, en hilera, esperando regresara Odiseo
a su casa, después de sus muchas fatigas y esfuerzos.
Los macizos batientes de fuertes bisagras estaban
bien cerrados, y junto a la puerta, de día y de noche,
custodiándolo todo prudente, encontrábase una
despensera: Euriclea, la hija de Ops Pisenórida.
Y Telémaco entonces llamóla a la cámara y dijo:

[7] Cf. n. 13 al c. I.

—Llena cántaros, ama, del vino que encuentres más dulce
y suave, después del que guardas para el desdichado,
en espera de que un día pueda volver Odiseo,
el retoño de Zeus, libre ya de la muerte y las Parcas.
Lléname doce cántaros, ponle sus tapas a todos,
mete veinte medidas de harina de trigo en pellejos
bien cosidos, mas quiero la flor de la harina molida.
¡Sólo tú lo sabrás! Cuando todo dispuesto lo tengas,
yo vendré por la noche a buscarlo, una vez ya mi madre,
retirada en su alto aposento, a dormir se disponga.
Voy a Esparta de viaje y a Pilos también, la arenosa,
a saber de mi padre noticias, si dicen que vuelve.

Esto dijo, y echóse a llorar su nodriza Euriclea;
suspirando, le habló con aladas palabras, diciendo:

—¡Hijo amado! ¿Por qué tal idea te vino a las mientes?
¿A qué tierras distantes te quieres marchar, si eres hijo
unigénito y caro? En un pueblo ignorado, Odiseo,
del linaje de Zeus, alejado murió de la patria.
Cuando te hayas marchado urdirán con engaños el modo
de que mueras, y así repartirse todo esto entre ellos.
Quédate con tus bienes aquí, sin buscarte infortunios
por el mar infecundo, vagando a merced de las olas.

Y, mirándola, dijo Telémaco de esta manera:

—No te asustes, nodriza, que un dios me ha inspirado esta
Pero jura que nunca dirás nada de esto a mi madre [idea.
mientras no hayan pasado once días o doce de todo,
o me echara de menos u oyese decir que he partido,
que no sea que un rostro marchiten las lágrimas.

Esto dijo, y la anciana juró por los dioses no hacerlo.
Y cuando hubo jurado y sellado su gran juramento,
al instante se puso a llenarle de vino los cántaros
y llenó bien cosidos pellejos de harina de trigo.
Y de nuevo con los pretendientes reunióse Telémaco.

Sus designios cambió **Atenea** la de claros ojos:
recorrió la ciudad, en figura del joven Telémaco
y paraba a los hombres y hablaba con ellos diciéndoles
que al hacerse de noche reuniéranse junto a la nave
y pidióle a Noemón, el magnífico hijo de Fronio,
una nave ligera, y Noemón se la dio complacido.
Y ocultóse ya el sol y la sombra veló los caminos;
ella entonces la nave ligera metió entre las ondas
y le dio el aparejo que llevan las naves bancadas,
la condujo a la boca del puerto y allí se reunieron
excelentes amigos, y a todos valor dio la diosa.

Sus designios cambió Atenea la de claros ojos:
luego se dirigió al palacio del divino Odiseo;
dulce sueño infundióles a los pretendientes; sus mentes
aturdió con el vino, y las manos soltaron las copas.
Levantáronse para dormir en la villa, pues poco
estuvieron sentados, que el sueño pesaba en sus párpados.

Y Atenea, la diosa de claras pupilas, le dijo
a Telémaco, fuera de las comodísimas salas,
ya adoptada la voz, otra vez, y el aspecto de Méntor:

—¡Oh Telémaco! Ya en las bancadas aguardan tus hom-
de bellísimas grebas⁸ que des la señal de partida.   [bres
Vamos, pues, no demores un solo momento el viaje.

Dijo así, y echó a andar velozmente la diosa Atenea,
y él anduvo tras ella siguiendo el pisar de la diosa.
Y llegados por fin al lugar de la nave, en la orilla,
a los hombres de largos cabellos flotantes hallaron.
Y el Sagrado Vigor de Telémaco habló de este modo:

—Bien, seguidme, ¡oh, amigos!; traigamos los víveres; todo
preparado en la casa está ya. Nada sabe mi madre,
ni tampoco ninguna criada, a excepción de una sola.

⁸ *De bellísimas grebas.* La *greba* es la parte de la armadura que protege
la pierna del guerrero. El epíteto es frecuentísimo en el clima bélico de
la Ilíada.

Así dijo, y se puso en camino y siguiéronle todos.
Y con todas las cosas cargaron la nave bancada
y estibáronlas donde el hijo de Odiseo les dijo.

Y Telémaco al fin embarcó; iba delante Atenea,
que tomó asiento a popa, y sentóse él al lado de ella,
mientras sus compañeros soltaban al fin las amarras,
y, embarcando a su vez, ocuparon su asiento en los bancos.

Y una brisa envióle Atenea la de claros ojos,
un poniente continuo, sonante en las ondas vinosas.
Y Telémaco a sus compañeros mandó que enjarciaran
y sus órdenes fueron cumplidas con gran diligencia.
Arbolaron el mástil de abeto, después lo metieron
en la fogonadura, lo ataron con sogas, e izaron
la blanquísima vela con drizas de cuero torcido.
Hinchó entonces el viento la vela, y las olas purpúreas
resonaron en torno a la quilla al correr de la nave,
que surcando las olas del ponto su rumbo seguía.

Y una vez se amarró el aparejo en la rápida y negra
nao, las cráteras llenas de vino se alzaron entonces,
y una vez hecho esto, a los dioses eternos se hicieron
libaciones, y aún más a la hija de Zeus, de ojos claros.

CANTO III

[En Pilos]

Por la noche y al alba siguió navegando la nave.
Ya elevábase el sol que surgía del lago magnífico[1]
hacia el cielo de bronce, ofreciendo la luz a los dioses
y a los hombres mortales que habitan la tierra fecunda,
cuando a Pilos, murada ciudad de Neleo[2], llegaron,
y la gente en la orilla del mar sacrificios hacía
de negrísimos toros al dios de cerúleos cabellos.
Nueve escaños había y quinientos varones sentábanse
en cada uno, y ante ellos, en fila, había allí nueve toros.
Para el dios, ya probada la entraña, quemaban los muslos;
cuando, al fin, aportaron la nave de línea armoniosa,
el velamen arriaron, anclaron y a tierra saltaron.

Y Telémaco a tierra saltó: iba delante Atenea.
Y Atenea, la diosa de claras pupilas, le dijo:

—Ya no es tiempo, Telémaco, ahora de ser vergonzoso,
ya que el mar has cruzado intentando saber de tu padre,
cuáles tierras lo tienen oculto y qué suerte ha tenido.
Ve al encuentro de Néstor, el buen domador de caballos,

---

[1] *El sol que surgía del lago magnífico.* Según el mito (cf. n. 1 al c. I),
Helios se interna cada atardecer en el Océano, donde se refrescan sus
corceles sudorosos, mientras él descansa en un palacio de oro, del que
surge al amanecer.

[2] *Neleo.* Hijo de Tiro y Poseidón, es el padre del viejo Néstor.

y sepamos cuál es la opinión que en su pecho alimenta,
y le ruegas tú mismo que diga verdad cuando te hable;
es un sabio varón y no puede decirte mentira.

Y, mirándola, dijo Telémaco de esta manera:

—¡Méntor! ¿Cómo es posible que vaya a su encuentro y
                               [que pueda
saludarle? Aún no soy en discretas palabras experto
y vergüenza me da que a un anciano haga un joven pre-
                               [guntas.
Y Atenea, la diosa de claras pupilas, le dijo:

—En tu mente tendrás que pensar, ¡oh Telémaco!, algunas,
pues las otras un numen quizá las sugiera; no creo
que nacer y crecer te lo hayan vedado los dioses.

Dijo así, y echó a andar velozmente la diosa Atenea,
y él anduvo tras ella siguiendo el pisar de la diosa,
y a la reunión y escaños de los pilios llegaron. Néstor
con sus hijos estaba sentado, y en torno sus hombres
el festín preparaban, asando, espetando la carne.
Cuando vieron a los forasteros llegáronse a ellos,
estrecharon sus manos y luego a sentarse invitáronlos.

El primero que habló fue Pisístrato, el hijo de Néstor;
se acercó, los cogió de la mano y les hizo sentarse
al festín, en la arena del mar, sobre pieles mullidas,
cerca de Trasimedes, su hermano, y también de su padre.
Les sirvió unos pedazos de entrañas, y en una áurea copa
vertió el vino después, y así dijo, ofreciéndola a Palas
Atenea, la hija de Zeus, el que lleva la égida:

—¡Forastero! Antes a Poseidón, nuestro rey, di tus preces,
pues llegasteis en tanto en su honor un festín celebrábamos.
Y cuando hayas bebido y rezado tal como se debe,
da a tu amigo la copa del vino de miel, y que él libe
como tú, pues supongo que a los inmortales él reza,

ya que a todos los hombres les son necesarios los dioses.
Mas por ser el más joven, pues debe tener la edad mía,
te daré a ti primero que a él esta copa de oro.

Dijo, y puso en su mano la copa de vino dulcísimo.
Y Atenea se holgó viendo a un hombre tan justo y prudente,
puesto que a ella primero entregaba la copa de oro.
Y una larga plegaria hizo al rey Poseidón en seguida:

—¡Óyeme, Poseidón, que la tierra posees! ¡No te niegues
a llevar a buen fin los proyectos que a ti sometemos!
Ante todo, la gloria da a Néstor y a todos sus hijos;
a los pilios, concede, además, una gran recompensa
para que se resarzan de tan prodigiosa hecatombe,
y haz también que Telémaco y yo demos fin al propósito
por el cual hasta aquí en la veloz nave negra vinimos.

Ésta fue su oración y ella misma cumplió lo pedido
y la doble y bellísima copa entrególe a Telémaco;
y el amado hijo de Odiseo rezó como ella.

Cuando asada y del fuego apartada ya estuvo la carne,
la cortaron en trozos y un grande festín celebraron.
Cuando ya de beber y comer estuvieron saciados,
Néstor, viejo señor de los carros, tomó la palabra:

—Ésta es ya la ocasión de poder preguntar a los huéspedes,
y saber quiénes son, cuando está su apetito saciado.
¿Quiénes sois? ¿Desde dónde vinisteis por húmedas rutas?
¿Qué negocio es el vuestro? ¿Vagáis por el mar a ventura
cual si fueseis piratas que, errantes, exponen sus vidas
y a los hombres de tierras extrañas desdichas les llevan?

Y, prudente, repuso Telémaco de esta manera,
alentando porque ya Atenea infundióle en el pecho
el coraje para preguntar por su padre, el ausente,
y también para que entre los hombres la fama alcánzara.

—¡Gloria insigne de toda la Acaya[3], oh tú, Néstor Nelida!
Quiénes somos preguntas, y voy ahora mismo a decírtelo.
Desde Ítaca, al pie del monte Neyo, venimos; privado
y no público es nuestro negocio. Ando en pos de algún eco
de la fama inmortal de mi padre, divino Odiseo,
ese héroe paciente que, muchos a mí me lo han dicho,
destruyó, combatiendo contigo, el alcázar de Troya.
Pues de aquellos que contra los teucros lucharon, sabemos
el lugar donde halló cada uno una muerte penosa.
Pero quiso el Crinión[4] que la muerte de aquél ignorásemos;
nadie puede, en verdad, indicarnos en dónde la tuvo,
si en alguna ribera, en las manos de sus enemigos
o en el piélago, bajo los golpes de mar de Anfitrita[5].
Y por esto he venido a abrazar tus rodillas pidiéndote
que me cuentes su muerte funesta tal como la viste
con tus ojos, o si algo por un peregrino has sabido;
es el más desdichado varón que ha parido una madre.
Por piedad o respeto no quieras velarme las cosas;
antes bien, yo deseo enterarme de cuanto hayas visto.
Yo te ruego, si el bravo Odiseo, mi padre, ha cumplido
la palabra que te hubo empeñado o la acción prometida
donde tantos trabajos en Troya pasó el pueblo aqueo,
no lo olvides, y di la verdad a lo que te pregunto.

Y repúsole Néstor, el viejo señor de los carros:

—Me recuerdas, ¡oh amigo!, los males que en tierra de
padecimos el fiero valor de los hombres aqueos,   [Troya
unas veces vagando en las naves por mares sombríos
yendo en busca de presas de guerra por orden de Aquiles,
o luchando en torno a la inmensa ciudad del rey Príamo.
Los mejores de todos nosotros la muerte allí hallaron:
yace allí aquel que fue nuevo Ares, Áyax, yace Aquiles,
y Patroclo, que a un dios emulaba durante el consejo;
allí yace un amado hijo mío, el intrépido y fuerte

---

[3] *Acaya.* Es decir, de Grecia, por extensión.
[4] *El Cronión.* El hijo de Cronos, Zeus.
[5] *Anfitrita.* Nereida (hija de Nereo y Doris) que casó con Poseidón.

y veloz corredor y guerrero ardentísimo, Antíloco.
Y, además, otras muchas desgracias sufrimos. ¿Qué hombre
su relato podría acabar antes de que muriera?
Aunque cinco o seis años aquí me pidieras contarte
lo que allí los divinos aqueos sufrieron, posible
no sería, pues antes, cansado, a tu patria te irías.
Nueve años, ciñéndolos con emboscadas, cosiéndoles
pieza a pieza los males, tardó Zeus en darnos el triunfo.
Nadie allí pudo nunca en ingenio emular a tu padre,
porque a todos lograba exceder en ardides innúmeros
Odiseo divino, tu padre, si realmente eres
hijo suyo, y te miro y me asalta un asombro profundo.
En verdad que tu hablar aseméjase al suyo; diríase
que no puedes, tan joven, hablar como hablaba tu padre.
Ni Odiseo ni yo en desacuerdo estuvimos hablando
en el ágora o bien en consejo, sino que, teniendo
corazones iguales con ánimo idéntico, entrambos
no pensábamos más que en el bien de los hombres argivos.
Y una vez destruida la excelsa ciudad del rey Príamo,
cuando nos embarcamos y un dios dispersó a los aqueos,
tramó Zeus en su pecho que fuese luctuoso el retorno
de los hombres argivos, no todos sensatos y justos,
y así muchos hallaron desdicha en la cólera aciaga
de la diosa de claras pupilas, la hija del fuerte
padre, que al cabo sembró la discordia entre ambos Atridas.
Convocaron al ágora a todos los hombres aqueos,
mas de forma imprudente y no usada, al llegar el crepúsculo,
—y los hombres de Acaya acudieron hinchados de vino—,
y dijéronles cómo y por qué convocaban al pueblo.
Menelao exhortó a los aqueos a que no pensasen
nada más que en volver por la espalda anchurosa del agua;
pero no le gustó a Agamenón, porque había dispuesto
retener a su hueste, ofreciendo hecatombes[6] sagradas
con las cuales tratar de calmar a Atenea en su ira.
¡Oh cuán necio! Ignoraba que no iba a torcer sus designios,

---

[6] *Hecatombe.* Etimológicamente, «sacrificio de cien bueyes», como en
una época remota y floreciente sería, pero en la actualidad de la cultura
épica designa simplemente un sacrificio solemne.

pues sus actos no cambian de pronto los dioses eternos.
Y seguían de pie, dirigiéndose duras palabras;
y también los aqueos de grebas hermosas se alzaron
y hubo múltiples voces, pues ambos adeptos tenían.
Y pasamos la noche pensando en la mente maldades
unos contra los otros, pues Zeus nos armaba desdichas.
Y al albor empujamos las naos a las ondas divinas
y embarcámoslo todo y mujeres de estrecha cintura.
Pero allí, en esa tierra, quedó la mitad de los hombres,
junto a Agamenón el Atrida, pastor de los hombres;
los demás a la mar nos hicimos; y las naos volaron
pues un numen apaciguó el mar abundante de peces.
Y, ya en Ténedos[7], un sacrificio ofrecimos pidiendo
a los dioses volver, pero Zeus no dispuso aún la vuelta,
pues, ¡oh cruel!, suscitó una distinta y funesta discordia.
Y los que navegaban en naves de extremos curvados,
con Odiseo, el rey ingenioso y prudente, volviéronse
para dar satisfacción a Agamenón el Atrida.
Pero yo, con las naves que unidas a mí me seguían,
seguí huyendo, pues vi que algún dios nuestro daño pensaba.
Y el Tidida, otro Ares, huyó concitando a sus hombres.
Y se nos agregó Menelao el de rubios cabellos,
nos halló en Lesbos cuando en el largo viaje pensábamos:
si avanzar por encima de Quíos[8] la tierra rocosa,
hacia la isla de Psira[9] y dejar a la izquierda esta última,
o avanzar hacia Quíos, pasando el ventoso Mimante[10].
Y rogamos al dios que señal nos hiciera, y la hizo
y la orden nos dio de cruzar todo el ponto hacia Eubea[11]
para huir cuanto antes de todo infortunio futuro.
Levantóse una brisa sonora, y la flota, cruzando
velozmente el camino de peces, llegó por la noche
a Geresto[12], y allí a Poseidón le ofrecimos entonces

---

[7] _Ténedos_. Isla de la Eólida, en el Egeo, aproximadamente a la altura de Ilión.
[8] _Quíos_. Importante isla al N. de la Jonia, en el Egeo.
[9] _Psira_. Pequeña isla al N. de Creta.
[10] _Mimante_. Isla Proquita, cerca de Sicilia.
[11] _Eubea_. Gran isla del Egeo, tendida a la altura de la Lócrida, la Beocia y parte del Ática, habitada por jonios.
[12] _Geresto_. Junto de la Eubea meridional, guardado por el promontorio de su nombre.

muchos muslos de buey, pues el mar anchuroso salvamos.
Al llegar el día cuarto vararon en Argos[13] los hombres
de Diomedes Tidida, ese gran domador de caballos,
sus armónicas naves, mas yo singlé a Pilos, que el viento
no cesó de soplar desde que dio la orden un numen.
Así vine, hijo mío, sin nueva ninguna, ignorando
qué aqueos salváronse y quiénes perdieron la vida.
Mas aquellos que oí referir cuando vine a mi casa
lo sabrás, como es justo, pues nada yo debo ocultarte.
Sólo los mirmidones volvieron, los bravos lanceros
que guiaba el magnífico hijo de Aquiles[14] magnánimo,
y también Filoctetes[15], el hijo preclaro de Poias.
Se llevó Idomeneo[16] hacia Creta a los hombres que pudo
de la guerra salvar, sin que el mar le quitara uno solo.
Aunque lejos vivís, bien oiríais hablar del Atrida,
cómo vino y qué mísera muerte para él urdió Egisto.
Mas de muy lamentable manera pagó lo que hizo.
¡Ah, cuán bueno es que a un padre que muere, algún hijo le [viva!
Pues Orestes, filial vengador, castigó a Egisto astuto
que al más noble de todos los padres le había matado.
También tú, amigo mío, pues eres gallardo y apuesto,
sé valiente si quieres te elogien los hombres futuros.

Y, mirándolo, dijo Telémaco de esta manera:

—¡Gloria insigne de toda la Acaya, oh tú, Néstor Nelida!
Sí, aquel hombre tomóse venganza, y harán los aqueos
que su gloria consiga alcanzar las edades futuras.
¡Ah, si bríos bastantes los dioses prestáranme para
castigar la penosa soberbia de los pretendientes
que me insultan e inicuas acciones están maquinando!
Mas los dioses no nos otorgaron tamaña ventura
ni a mi padre ni a mí, y es preciso mostrarse paciente.

---

[13] *Argos.* Ciudad del N.E. del Peloponeso, que da nombre a la región de Argólida, próxima a Micenas y Tirinto.
[14] *El hijo de Aquiles.* Es decir, Neoptólemo, llamado también Pirro. — del arco de Heracles.
[15] *Filoctetes.* Hijo de Poias y Demonasa, depositario —en el ciclo épico homérico— del arco de Heracles.
[16] *Idomeneo.* Rey de Creta que luchó con los aqueos en la guerra de Troya.

Y repúsole Néstor, el viejo señor de los carros:

—Puesto que me recuerdas, ¡oh amigo!, estas cosas, se afirma
que son muchos los que, pretendiendo a tu madre, cometen
en tu casa y sin tú desearlo nefandas acciones.
Dime si te sometes al yugo gustoso, o bien tienes
en el pueblo enemigos que siguen de un dios la palabra.
¡Nadie sabe si tu propio padre, algún día, de vuelta
solo o con los aqueos castigo dará a estos excesos!
¡Ojalá que Atenea, la diosa de claras pupilas,
te ame ahora igual que a Odiseo amó en otro tiempo
en Ilión, donde tanto sufrieron los hombres de Acaya
—nunca oí que los dioses amasen de forma tan clara
a ningún hombre como lo amó con su ayuda Atenea—,
pues si con corazón semejante te amara la diosa,
¡cuántos de sus deseos de boda se despedirían!

Y, prudente, repuso Telémaco de esta manera:

—Yo no creo, ¡oh anciano!, que tales palabras se cumplan;
es notable lo que me dijiste y me tienes atónito,
pues no espero que nada se cumpla aunque quieran los dio-
[ses.

Y Atenea, la diosa de claras pupilas, le dijo:

—¡Qué palabras se van del vallar de tus dientes, Telémaco!
No es difícil a un dios, aun de lejos, salvar a los hombres.
Más quisiera pasar numerosas fatigas y penas
y a mi casa volver y esperar la ocasión del regreso,
que morir al llegar a mi hogar, como pérfidamente
murió un día el atrida en las manos de Egisto y su esposa.
Ni aun los dioses podrían librar de la muerte, que a todos
es común, al más caro varón, una vez se apodera
de él la Parca funesta y le da una muerte tristísima.

Y, prudente, repuso Telémaco de esta manera:

—¡Méntor! No hablemos más de estas cosas por tristes que
[estemos.

El regreso de aquél no es posible, pues los inmortales
ya le habrán enviado la muerte y la lóbrega Parca.
Mas yo ahora deseo saber otra cosa de Néstor,
pues por justo y prudente entre todos logró destacarse
y reinó en tres edades, según de él proclama la gente,
de tal modo que a mí un inmortal me parece al mirarlo.
Dime, ¡oh Néstor Nelida!, la franca verdad. ¿De qué modo
muerto fue Agamenón el Atrida, señor de un gran reino?
Menelao, ¿dónde estaba? ¿Qué muerte urdió Egisto el astuto
para que pereciera un varón que excedíalo en tanto?
¿O es que entonces no hallábase en Argos de Acaya y erraba
por el mundo y Egisto cobró alas para matarlo?

Y repúsole Néstor, el viejo señor de los carros:

—Hijo mío, te quiero contar la verdad de las cosas.
¡Ya tú mismo adivinas qué hubiera ocurrido si el rubio
Menelao el Atrida, de vuelta de Troya, hubiese
acertado a encontrar, aun con vida, a Egisto en palacio!
Ni siquiera él hubiera cubierto de tierra el cadáver:
arrojado muy lejos del pueblo y en plena llanura,
a merced de los perros y de aves rapaces, ninguna
hembra aquea lo hubiese llorado, tal fue su vileza.
Pues en tanto allí haciendo proezas estábamos todos,
dentro de Argos, la tierra yegüera, él estaba tranquilo
y a la esposa de Agamenón con palabras mentía.
Al principio rehusó cometer Clitemnestra divina
esta acción, porque nobles al fin eran sus sentimientos,
y un aedo seguíala, a quien, al partir para Troya,
el Atrida encargó que velase a su lado por ella.
Sin embargo, el destino divino su yugo le puso.
Él entonces llevóse al aedo a una isla desierta
para allí abandonarlo a merced de las aves rapaces;
y ella quísolo así como él, y él llevóla a su casa.
Muchos muslos quemó en los sagrados altares divinos,
y colgó numerosas ofrendas de oro y tejidos

celebrando una hazaña que nunca esperara en su ánimo.
Navegando en conserva los dos desde Troya veníamos,
Menelao el Atrida y yo, juntos y en buena armonía.
Mas de pronto, una vez que arribamos a Sunion, sagrado
promontorio de Atenas, mató Febo Apolo al piloto
del Atrida, al que dio la muerte con sus blandas flechas
y que entonces tenía el timón de la nave en las manos,
Frontis, hijo de Onétor, sin par en las tribus humanas
gobernando una nave a través de las grandes tormentas.
A pesar de su prisa, obligado se vio a detenerse
para dar sepultura a su hombre y hacerle honras fúnebres.
Mas después de bogar Menelao por las ondas vinosas
en sus cóncavas naves, llegó frente al pico escarpado
de Malea, mas Zeus, el que es longividente, le hizo
trabajoso el camino con vientos de soplo sonoro
y con olas hinchadas y enormes, igual que montañas.
Dispersó el dios las naves, algunas llevólas a Creta,
donde están los cidones, que viven a orillas del Yárdano.
Hay allí una alta peña escarpada metida en las ondas,
cerca ya de Gortina[17] y en medio del ponto sombrío;
allí lanzas altas olas al Noto, al peñón de la izquierda,
hacia Festos, y rompe esta peña la gran oleada.
Detuviéronse allí y les costó gran apuro salvarse
porque contra las rocas las olas lanzaban las naves.
Mas los cinco navíos restantes de proas cerúleas
hasta Egipto les fueron el viento y el agua empujando.
Mientras él oro y víveres iba acopiando y haciendo
cabotaje en las tierras de hombres de lenguas extrañas,
lamentables tristezas Egisto en su casa le urdía
al matar al Atrida y tener a su pueblo oprimido;
siete años el otro reinó sobre el oro micénico;
por su mal, al octavo llegó nuestro Orestes divino
y, filial vengador, al hallarse de vuelta de Atenas,
mató a Egisto el astuto que al padre más noble dio muerte.
Y, ya muerto, ofreció a los argivos funéreo banquete
en las honras de su odiosa madre y de Egisto el astuto.

---

[17] *Gortina.* Ciudad de la parte sur de la isla de Creta.

Aquel día llegó Menelao el de grito potente[18]
con tan grandes riquezas que más no cabía en las naves.
Demasiado, ¡oh amigo!, no rondes tú fuera de casa
si dejaste riquezas en ella y varones soberbios,
pues podrían tus bienes partirse y comérselo todo
mientras tú en el viaje que haces tu tiempo malgastas.
Mas te exhorto y te incito a que lleves tus pasos a donde
hállase Menelao, porque ha poco volvió de otras tierras,
de un lugar del que nadie en su mente esperara el regreso
una vez, de su rumbo apartado por las tempestades,
se encontrara en tal mar que ni aun de él volverían las aves
si cruzáranlo un año, pues es tan inmenso y terrible.
Vete, pues, ahora a verle en tu nave con tus compañeros,
mas si quieres por tierra partir, aquí tienes mis carros
y caballos; mis hijos sabrán conducirte hasta Esparta
la divina, allí está Menelao el de rubios cabellos.
Cuando llegues, tú mismo le ruegas que sea sincero,
y no temas que diga mentira, que es hombre muy sabio.

Esto dijo, y el sol se escondió y acudieron las sombras.
Luego dijo Atenea, la diosa de claras pupilas:

—Referiste las cosas, ¡oh anciano!, ponderosamente.
Mas cortad ya las lenguas y el vino mezclad porque luego,
hechas ya a Poseidón y a las otras deidades eternas
libaciones, pensemos dormir, que la hora ha llegado.
Pues la luz se ocultó en el ocaso, no es ya conveniente
prolongar el divino banquete; preciso es marcharse.

Dijo la hija de Zeus, y su voz escucháronla todos.
Y aguamanos les dieron entonces algunos heraldos;
coronaron de vino las cráteras unos mancebos
y después de ofrecer las primicias en copas, sirviéronlo;
y libaron de pie, ya arrojadas las lenguas al fuego.

Cuando hubieron libado y bebido lo que desearon,
Atenea y Telémaco entonces, que a un dios parecíase,

---

[18] *El de grito potente*. Epíteto de Menelao en la epopeya homérica.

retirarse a la cóncava nave quisieron, mas Néstor
con palabras de reconvención a los dos los detuvo:

—Zeus y todos los dioses me libren de que ahora permita
que os vayáis de mi lado y volváis a la rápida nave
como si os alejarais de un hombre sin ropa, o de un pobre
que ni mantas ni espléndidas colchas conserva en la casa
para que él y sus huéspedes puedan dormir blandamente.
Mas a mí no me faltan las mantas ni espléndidas colchas.
En verdad no es hijo de un claro varón como Odiseo
el que habrá de dormir en su nave, en las tablas de a bordo,
mientras yo tenga vida o mis hijos estén en palacio
para dar a quien venga a mi casa cobijo bastante.

Y Atenea, la diosa de claras pupilas, le dijo:

—Bien hablaste, amadísimo anciano; justo es que Telémaco
te obedezca, que hacer otra cosa mejor no podría.
Seguirá, pues, tus pasos para ir a dormir en tus salas;
yo me voy a la nave sombría a calmar a los hombres
y ordenarles también cuanto sea oportuno que ordene,
porque yo me envanezco de ser el más viejo de todos,
pues son jóvenes ellos y por amistad lo acompañan;
todos tienen la edad que el valiente Telémaco tiene.
Autorízame, pues, a dormir junto al negro navío
y al albor yo me iré a donde viven los bravos caucones
porque debo en su tierra cobrar una deuda ya antigua
y crecida. Mas ya que en tu casa Telémaco se halla,
haz que viaje con un hijo tuyo y entrégale un carro
y caballos, los más corredores y más vigorosos.

Dijo, y fuese Atenea, la diosa de claras pupilas,
cual si un águila fuera y pasmáronse así los aqueos,
y el anciano también, cuando vio semejante prodigio,
admiróse y cogió de la mano a Telémaco y dijo:

—Yo no creo, ¡oh amigo!, que seas cobarde o imprudente,
si tan joven te dan compañía y te guían los dioses.

Que de todos aquellos que habitan moradas olímpicas,
este dios es la hija de Zeus, Tritogenia[19] gloriosa,
la que a tu noble padre honró sobre los hombres de Argos.
Quiere sernos propicia, ¡oh tú, reina!, y hacernos ilustres
a mis hijos y a mí y a la honesta que duerme a mi lado;
te daré en sacrificio una añoja de frente espaciosa
que jamás hombre alguno domó ni llevó bajo el yugo.
Yo te la inmolaré con los cuernos chapados con oro[20].

Así dijo rezando, y oyó su plegaria Atenea;
pasó Néstor, el viejo señor de los carros, delante
de sus hijos y yernos, y fuese a su espléndida casa
Cuando hubieron llegado a la ilustre morada del príncipe,
en sitiales y sillas, por orden, sentáronse todos.
En su honor el anciano vertió prontamente en su crátera
un dulcísimo vino que estuvo encerrado once años
dentro de una tinaja, que abrió y destapó la intendenta.
Ya mezclado, ofreciólo el anciano rezando devoto
a Atenea, la hija de Zeus, el que lleva la égida.

Cuando hubieron libado y bebido lo que desearon,
cada uno dispúsose ya a recogerse en su casa.
Sin embargo, a Telémaco, hijo de Odiseo divino,
hizo Néstor, señor de los carros, dormir en su casa,
en un lecho torneado, debajo del porche sonoro,
y a su lado Pisístrato, el bravo lancero, caudillo
de los hombres y el único hijo que joven tenía.
Y a dormir él se fue al interior de la excelsa morada
donde su esposa y reina tenía ya el lecho dispuesto.

[En Esparta]

Al mostrarse en el día la Aurora de dedos de rosa,
levantóse del lecho el anciano señor de los carros,

---

[19] *Tritogenia.* Epíteto de Atenea, que significa, según parece, «nacida del mar».
[20] *Con los cuernos chapados en oro.* Como ofrenda consagrada a la divinidad.

Néstor, y fue a sentarse en su banco de piedras pulidas
que se hallaba situado delante de la altísima puerta,
blanco y abrillantado, en el sitio en que, antaño, Neleo
se sentó, y emuló a un dios eterno durante el consejo.
Mas la Parca su yugo le unció y se encontraba en el Hades,
y ahora Néstor anciano, baluarte de Acaya, allí estaba,
con el cetro en la mano. Y en torno sus hijos reuníanse,
cuando de sus alcobas salieron Equefron, Estratio,
y Perseo y Areto, y también Trasimedes divino;
y por último, en sexto lugar, vino el héroe Pisístrato
y al deiforme Telémaco hicieron sentar a su lado.

Y habló Néstor entonces, el viejo señor de los carros:

—Hijos míos, cumplid prontamente mi vivo deseo
para que de los dioses me sea propia Atenea,
que me fue tan visible en la espléndida fiesta del numen.
Que uno váyase al campo y me busque en seguida una añoja
y que traiga consigo al vaquero, que venga con ella;
que otro al negro navío del noble Telémaco vaya
y me traiga a sus hombres, a todos, excepto a dos sólo;
y otro vaya a buscarme también al orfebre Laerces,
porque habrá de cubrirle a la añoja los cuernos con oro.
Los demás no os mováis de mi lado; decid a las siervas
del hermoso palacio que al punto el festín nos preparen
y nos traigan asientos y leña y un agua muy clara.

Dijo, y le obedecieron. Y vino del campo la añoja
y acudieron también la negra y armónica nave,
los amigos del bravo Telémaco, y vino el broncista;
los trebejos de bronce de su arte llevaba en la mano:
la bigornia, el martillo y tenazas muy bien construidas
con lo que el oro laboreaba. Acudió allí Atenea
que asistir quiso al rito. Y Néstor, señor de los carros,
sacó el oro; el orfebre las astas labró a golpecillos,
para que con tal obra gozara la diosa. Y llevaron
por los cuernos Estratio y Equefron divino la añoja.
Luego Areto salió de su estancia llevando en la mano

un lebrillo floreado, y en la otra, en la cesta, la mola.
Empuñando una aguda segur, Trasimedes heroico
de pie estaba dispuesto a abatir a la añoja, y Perseo
sostenía la pátera. Y Néstor, señor de los carros,
vertió el agua y la mola; inició luego el rito, a Atenea
rezó mucho, y al fuego arrojó del testuz unos pelos.

Cuando hubieron rezado y vertida ya estuvo la mola,
raudo, el hijo de Néstor, el lleno de ardor, Trasimedes,
desde cerca dio un golpe a la añoja y cortó con el hacha
los tendones del cuello y la añoja cedió; hijas y nueras
vocearon entonces, y voces dio Eurídice[21], reina
venerable, la hija mayor de las hijas de Clímeno.
Levantaron del suelo anchuroso a la añoja, y, echado
hacia atrás el testuz, degollóla el caudillo Pisístrato,
y cayó negra sangre y huyó de los huesos la vida.
Y la descuartizaron e hicieron pedazos los muslos,
de la forma ritual, y con grasa cubriéronlos luego
por debajo y arriba, y encima pusieron más carne.
El anciano los puso en las ascuas rociados con vino.
Quíntuples espetones tenían en torno los jóvenes.
Consumidos los muslos, probadas también las entrañas,
en pequeños pedazos cortaron el resto, espetáronlos
y después lo asaron, teniendo en la mano el espiche.

Mientras tanto a Telémaco había bañado la hermosa
Policasta, la hija más joven de Néstor Nelida.
Y después de lavado y ungido con finos aceites
y vestido con un bello manto y también una túnica,
de la pila salió pareciéndose a un dios en el cuerpo;
y sentóse después junto a Néstor, pastor de los pueblos.
Cuando asada ya estuvo la carne y del fuego apartada,
el festín celebraron. Ilustres varones alzáronse
a escanciar en las copas de oro abundancia de vino.

---

[21] *Eurídice.* Esposa de Néstor. El padre de ella, Clímeno, era un héroe
beocio, hijo de Presbon, que llegó a reinar en Orcómenos.

Una vez aplacaron el hambre y la sed todos, Néstor,
el anciano señor de los carros, tomó la palabra:

—Hijos míos, traedme caballos de crines preciosas
y enganchadlos al carro y que siga su viaje Telémaco.

Así dijo; su voz escucharon y le obedecieron
y engancharon al carro al instante veloces corceles;
la intendenta llevóles el vino y el pan y manjares
de los que a las criaturas de Zeus solamente alimentan.
Y subió finalmente Telémaco al carro bellísimo,
y con él iba el hijo de Néstor, el héroe Pisístrato,
que también subió al carro, y las riendas llevó de su mano
y azotó a los caballos que, alegres, voláronse hacia
la llanura y dejaron atrás el alcázar de Pilos.

Todo el día agitaron el yugo que el cuello ceñíales.
Y ocultóse ya el sol y la sombra veló los caminos
y llegaron a Feres[22] al fin, a la casa de Diocles,
que era el hijo de Orsíloco, quien lo había sido de Alfeo.
Noche hicieron allí porque Diocles les dio acogimiento.

Al mostrarse en el día la Aurora de dedos de rosa,
los corceles uncieron, subieron al carro pintado
y guiáronlo por el vestíbulo y porche sonoro,
y azotó a los corceles, de modo que, alegres, voláronse.
Y al momento llegaron a un valle de mieses, y el viaje
terminó, ¡tan veloces corrieron aquellos corceles!

Y ocultóse ya el sol, y la sombra veló los caminos.

---

[22] *Feres. Diocles. Orsíloco. Alfeo.* Feres es una ciudad de la Mesenia.
Alfeo es el dios del río de ese nombre que corre por el Peloponeso, entre
la Élida y la Arcadia. Un hijo del río fue Orsíloco, padre de Diocles, rey
de dicha ciudad de Feres.

CANTO IV

Cuando al valle fragoso de Lacedemonia llegaron,
a la casa del rey Menelao dirigiéronse, y viéronlo
entre muchos parientes en pleno festín de los dobles
desposorios perfectos de su hijo y de su hija; a ella enviaba
para el hijo de Aquiles, aquel que secciones rompía,
porque en Troya acordó y prometió tiempo atrás concedér-
y los dioses eternos ahora las nupcias cumplían.   [sela,
Así, pues, con su carro y caballos, se la enviaría
al monarca de los mirmidones, el pueblo famoso.
Ya él había elegido en Esparta a una hija de Aléctor
y con ella casó a Megapentes el fuerte, su hijo,
de una esclava nacido, que a Helena negaron los dioses
otros hijos, después de alumbrada una hija amorosa,
con la misma belleza de la áurea Afrodita: Hermíone.

Bajo los altos techos, parientes y amigos del noble
Menelao, en la excelsa mansión, el festín celebraban
deleitándose, y luego un hado divino cantaba
y pulsaba la cítara y dos saltadores danzaban
al compás de su canto y saltaban en medio de todos.
A la puerta sus bravos corceles los dos detuvieron,
el magnífico hijo de Néstor y el héroe Telémaco.
El ilustre Eteoneo, el veloz servidor del glorioso
Menelao los vio al punto en que iba a salir de la casa.
Y a la casa volvió, a dar la nueva al pastor de los hombres,
y, llegado ante el rey, pronunció estas palabras aladas:

—¡Menelao, descendiente de Zeus! Han llegado dos héroes
a esta casa, en los cuales la estirpe de Zeus se adivina.
Dime, pues, si hemos de desuncir sus veloces corceles,
o enviarlos a donde les den acogida, a otra casa.

Indignado, exclamó Menelao, el de rubios cabellos:

—¡Antes no eras tan simple, Eteoneo Boetoida, mas dices
tales cosas ahora que más un muchacho pareces!
Hasta hallarnos aquí, en muchas mesas nos dieron amparo.
Y que Zeus para siempre nos libre de toda miseria.
Así, pues, los corceles de los forasteros desunce
y que vengan los dos a sentarse y gozar del banquete.

Así dijo, y salió presuroso Eteoneo, llamando,
para que compañía le dieran, a más servidores.
Bajo el yugo sudaban las bestias al ser desuncidas;
las llevaron después al establo y pusieron espelta
dentro de los pesebres y blanca cebada mezcláronle
y arrimaron el carro a los muros lucientes del atrio.
A los hombres hicieron entrar en la excelsa morada,
que, asombrados, miraban las salas del rey de divino
ascendiente; que había en la excelsa mansión del glorioso
Menelao como un brillo de sol o fulgores de luna.

Cuando hubieron gozado al mirar con sus ojos las cosas
en las pilas pulidas tomaron entonces un baño.
Una vez por las siervas lavados y ungidos con óleo
y vestidos con túnica y manto de lana, sentáronse
en sitiales, al lado del gran Menelao el Atrida.

Con un áureo y bellísimo jarro, una joven doncella
les vertió el aguamanos en una jofaina de plata
y ante ellos dispuso una mesa pulida, y la grave
despensera llevóles el pan y sirvióles manjares
y obsequiólos contenta con cuanto tenía guardado
y el trinchante sirvióles innúmeros platos de carne
y asimismo dispuso ante ellos las copas de oro.

Menelao, el de rubios cabellos, les hizo una seña:

—He aquí el pan, alegraos, y después, cuando hayáis termi-
                                                    [nado
de comer, me diréis quiénes sois entre todos los hombres.
Bien se ve que en vosotros perdura la raza de aquellos
descendientes de Zeus, portadores de cetro, los reyes;
¡no podría un villano engendrar semejantes varones!
Así dijo, y asado de buey les sirvió con sus manos:
un pedazo del lomo que a él en su honor le sirvieron.
Y ellos fueron tendiendo la mano a las cosas servidas.

Cuando ya de comer y beber estuvieron saciados,
así, al hijo de Néstor, Telémaco dijo, acercando
su cabeza a la suya, de modo que nadie lo oyese:

—Mira tú, hijo de Néstor, amigo tan caro a mi ánimo,
los reflejos de bronce que tienen las salas sonoras,
y también los del oro, ámbar, plata y marfil. Me sospecho
que por dentro es así la morada de Zeus el olímpico.
¡Qué inefables riquezas! Las miro y atónito quedo.

Dijo, y lo adivinó Menelao, el de rubios cabellos,
y, volviéndose a ellos, habló con palabras aladas:

—Hijos míos, con Zeus un mortal contender no podría,
pues, eternos como él, también son sus riquezas y alcázares.
Pero ¿cómo saber qué hombre puede medirse conmigo
en riquezas? Muchísimos males pasé y aventuras
en siete años, mas traje repletas mis naves; y en Chipre,
en Fenicia y en tierras de Negros pasé yo aventuras,
en Egipto, en Sidonia y Arabia, y también en la Libia[1],
donde a los corderillos les nacen los cuernos temprano
y el señor y el pastor tienen siempre abundancia de queso
y de carne y de leche muy dulce, pues en cualquier tiempo

---

[1] *Fenicia, tierras de Negros, Egipto, etc.* Nótese el ambiente comercial
de tráfico marítimo mediterráneo que refleja la *Odisea*, como trasunto de
una sociedad burguesa de la época de los poemas.

las ovejas están, para ser ordeñadas, a punto,
puesto que en esa tierra tres veces al año procrean.
Mientras por esos mares, reuniendo riquezas, andaba
de aventuras, un hombre, amparado en la sombra, dio
                                                    [muerte
a mi hermano, impulsado, además, por su esposa funesta.
¡Ay, que sin alegría gobierno entre tantas riquezas!
Yo no sé quienes son vuestros padres, mas ya os contarían
cuántos males sufrí y la magnífica y cómoda casa
que he perdido, en la cual muchos bienes preciosos tenía.
¡Ojalá con un tercio de todo viviera en la casa
que antes tuve y se hubiesen salvado los que perecieron
ante Ilión, tan distante de Argos la tierra yegüera!
A pesar de que llore por todos y pase tristeza
muchas veces en estas estancias estando sentado
—ya consuele en el llanto mi pecho, ya deje de hacerlo,
porque suele muy pronto cansarnos el llanto terrible—,
nunca lloro, ni me aflijo tanto yo, como por uno
y por él aborrezco dormir y comer, recordándolo,
porque ni un aqueo sufrió, para mí, como Odiseo
padeció y de qué modo. Para él todo fueron dolores
mas él fue para mí una continua y mortal pesadumbre,
porque larga es su ausencia y no sé si está vivo o ha muerto.
Y lo mismo que yo también llora el anciano Laertes
y le llora asimismo su esposa discreta, Penélope,
y Telémaco, el hijo que aquél dejó apenas nacido.

Así dijo, y Telémaco tuvo deseós de llanto;
y porque de su padre le hablaba sus ojos nubláronse.
Con las manos llevó hasta sus ojos el manto purpúreo
y con él los cubrió. Y advirtió Menelao que lo hacía
y en su mente y en su corazón asentóse la idea
de esperar a que él mismo le hablara por fin de su padre,
o primero inquirir e ir probándole así en cada cosa.
En su mente y en su corazón debatía esta idea,
pero Helena salió de su alcoba aromada y excelsa;
parecíase a Artemis que lleva los husos de oro.
Una silla, muy bien trabajada, allí Adrasta le puso

y un tapete de mórbida lana sacó Alcipe, y Filo
una cesta de plata que Alcandra, la esposa de Pólibo,
le entregó, la que en Tebas, ciudad del Egipto, habitaba,
allí en cuyas mansiones se encuentran riquezas innúmeras.
Pólibo a Menelao regaló dos bañeras de plata
y dos trípodes y diez talentos de oro, y a Helena
dio aparte, su esposa, además, estos bellos presentes:
una rueca de oro y un cesto pequeño con ruedas
que era todo de plata y tenía los bordes de oro.
Así, pues, dejó Filo, la esclava, la cesta a su alcance
con el hilo, mas ya devanado, y encima la rueca
que ya estaba cebada con hilo purpúreo, y Helena
reclinóse en su asiento y tenía a los pies la banqueta.

Y al momento inquirió a su marido con estas palabras:

—¿Ya sabemos, criatura de Zeus, Menelao, quiénes son estos
y de quiénes gloríanse para venir a esta casa?   [hombres,
¿Mentiré en lo que yo te diré? El corazón me lo ordena.
Nunca a nadie yo he visto que tan semejante a otro fuese,
ni mujer ni varón, y me quedo asombrada al mirarlo,
como parécese al hijo del generoso Odiseo,
a Telémaco, el hijo que aquél dejó apenas nacido,
ese día en que el héroe por mí, la de cara de perra,
los aqueos marcharon a Troya a batirse en la guerra.

Respondió Menelao, el de rubios cabellos, diciendo:

—Yo, mujer, esto pienso y advierto la gran semejanza.
Tales eran los pies de aquel hombre y las manos y el brillo
de sus ojos, y tal la cabeza y el pelo que cúbrela.
Ahora, al recordar a Odiseo, contábales cuántos
sufrimientos y males pasó por mi causa, y los párpados
de mi huésped se fueron poblando de innúmeras lágrimas
y llevóse a los ojos entonces el manto purpúreo.

Y Pisístrato, el hijo de Néstor, le dijo mirándolo:

—Menelao el Atrida, criatura de Zeus y caudillo,
en verdad que es el hijo del hombre de quien has hablado.
Pero es hombre discreto y en su ánimo cree que no es digno,
cuando por vez primera aquí viene, charlar sin mesura,
si, escuchando tu voz, un encanto divino gozábamos.
Y con él me ha enviado a ti Néstor, señor de los carros,
para hacerle las veces de guía, pues verte anhelaba
para que le aconsejes lo mismo en palabras que en obras.
Muchos son los trabajos que el hijo de un hombre que falta
de su casa padece, si no acude nadie en su ayuda,
cual le ocurre a Telémaco, ausente su padre y sin nadie
en su patria, que pueda librarle de tanto infortunio.

Respondió Menelao, el de rubios cabellos, diciendo:

—¡En mi casa está, oh dioses, el hijo de un hombre amadí-
que por mí vivió tantas y tan trabajosas empresas!   [simo
Me juré, si venía, acogerlo mejor que a otro argivo,
si el Olímpico Zeus, el que es longividente, quería
que en las rápidas naves, cruzando la mar, regresáramos.
Quise yo una ciudad darle en Argos y allí fabricarle
un palacio y traérmelo luego de la isla con todas
sus riquezas, su hijo y su pueblo, evacuando una villa
de las que en el contorno se encuentran y están a mi mando.
Y los dos, muchas veces, reunidos aquí nos veríamos
sin que nadie impidiera estimarnos y hacernos obsequios
hasta que nos cubriera la muerte con nubes de sombra.
Mas debió de sentirse celoso algún dios de estas cosas
y a él tan sólo ha impedido a la patria volver, ¡desdichado!

Así dijo, y a todos movió un gran deseo de llanto,
y ahora Helena la argiva, la hija de Zeus, sollozaba
y lloraban también Menelao el Atrida y Telémaco,
y evitar a sus ojos el llanto no pudo el Nestórida,
porque en su corazón recordaba al perínclito Antíloco,
a quien dio muerte el hijo sin par de la lúcida Aurora.
Acordándose de él, así habló con palabras aladas:

—Que tú eres el hombre más sabio de todos, ¡oh Atrida!,
nuestro Néstor decíalo cuando citaban tu nombre
y también si, en su casa, nosotros preguntas hacíamos.
Ahora bien, si es posible, hazme caso: no gusto de penas
una vez he cenado; dejemos que venga la Aurora
que nació en la mañana, y entonces no habrá de indignarme
que se llore a un mortal que, al morir, su destino ha cum-
                                                    [plido,
pues tan sólo esta honra les queda a los pobres que mueren:
recortarnos el pelo[2] y que el llanto nos surque la cara.
Yo también he perdido a un hermano que no fue el argivo
menos noble; debiste quizá conocerlo, mas nunca
lo encontré ni lo vi, pero dicen que Antíloco a todos
os vencía, lo mismo corriendo que en pleno combate.

Respondió Menelao, el de rubios cabellos, diciendo:

—Has hablado, ¡oh amigo!, lo mismo que hubiéralo hecho
un sensato varón que más años que tú poseyera;
de tal padre eres hijo, por esto con juicio razonas;
fácil es conocer a los hijos del hombre a quien tiene
Zeus ya dada la dicha, al casarse, y también cuando nace,
como a Néstor le ha dado a lo largo de todos los días,
ese ir suavemente en su casa volviéndose viejo
y esos hijos discretos y expertos blandiendo la lanza;
así, pues, demos fin a este llanto que hasta ahora vertimos
y pensemos de nuevo en la cena, y que el agua nos viertan
en las manos, que tiempo habrá en cuanto amanezca la Au-
para que conversemos Telémaco y yo juntamente.   [rora

Así dijo, y después Asfalión, servidor del glorioso
Menelao, fue entregando el aguamanos a todos,
y ellos fueron tendiendo la mano a las cosas servidas.

Tuvo entonces Helena, la hija de Zeus, un propósito:
una droga, de pronto, echó al vino que estaba bebiendo,
contra el llanto y la ira, que hacía olvidar cualquier pena;

---

[2] *Recortarnos el pelo*. Duelo debido a los difuntos.

todo aquel que gustara de ella mezclada en su crátera
no podría verter una lágrima en todo aquel día,
pese a que hubiese visto morir a su padre y su madre,
o delante de él, y ante sus propios ojos le hubiesen
degollado con armas de bronce a un hermano o un hijo.
Tales drogas tenía la hija de Zeus, ingeniosas
y muy buenas, que diole la esposa de Ton[3], Polidamna,
en Egipto; allí muchas la gleba del trigo produce
y la mezcla de una es buena, y la de otras nociva;
allí todos son médicos, nadie en el mundo es más sabio
porque allí del linaje de Peón[4] todos ellos descienden.
Y cuando hubo vertido la droga mandó que las copas
se llenaran de vino y, hablando de nuevo, les dijo:

—Menelao el Atrida, criatura de Zeus, y vosotros
hijos de principales varones, si Zeus a uno y otro,
os dispensa ya el bien o ya el mal porque todo lo puede,
celebrad el banquete sentados en estas estancias
y gozad de relatos como este oportuno que os cuento.
Porque todos no puedo contar, ni siquiera enunciarlos,
ya que tantos trabajos pasó el paciente Odiseo;
mas veréis lo que hizo y en qué se arriesgó el hombre intré-
en Ilión, allí donde sufristeis los hombres de Acaya.   [pido
Vergonzosas heridas él mismo en su cuerpo se hizo
y, vestido de harapos, igual que un esclavo metióse
entre sus enemigos y entró en la ciudad de anchas calles;
disfrazado así, un hombre distinto esta vez parecía,
un mendigo, quien nunca lo fue entre las naves de Acaya.
De este modo vestido, se entró por la villa de Troya
y engañáronse todos, yo sola logré descubrirlo
y preguntas le hice, mas él hábilmente evadíase.
Pero cuando bañado le hube y ungido con óleo
y entregado un vestido, hecho ya un juramento solemne,
el de no revelar la presencia de Odiseo en Troya

---

[3] *Ton*. Rey de Egipto durante la estancia de Helena.
[4] *Peón*. Llamado también *Peán*, es un dios de trazos oscuros que aparece en los poemas homéricos, que curaba mediante el empleo de las
plantas. Más tarde fue asimilado a Apolo, que asumió en la época clásica
el epíteto de «Peán» o «Salvador».

mientras no hubiese vuelto a sus rápidas naves y tiendas,
me explicó qué proyectos tenían los hombres de Acaya;
y después de matar con su bronce a troyanos innúmeros,
regresó a los argivos, sabiendo muchísimas cosas.
Las mujeres de Troya gimieron, mas yo estaba alegre
porque en mi corazón ya sentía el afán del regreso
a mi casa; lloraba la ceguera que diome Afrodita
cuando se me llevó de la tierra paterna muy lejos,
prescindiendo de mi hija, del lecho de esposa y de un hom-
que ante nadie ha cedido jamás en ingenio y figura.   [bre

Respondió Menelao, el de rubios cabellos, diciendo:

—Sí, mujer, con exacta verdad has contado las cosas.
Yo he tenido ocasión de saber el espíritu y juicio
de muchísimos héroes, y muchos países he visto,
mas mis ojos no vieron a un hombre jamás que tuviera
el valor que Odiseo tenía metido en el ánimo.
Mas veréis lo que hizo y en qué se arriesgó el hombre intré-
                                                        [pido
dentro de aquel corcel de pulida madera en que estábamos
los más nobles argivos, llevando a los teucros la muerte.
Y llegaste tú entonces allí, pues debió de ordenártelo
algún dios que anhelaba dar gloria a los hombres de Troya,
y Deífobo, a un dios semejante, seguía tus pasos.
Anduviste tres veces en torno a la cóncava trampa;
por su nombre tres veces llamaste a los príncipes dánaos
imitando la voz de sus caras esposas argivas.
Yo, el Tidida y el divino Odiseo, que juntos estábamos
y sentados en medio, te oímos cuando nos llamaste,
y los dos no podíamos ya contener el deseo
de salirnos de allí y responder a tu voz desde dentro;
lo impidió y nos contuvo, a los dos Odiseo, oponiéndose.
Los demás hijos de los aqueos callaban inmóviles,
mas no Anticlo que fue a responder cuando tú lo llamaste.
Mas su boca Odiseo tapó con sus manos robustas
y salvó de este modo, impidiéndolo, a toda la banda
hasta que te apartó de ese sitio la diosa Atenea.

Y, mirándolo, dijo Telémaco de esta manera:

—Menelao el Atrida, criatura de Zeus y caudillo,
peor fue porque nada libróle de un fin lámentable
ni aunque su corazón en su pecho se hubiera hecho hierro.
Pero, en fin, guíanos donde estén nuestros lechos, de modo
que podamos los dos entregarnos a un sueño dulcísimo.

Así dijo, y Helena la argiva ordenó a las mujeres
que debajo del porche montaran los lechos, poniendo
las más bellas frazadas purpúreas y encima las colchas
y dejasen sobre ellas pellicas que abrigo les dieran.
De la sala salieron mujeres con hachas ardiendo,
prepararon los lechos, llevóse un heraldo a los huéspedes.
Y acostáronse entonces allí, en el portal de la casa,
el magnífico hijo de Néstor y el héroe Telémaco.
En el fondo de la alta morada acostóse el Atrida
junto a Helena de velo flotante, divina entre todas.

Al mostrarse en el día la Aurora de dedos de rosa,
de su lecho al momento saltó Menelao el intrépido
y vistióse y colgó de su hombro la espada agudísima,
a sus nítidos pies ató un par de muy bellas sandalias,
y lo mismo que un dios por su aspecto salió de la alcoba
y, sentándose junto a Telémaco, habló de este modo:

—¿Qué deseo hasta aquí te ha traído, Telémaco heroico,
hasta Lacedemonia divina a través de las olas?
¿Interés de tu pueblo o bien tuyo? Responde sincero.

Y, mirándolo, dijo Telémaco de esta manera:

—Menelao el Atrida, criatura de Zeus y caudillo,
vine a ver si quizá de mi padre me dabas noticias;
se consume mi casa y se pierden mis ricas haciendas;
llena está de malvados mi casa, que van degollándome
numerosos corderos y cornudos bueyes flexípedes,
y a mi madre pretenden, y actúan con gran insolencia.

Y por esto he venido a abrazar tus rodillas, pidiéndote
que me cuentes su muerte funesta tal como la viste
con tus ojos, o si algo por un peregrino has sabido;
es el más desdichado varón que ha parido una madre.
Por piedad o respeto no quieras velarme las cosas,
antes bien, yo deseo enterarme de cuanto hayas visto.
Yo te ruego, si bravo Odiseo, mi padre, ha cumplido
la palabra que te hubo empeñado o la acción prometida
donde tantos trabajos en Troya pasó el pueblo aqueo,
no lo olvides y di la verdad a lo que te pregunto.

Indignado, le habló Menelao el de rubios cabellos:

—¡Dioses! Cierto es que quieren dormir en el lecho de un
[hombre
valeroso esos hombres que ignoran lo que es bravura.
Así como en la cueva de un león poderoso una cierva
a sus hijos apenas nacidos acuesta y se marcha
a pacer por la falda boscosa del monte y cañadas
verdeantes, y entonces el león a su cueva regresa
y da muerte infamante a la madre y a los cervatillos,
de este modo una muerte infamante Odiseo ha de darles.

«¡Padre Zeus, Atenea y Apolo, si ahora os pluguiera
que, lo mismo que el día en que en Lesbos[5], la bien cons-
por el Filomelida[6] retado, a luchar levantóse   [truida,
y dio en tierra con él y los hombres de Acaya alegráronse,
regresase y se hallara Odiseo con los pretendientes,
fuesen cortas sus vidas y amargas les fueran las bodas.
Pero en lo que preguntas y ruegas te cuente, no quiero
de verdad apartarme y no quiero engañarte tampoco,
y de cuanto el Anciano del Mar[7], de palabra profética,
me contó, ni callar ni ocultar nada quiero de ello.

---

[5] *Lesbos.* Importante isla de la Eólide, en el Egeo.
[6] *Filomelida.* Rey de Lesbos, que obligaba a los viajeros llegados a su
isla a luchar con él y, una vez vencidos, les daba muerte, hasta el día
que fue derrotado y muerto por Odiseo.
[7] *Anciano del mar: Proteo.* Pastor de rebaños de focas de Poseidón.

»En Egipto, a pesar de mi afán de volver, aun los dioses
retuviéronme, pues no les hice hecatombes perfectas,
y ellos siempre desean que el hombre recuerde sus órdenes.
Allí, en medio del mar encrespado, se encuentra una isla
situada delante de Egipto, a la cual llaman Faros,
mas tan lejos de aquél cuanto tardan las cóncavas naves
todo un día en llegar con el viento sonoro de popa;
hay allí un fondeadero del cual las armónicas naves
mar adentro se lanzan, después de achicar agua negra.
Veinte días los dioses tuviéronme allí, sin que vientos
favorables hubiera, que son los que empujan las naves
conduciéndolas sobre la anchísima espalda del agua.
Ya menguaban los víveres y entre mis hombres los ánimos,
mas salvóme una diosa que tuvo piedad de mi suerte:
Idotea, la hija del fuerte Proteo, el Anciano
de los Mares; su pecho debió conmoverse sin duda.
Se me apareció mientras solo vagaba, apartado de todos:
los demás iban siempre rondando la isla y pescando
con anzuelos curvados, que el hambre sus vientres roía.

»Y, acercándose a mí me habló entonces con estas palabras:

»—¡Extranjero! ¿Tan niño eres tú o es tan débil tu espíritu,
o quizá te abandonas a gusto y sufriendo disfrutas?
¿Tanto tiempo aquí estás retenido en la isla y no puedes
poner fin a este estado? Y en tanto tus hombres desálanse.

«Así dijo, mas yo respondí de este modo, diciendo:

»—Oh, deidad, la que seas, yo quiero decirte que contra
mis deseos estoy retenido, o tal vez he pecado
contra los inmortales que habitan el cielo anchuroso.
Mas revélame, ya que los dioses no ignoran las cosas,
cuál de los inmortales retiéneme y cierra mi ruta,
cómo regresaré por la mar que los peces habitan.

»Dije así, y al instante me habló la divina entre diosas:

»—Extranjero, te voy a informar francamente de todo:
aquí viene el Anciano del Mar que cuando habla no yerra,
el eterno Proteo, el egipcio que de todo el ponto
los abismos conoce y le da a Poseidón asistencia;
aseguran que el dios es mi padre, que el dios me ha engen-
[drado.
Si consigues, tendiéndole una asechanza, aprehenderlo,
te dirá qué camino tendrás que seguir y sin duda
cómo regresarás por la mar que los peces habitan.
Y, además ¡oh criatura de Zeus!, es posible te diga,
si lo quieres, lo bueno y lo malo que ha habido en tu casa
desde que te partiste a un viaje tan largo y penoso.

»Así dijo, mas yo respondí de este modo, diciendo:

»—Dime tú qué asechanza le tiendo al Anciano divino,
que no advierta mi ardid y, sabiéndolo a tiempo, se escape;
no le es fácil a un hombre mortal capturar a un eterno.

»Dije así, y al instante me habló la divina entre diosas:

»—Extranjero, te voy a informar francamente de todo:
cuando el sol, prosiguiendo su curso, se encuentre en el cénit,
el Anciano del Mar, que cuando habla no yerra, aparece
bajo el soplo del Céfiro, envuelto en las olas sombrías;
salta a tierra y se acuesta en seguida en sus cuevas profun-
y, reunidas en torno, asimismo se duermen las focas   [das.
de la Bella Halosidne, que salen del mar espumoso
patullando y oliendo acremente a la mar profundísima.
Al albor, con los tuyos, habré de llevarte a ese sitio
y, en hilera, acostaos, y escoge muy bien a tres hombres,
los mejores de los que en tus naves bancadas poseas.
Y te voy a decir los ardides de que usa el Anciano:
contará, antes que nada, sus focas siguiendo sus filas,
y contadas con sus cinco dedos y vistas ya todas,
dormirá junto a ellas, igual que un pastor de corderos.
Procurad, cuando veas que en su primer sueño se encuentra,
tener fuerza y valor, y allí mismo agarradlo con brío

aunque contra vosotros revuélvase y quiera evadirse;
tratará de cambiarse en cualquiera de los animales
que por tierra se arrastran, en agua o en ardiente fuego,
mas vosotros tenedlo muy firme y aun más apretadlo.
Cuando, al fin, él a ti se dirija y te hable mostrándose
con la misma figura que cuando le visteis durmiendo,
el instante ha llegado; abandona violencias y suéltalo,
y pregunta al Anciano qué dios ha creado tu obstáculo,
y también cómo irás por la mar que los peces habitan.

»Dijo, y se sumergió en las altísimas ondas del agua.
Yo me fui a mis navíos que hallábanse sobre la arena,
mientras mi corazón lo agitaban ideas innúmeras.
Y una vez regresé a mi navío y al ponto, fue cuando
preparamos la cena; y la noche sagrada nos vino,
y tendímonos luego en la playa a los pies de las olas.

»Al mostrarse en el día la Aurora de dedos de rosa,
cuando estuve en la orilla del mar de los anchos caminos,
supliqué con fervor a los dioses, llevando conmigo
a tres hombres a quienes podía confiar toda empresa.
Se metió ella en el ancho regazo del agua y, al punto,
cuatro pieles de focas, recién desolladas, se trajo,
con las cuales urdir pretendía una trampa a su padre.
Y después de excavar en la arena del mar unos lechos,
aguardó allí sentada, y nosotros llegamos hasta ella,
y nos hizo acostar en hilera y nos puso las pieles.
Fue el momento peor pues hedían de horrible manera
esas pieles de focas criadas en lo hondo del piélago:
¿quién al lado podría dormir de una bestia marina?
Nos salvó, sin embargo, pensando un remedio agradable,
pues en nuestras narices nos puso ambrosía, que un grato
y suave perfume exhalaba, el hedor apagando.
Toda aquella mañana aguardamos, pacientes los ánimos,
y las focas salieron reunidas del mar y acudieron
a tenderse a dormir en hilera en la playa arenosa.
Y llegó el mediodía, el Anciano surgió de las aguas
y las focas robustas halló, las miró y llevó cuenta,

y a nosotros contó los primeros, mas dentro del ánimo
no advirtió nuestro engaño, y después acostóse entre ellas.
Y nosotros entonces, gritando, sobre él nos lanzamos,
pero no se olvidó aquel Anciano de sus triquiñuelas.
Convirtióse primero en león de abundantes melenas,
y en dragón, en pantera y en un jabalí impresionante,
y hasta en agua que corre y en árbol de copa florida.
Mas nosotros con ánimo firme muy fuerte lo asíamos.
Sin embargo, al final, el Anciano de las triquiñuelas
se cansó, y dirigiéndose a mí de este modo me dijo:

»—Dime, Atrida, ¿qué dios te indicó que podías prenderme
amañando este ardid, contra mi voluntad? ¿Qué deseas?

»Así dijo, mas le respondí de este modo, diciendo:

»—Bien lo sabes, Anciano, ¿a qué andarte con tales rodeos?
Hace tiempo que estoy retenido en la isla y no puedo
poner fin a este estado. Y en tanto mis hombres desálanse.
Mas revélame, ya que los dioses no ignoran las cosas,
cuál de los inmortales retiéneme y cierra mi ruta
y también cómo iré por la mar que los peces habitan.

»Dije así, y al instante me habló de este modo, diciendo:

»—Porque cuando te hiciste a la mar olvidaste hacer bellos
sacrificios a Zeus y a los otros eternos, pensando
a la patria muy pronto volver por el ponto vinoso.
Sí, a los tuyos no quiere el destino que veas, ni vuelvas
a tu bien construida morada y tu tierra paterna,
si a las aguas de Egipto no vuelves, al río que viene
de los dioses, y no has ofrecido hecatombes sagradas
a los dioses eternos que el cielo anchuroso dominan;
sólo así te darán las deidades la ruta que quieres.

»Esto dijo el Anciano, y en mí el corazón se rompía
al pensar que ordenábame ir por el ponto sombrío
otra vez hasta Egipto, un camino tan largo y penoso.
Mas, con todo, le hablé respondiendo con estas palabras:

»—Cumpliré exactamente, ¡oh Anciano!, las cosas que or-
Pero aclárame esto y responde con toda franqueza: [denas.
¿regresaron sin daño en sus naves los hombres de Acaya,
los que Néstor y yo allá dejamos al irnos de Troya,
o murieron algunos de muerte penosa en sus naves
o rodeados de amigos y ya terminada la guerra?

»Dije así, y al instante me habló de este modo diciendo:

»—¿Por qué, Atrida, estas cosas preguntas? ¡Ay, fuera más
que ignoraras y desconocieras su suerte! ¡Cuán poco, [justo
en verdad, sin llorar estuvieras si no lo ignorases!
Muchos de ellos murieron y muchos también sobreviven;
sólo dos capitanes aqueos de cotas de bronce
perecieron de vuelta; la guerra tú ya presenciaste;
otro, vivo aún, se encuentra cautivo en el ponto anchuroso.
Sucumbió Áyax con toda su flota de remos muy largos.
Poseidón, al principio, empujándolo fue hasta las Giras,
unas rocas enormes, y al fin lo salvó de las olas.
Y la muerte evitara, con todo y odiarlo Atenea,
de no haber pronunciado una frase soberbia, insensata:
que a pesar de los dioses sabría escapar del abismo.
Poseidón que le oyó esta jactancia expresada en voz alta,
agarrando en seguida el tridente con manos robustas,
lo clavó en una roca Girea y partióla en dos trozos
uno allí se quedó, pero el otro cayó sobre el piélago,
donde Áyax se encontraba sentado al lanzar su bravata,
y llevóselo al fondo del ponto anchuroso y profundo:
y murió de este modo, tragando mucha agua salada.
El segundo, tu hermano, la Parca evitóse y escapóse
en las cóncavas naves, salvado por Hera la augusta.
Mas cuando iba a llegar al excelso espigón de Malea,
lo alcanzó de repente una gran tempestad y, gimiendo,
a través de la mar que los peces habitan llevóselo.
Sin embargo, allí mismo vio pronto un regreso apacible
y cambiaron los dioses el viento, y llegaron a casa,
al extremo del campo habitado por Tiestes antaño,
pero entonces vivía allí el hijo de Tiestes[8], Egisto.

---

[8] *Tiestes.* Hermano gemelo de Atreo, hijos de Pélope e Hipodamia.

Jubiloso, pisó el patrio suelo, y tocando la patria,
la besaba y brotaban ardientes e innúmeras lágrimas
de sus ojos al ver con amor nuevamente su tierra.
Mas desde una atalaya un vigía lo vio, a quien Egisto
el astuto por paga ofreció dos talentos de oro.
Y llevaba ya un año al acecho, para que el Atrida
no llegara sin que él lo supiera y mostrase su enojo.
A la casa se fue a dar la nueva al pastor de aquel pueblo,
y al momento urdió Egisto en su mente una trama traidora:
escogió en la ciudad veinte hombres de mucho coraje,
preparó una emboscada y mandó preparar el banquete,
y a invitar se marchó a Agamenón, el pastor de aquel pue-
[blo,
con su carro y caballos, pensando malvados propósitos.
Y él subió, de la muerte ignorante, y allí ante la mesa
lo mató como a un buey, al que junto al pesebre se mata,
y a los hombres también que el Atrida llevóse consigo,
y aun los hombres de Egisto murieron también en la sala.

»Esto dijo el Anciano, y en mí el corazón se rompía,
y lloraba sentado en la arena y ya no deseaba
ni vivir ni ver más este sol cuya luz nos alegra.
Pero cuando me harté de llorar y de estar en el suelo
revolcándome, dijo el Anciano del Mar, que no yerra:

»—Basta, Atrida, de llanto; no pierdas más tiempo, que
[nada
de este modo remedias. Más vale que intentes ahora
regresar lo más pronto posible a tu patria paterna.
Allí mismo hallarás aún a Egisto, o tal vez Orestes
te ganó por la mano, y así llegarás a sus honras.

»Así dijo el Anciano, y, no obstante mi pena, en mi pecho
me sentí el corazón jubiloso y el ánimo alegre.
Y, volviéndome a él, pronuncié estas palabras aladas:

»—Ya sé de éstos, mas ahora debieras nombrarme al tercero,
el que aún vive y está retenido en el ponto anchuroso
o murió; y, aunque triste, yo quiero saber cuanto sepas.

»Dije así, y al instante me habló de este modo, diciendo:

»—Es el hijo de Laertes, que mora en su casa de Ítaca.
Yo le vi en una isla[9], llorando sin tregua, en la casa
de la ninfa Calipsò, que allí lo retiene a la fuerza,
y no puede pensar en volver a la tierra paterna
porque no tiene naves provistas de remos, ni amigos
que, a través de la espalda anchurosa del ponto, lo guíen.
¡Oh criatura de Zeus, Menelao! Ordenaron los dioses
que no mueras en Argos, la tierra yegüera, y se cumpla
tu destino antes de que a los Campos Elíseos te envíen
los eternos, al fin de la tierra, allí donde se encuentra
Radamantes el rubio; allí al hombre la vida es amable,
pues no hay nieve, ni largos inviernos, ni lluvia se ha visto;
antes bien, el Océano siempre las brisas del Céfiro,
las de soplo sonoro, les manda y dan fresco a los hombres;
porque tienes a Helena, para ellos, de Zeus eres yerno.

»Dijo, y se sumergió en las altísimas ondas del ponto.
Yo con mis compañeros divinos me fui hasta mis naves,
mientras mi corazón lo agitaban ideas innúmeras.
Y una vez regresé a mi navío y al ponto, fue cuando
preparamos la cena; y la noche sagrada nos vino,
y tendímonos luego en la playa a los pies de las olas.

»Al mostrarse en el día la Aurora de dedos de rosa,
al momento lanzamos entonces las naves al agua;
a las naves ligeras los palos y velas pusimos,
se embarcaron los hombres y luego en sus bancos sentá-
en hileras, y al punto batieron los remos la espuma.   [ronse
Y otra vez en Egipto, en el río que envían los dioses,
fondeé mis navíos e hice hecatombes sagradas.
Cuando ya apacigüé de los dioses eternos la ira,
hice un túmulo para la gloria eternal de mi hermano,
y, cumplido ya esto, partí y los eternos me dieron
una brisa y lleváronme pronto a la patria amadísima.
Ahora bien, quédate en mi palacio, si quieres, en tanto

---

[9] *Isla* (Ogigia). Cf. n. 2 al c. I.

cúmplense once días o doce, y entonces, al irte,
yo te despediré regalándote ricos presentes:
tres caballos y un carro labrado, y más todavía:
quiero darte mi copa más bella para que a los dioses
inmortales ofrendes y a mí me recuerdes a diario.»

Y, mirándolo, dijo Telémaco de esta manera:

—No es preciso, ¡oh Atrida!, que ya me retengas más tiem-
En verdad que a tu lado brevísimo un año sería,   [po.
sin que nunca de menos echara el hogar de mis padres,
pues un gozo muy grande me causa escuchar tus relatos
y también tus palabras, mas deben mis hombres en Pilos,
la divina, aburrirse, y tú quieres aquí retenerme.
Que tu obsequio consista en presentes que puedan guar-
los corceles no puedo llevarlos a Ítaca, que queden   [darse:
aquí para tu ornato, pues reinas en una llanura
anchurosa y en donde abundante es el trébol, la juncia,
y las mieses y espelta y la blanca y lozana cebada.
En Ítaca no existen lugares tan vastos ni prados;
es capraria, y aun más estimable que tierras yegüeras
pues las islas que inclínanse al mar, para andar a caballo
no son propias ni tienen praderas, y aun menos la mía.

Dijo así, y sonrió Menelao, el de grito potente.
Con la mano le fue acariciando a la vez que decía:

—Buena sangre, hijo mío, demuestras tener cuando hablas.
Cambiaré los regalos que dije, pues bien puedo hacerlo.
De las cosas que tengo en la casa y que pueden guardarse,
la más bella y preciada de todas deseo que tengas:
quiero darte una crátera, toda de plata, labrada,
en la cual hay un vivo de oro en la boca; fue Hefestos
quien la hizo, y a mí me la dio un día Fédimo el héroe,
rey del pueblo sidonio, una vez que me tuvo en su casa
cuando yo iba a la mía, y es cuanto yo quiero ofrecerte.

[*La emboscada de los pretendientes*]

Mientras ellos seguían charlando de cosas como éstas,
a la casa del rey Menelao, llegaron los huéspedes
y·corderos o el vino que anima a los hombres llevaban
con el pan que enviaban también sus veladas esposas.
Así, pues, el festín en la casa alistaban aquéllos.
Solazábanse frente al hogar de Odiseo algunos
pretendientes, lanzando los discos o las jabalinas
en la dura explanada, lo mismo que siempre, insolentes;
junto a Eurímaco hallábase entonces Antinoo sentado,
dos caudillos sin par en bravura entre los pretendientes.

Pero el hijo de Fronio, Noemón, acercóse hasta ellos,
y después, dirigiéndose a Antinoo, inquirió de este modo:

—Por ventura, ¡oh Antinoo!, ¿podemos saber en qué día
volverá de la tierra arenosa de Pilos Telémaco?
En mi nave partió y necesito ya de ella, pues debo
ir a Élide; tengo en un prado de allí doce yeguas
y unos mulos sufridos que maman aún y sin doma
y quisiera traerme ahora alguno, empezar a domarlo.

Dijo así, y asombráronse todos, pues no imaginaban
que estuviera él en Pilos, ciudad de Neleo[10]; creíanlo
en la isla, en el campo o con su porquerizo y ganado.
Pero el hijo de Eupites, Antinoo, repuso diciendo:

—En verdad, dime cuándo embarcóse y qué jóvenes fueron
los que le acompañaron: ¿mancebos de Ítaca escogidos,
o quizá mercenarios y esclavos? Pues bien pudo hacerlo.
Asimismo, pues quiero saberlo, responde sincero:
¿te quitó por la fuerza, y aun mal de tu grado, tu negra
nao, o bien cuando te la pidió se la diste gustoso?

Y, mirándolo, el hijo de Fronio, Noemón, así dijo:

[10] Cf. n. 2 al c. III.

—Se la di de buen grado y con gusto. ¿Qué haría otro
                                        [hombre
si un varón tan ilustre como él y afligido lo ruega?
Muy difícil hubiérame sido negarle este préstamo.
Los mancebos que lo acompañaron, después de nosotros,
son los más destacados del pueblo; y aun supe que como
capitán iba Méntor, o un dios semejante a este hombre.
Mas me asombra una cosa: que ayer, cuando el alba apun-
                                        [taba,
estuviese aquí Méntor y en tanto embarcase hacia Pilos.

Así dijo, y Noemón dirigióse a la casa paterna.
A los dos la inquietud llenó el pecho soberbio, y los otros
pretendientes cesaron los juegos y ante ellos sentáronse.
Luego el hijo de Eupites, Antinoo, tomó la palabra,
mas muy triste, en sus negras entrañas la cólera ardía
y sus ojos más bien parecían las llamas del fuego:

—¡Dioses! Pudo por fin emprender este viaje Telémaco,
¡y con cuánta insolencia! Y nosotros jamás lo creyéramos.
A despecho de todos el niño se ha ido sin ruido,
y un navío ha botado, eligiendo a los hombres mejores.
Peligroso será en poco tiempo, si Zeus no aniquila
su vigor antes que su feliz juventud se madure.
Mas cededme una nave ligera y también veinte hombres;
le armaré una emboscada al volver, acechando el retorno
en el paso que a Ítaca separa de Samos la abrupta.
¡Ya que fue a navegar por su padre, que pague este gusto!

Dijo Antinoo; aprobáronlo todos y a hacerlo exhortáronle;
leväntáronse y en la mansión de Odiseo entraron.

Y Penélope apenas tardó en conocer qué intenciones
albergaban en sus pensamientos aquellos galanes,
pues Medonte, un heraldo que pudo escuchar sus palabras
desde fuera del patio y en tanto intrigaban, lo dijo.
Y a través de la casa fue a dar la noticia a Penélope,
y cuando hubo llegado al umbral preguntóle Penélope:

—¿Por qué los pretendientes ilustres te envían, heraldo?
¿A decir a las siervas de Odiseo divino que dejen
sus quehaceres y pronto el festín para ellos preparen?
¡Ojalá que sin más pretenderme ni hacer más proyectos
hoy por fin en mi casa cenaran por vez postrimera!
¡Oh vosotros, que aquí con frecuencia os reunís agostando
la fortuna del sabio Telémaco!, ¿nunca escuchasteis
de los padres, antaño, cuando erais aún niños, qué hombre
fue, para los padres que os dieron la vida, Odiseo,
que jamás, ni en palabra ni en obra hizo daño a ninguno
en su pueblo? Bien suelen los reyes divinos hacerlo,
que aborrecen a un hombre y le dan sus favores a otro;
él no obró con ninguno de una manera insensata.
Y ahora en estas indignas acciones se advierte vuestro ánimo,
porque no demostráis gratitud a ningún beneficio.

Y le dijo Medonte, el que daba prudentes consejos:

—¡Ojalá, oh reina, fuese el mayor infortunio todo esto!
Pues hay otro aún más grave y penoso, que los pretendientes
han fraguado, ¡y que el hijo de Cronos no quiera cumplirlo!
Quieren dar con el bronce afilado la muerte a Telémaco
cuando vuelva, pues él, deseando noticias del padre,
se fue a Pilos sagrada y a Lacedemonia divina.

Dijo, y el corazón y rodillas temblaron en ella,
y quedó sin palabras durante un buen rato, y sus ojos
se anegaron en llanto y quebróse su voz tan sonora.
Mas al fin respondióle con estas palabras diciendo:

—¿Por qué, heraldo, se ha ido mi hijo? ¿Qué afán le apre-
                                              [miaba
a embarcarse en las naves ligeras que son para el hombre
cual corceles que van por el mar y en las ondas caminan?
¿O ni aun que su nombre quedara en la tierra ha querido?

Y le dijo Medonte, el que daba prudentes consejos:

—Yo no sé si algún dios lo impulsó o el corazón le ha inci-
a que a Pilos partiera a tratar de saber si su padre   [tado
viene ya, o cuál es el destino que le ha dado alcance.

Dijo, y por la mansión de Odiseo otra vez fue Medonte.
Sintió ella un dolor devorante y no pudo más tiempo
continuar en su silla sentada, aunque muchas había;
antes bien, se sentó en el umbral del labrado aposento,
lamentándose amarga, y en torno gemían sus siervas,
todas cuantas había en la casa, las viejas y jóvenes.

Y a través de sus crueles sollozos les dijo Penélope:

—Escuchadme, ¡oh amigas!, más penas me ha dado el Olím-
                                                    [pico
que a ninguna de cuantas nacieron conmigo y criáronse.
Comencé por perder a un ilustre marido; tenía
corazón de león y a los dánaos vencía en virtudes,
cuya fama se extiende a través de la Hélade y Argos.
Y ahora las tempestades se llevan a mi hijo amadísimo
de la casa, sin fama, e ignoraba yo que iba a marcharse.
¡Crueles sois! ¡Entre todas ninguna pensó tan siquiera
despertarme en el lecho, a pesar de que todas sabíais
cuándo mi hijo embarcaba en el cóncavo y negro navío!
¡Ah, si hubiese sabido que estaba pensando este viaje,
en la casa quedáráse, aun cuando partir deseara,
o, al partir, en la casa me hubiese dejado sin vida!
Por favor, que una vaya a llamar pronto a Dolio el anciano,
el esclavo que diome mi padre al venir a esta casa,
el que cuida mi huerto arbolado, y que vaya en seguida
a buscar a Laertes y cuanto me ocurre le cuente;
el anciano quizá se decida a dejar su retiro
y a quejarse de los ciudadanos que tanto desean
destruir en el hijo el linaje de Odiseo divino.

Mas entonces le dijo Euriclea, su amada nodriza:

—¡Hija mía! Con bronce implacable tú dame la muerte,
o déjame en casa, mas nada ya quiero ocultarte.

Yo lo supe, y le di cuantas cosas pidió que le diera,
pan y vino dulcísimo y me hizo prestar juramento
de que nada dijera hasta que doce días pasaran
o lo echases de menos y oyeras decir que ha partido,
que no fuera que el llanto una cara tan bella agostase.
Ahora, pues, ve a lavarte la cara y vestir ropa limpia;
cuando estés en el alto aposento y tus siervas contigo,
reza a la hija de Zeus que la égida lleva, Atenea,
y la diosa a tu hijo podrá rescatar de la muerte.
Y no aflijas ya más a un anciano que está harto afligido,
que imagino que las venturosas deidades no odian
de tal modo el linaje de Arcesio, sino que habrá alguno
que alta casa posea y extensos y fértiles campos.

Dijo, y ella calmó su tormento y cesaron sus lágrimas.
Y después de lavarse la cara y vestirse otra ropa,
se fue al alto aposento y llevóse consigo las siervas,
y, ya puesta la mola en el cesto, rezóle a Atenea:

—¡Óyeme, hija de Zeus portador de la égida, Indómita!
Si el astuto Odiseo en la casa quemó en tu homenaje
en alguna ocasión grasos muslos de toro o de oveja,
no lo olvides y sálvame ahora a mi hijo amadísimo
y de mí aleja a los pretendientes soberbios y crueles.

Y clamó habiendo hablado, y la diosa escuchó su plegaria
y en sala sombría exaltáronse los pretendientes,
y así habló uno de aquellos muchachos soberbios, diciendo:

—Ya prepara las bodas la reina a quien tantos pretenden,
y no sabe que su hijo ya tiene la muerte dispuesta.

Así habló el hombre, mas ignoraban lo que acontecía.
Pero entonces Antínoo tomó la palabra y les dijo:

—¡Desdichados! He aquí que decís insensatas palabras;
cuidaos de ellas, no sea que las repita en la casa.

Mas callad, levantémonos ahora y llevemos a cabo
el proyecto, tal como nos place en el ánimo a todos.

Dijo así, y escogió veinte hombres, los más valerosos,
y se fue hacia la mar, donde estaba la rápida nave.
De primero lanzaron la nave a las aguas profundas,
y al oscuro navío pusiéronle mástil y velas
y amarraron los remos después con las tiras de cuero
sobre toda la borda e izaron la vela blanquísima.
Escuderos atentos las armas les dieron entonces.
Y una vez en el mar, ancoraron la nave y bajaron
y pusiéronse luego a comer esperando la tarde.

La discreta Penélope, en tanto, en el alto aposento
en ayunas yacía, no habiendo comido o bebido,
cavilando si el hijo intachable salvarse podría
o sería vencido por los pretendientes soberbios.

Cuantas cosas medita un león que se ve rodeado
por la turba de los cazadores en pérfido círculo,
tantas cosas pensaba ella cuando quedóse dormida.
Se durmió recostada y sus miembros quedáronse laxos.

Y otra cosa Atenea pensó, la de claras pupilas.
Construyóse una imagen que una mujer parecía,
y era idéntica a Iftima, la hija de Icario magnánimo,
que era esposa de Eumelo, el que en Feres[11] tenía la casa,
y Atenea la envió a la mansión de Odiseo divino
para hacer de algún modo cesar el clamor y sollozos
de Penélope, que sollozaba y gemía sin tregua.
Entró, pues, en la alcoba, a través del cerrojo de cuero,
y a la reina le habló, deteniéndose a su cabecera:

—¿Te has dormido, Penélope, y tienes tal pena en el ánimo?
Sabe, pues, que los dioses que viven dichosos no quieren
que solloces ni penes, que al hijo has de ver de regreso,
porque a ojos de todos los dioses jamás ha pecado.

[11] *Feres*. Cf. n. 22 al c. III.

Y repúsole entonces así la discreta Penélope,
dulcemente dormida, a las puertas del sueño en que estaba:

—¿Cómo aquí te viniste, ¡oh hermana!, si nunca solías
visitarnos, que lejos se encuentra la casa que habitas?
Tú me pides que cese mi llanto y olvide mis penas
que son tantas que me han conturbado la mente y el ánimo.
Comencé por perder a un ilustre marido; tenía
corazón de león y a los dánaos vencía en virtudes
cuya fama se extiende a través de la Hélade y Argos.
Y ahora el hijo amantísimo fuese en su cóncava nave,
niño aún, inexperto en trabajos y en conversaciones.
Más por él me lamento yo ahora que aun por el otro,
por él tiemblo y me asusta que alguna desgracia le ocurra
tanto allí donde va, como sobre la mar, ¡quién lo sabe!
Enemigos innúmeros tiene que contra él maquinan
darle muerte, y aun antes que vuelva a la tierra paterna.

Y el oscuro fantasma repúsole entonces diciendo:

—Sé valiente y no sientas temor demasiado en tu pecho.
Tal es la compañera que guía sus pasos, que muchos
desearían tenerla consigo, porque es poderosa;
es la diosa Atenea. Y sintiendo piedad de tu angustia
me ha enviado hasta ti para hacerte saber todo esto.

Y repúsole entonces así la discreta Penélope:

—Si eres alguien divino y divino es también tu mensaje,
cuéntame por favor las miserias que el otro soporta,
dime si vive y si con la luz de este sol se recrea,
o si ha muerto quizá y ahora habita en la casa del Hades.

Y el oscuro fantasma repúsole entonces diciendo:

—Claramente no puedo decir si está muerto o si vive,
porque no es nada bueno charlar de estas cosas tan vanas.

Así dijo, y se fue por la barra a través de la puerta
y perdióse en el aire. Y del sueño la hija de Icario
despertó, y se sintió el corazón renacer de esperanza
porque claro le fue entre las sombras nocturnas el sueño.

En su nave ya los pretendientes surcaban las ondas
y pensaban la muerte más dura que dar a Telémaco.
Mar adentro se encuentra un islote que es todo una roca,
a mitad de camino de Ítaca y de la áspera Samos,
Ásteris, no muy grande, con sus fondeaderos y dobles
aberturas, y allí los de Acaya en acecho aguardaron.

CANTO V

[La cueva de Calipso]

De su lecho, dejando a Titón[1] el glorioso, la Aurora
levantóse a ofrecerles el día a los dioses y hombres;
y los dioses en junta reuniéronse, y los presidía
Zeus el altitonante, el que tiene poder soberano.
De Odiseo contaba Atenea las penas, muy triste
al pensar siempre que en su mansión lo tenía la Ninfa.

—Padre Zeus, y vosotros los dioses felices y eternos,
que ningún rey que empuñe su cetro se muestre suave,
ni benigno ni blando, ni piense en las cosas más justas,
que obre siempre cruelmente y cometa nefandas acciones,
ya que nadie a Odiseo divino recuerda entre aquellos
ciudadanos a quienes regía como un tierno padre.
Hállase en una isla sufriendo terribles trabajos
con la ninfa Calipso, en su casa, que allí lo retiene
a la fuerza, y no puede volver a su tierra paterna,
pues carece de naves remeras y de hombres que puedan
conducirlo a través de la espalda anchurosa del ponto.
Y ahora quieren matar a su hijo amadísimo, cuando
a su casa regrese; queriendo saber de su padre
se fué a Lacedemonia divina y a Pilos la sacra.

Y repúsole Zeus, el que nubes reúne, diciendo:

---

[1] *Titón*. Amante mitológico de *Eós* (cf. n. 1 al c. II).

—¿Qué palabras, oh hija, se van del vallar de tus dientes?
¿Es que acaso no has sido tú misma quien ha decretado
que a su patria, a vengarse de aquéllos, volviera Odiseo?
Con respecto a Telémaco, debes guiarlo discreta,
ya que puedes hacerlo, y que llegue sin daño a su patria,
y que los pretendientes que van en su nave regresen.

Dijo así; miró a Hermes, el hijo amadísimo, y dijo:

—Hermes, ya que eres tú el mensajero de todos nosotros,
ve a anunciar a la ninfa de crespo cabello el decreto:
que el paciente y divino Odiseo ahora vuelva, y su vuelta
se efectúe sin guía de dioses ni de hombres mortales,
solo y en una bien ensogada almadía, y que sufra
veinte días de mar hasta que llegue a Esqueria la fértil,
pueblo de los feacios[2], por raza, a los dioses vecinos,
que lo mismo que si fuera un dios lo honrarán muy gustosos
y en sus naves lo trasladarán a su tierra paterna,
bien provisto de ricos presentes de bronce, oro y ropas,
como nunca se hubiera llevado de vuelta de Troya
aunque ileso volviese y con todo el botín que era suyo;
su destino es volver a los suyos y entrar nuevamente
en su casa de techos tan altos, en tierra paterna.

Así dijo, y le obedeció el mensajero Argifontes[3].
Ató al punto a sus pies los divinos talares de oro
que podían llevarlo a través de las húmedas ondas
y a través de la tierra infinita, lo mismo que el viento.
Y tomó la varita que duerme los ojos al hombre
o despierta los ojos del hombre dormido, si quiere.
Con la vara en la mano voló el poderoso Argifontes
y ya a Peria[4] llegado, del éter saltó sobre el agua;
así, a ras de las olas, volaba como una gaviota

---

[2] *Esqueria. Tierra de los feacios.* Algunos sitúan el pueblo de los feacios en Corcira, la actual Corfú, y otros en la propia Ítaca o en la isla
de Cefalonia; siempre en el ámbito del N. del mar Jónico.

[3] *Argifontes.* Cf. n. 6 al c. I.

[4] *Peria.* Sería un lugar específico dentro de la isla Ogigia (cf. n. 2
al c. I), aunque probablemente el nombre no responde a ningún lugar
geográfico determinado, sino que es pura convención poética.

que en los senos profundos del mar que carece de frutos
pesca peces y moja en el agua el tupido plumaje:
por las ondas era este el aspecto que Hermes tenía.

Cuando hubo, por fin, a la isla remota llegado,
se salió de las ondas violáceas y luego, por tierra,
prosiguió su camino a la cueva en que estaba la Ninfa
del cabello rizado, y la pudo encontrar en la gruta.

Un gran fuego en el lar llameaba y desde él se esparcía
por la isla el aroma del cedro astillable y la tuya.
Y la Ninfa, allí dentro cantaba dulcísimamente,
mientras con lanzadera de oro tejía en su rueca.
Rodeando la gruta crecieron innúmeros árboles,
verde selva de álamos, chopos y olientes cipreses
y anidaban en ellos las aves de muy largas alas,
búhos y gavilanes, cornejas marinas de lengua
alargada, que en cosas del agua tan sólo se ocupan.

Por el muro que tiene la gruta profunda vertíase
una vid floreciente cargada de grandes racimos;
cuatro fuentes seguidas manaban un agua clarísima,
una junto a la otra, mas en direcciones distintas.
Verdeaban en torno unos prados en los que crecían
perejil y violetas; allí el inmortal que llegara
bien se hubiera admirado y hubiese alegrado su ánimo.

A mirar el lugar se paró el mensajero Argifontes.
Cuando en su corazón cada cosa ya había admirado,
penetró en la amplia gruta en seguida, y ya supo quién era,
al mirarle a la cara, Calipso, la diosa entre diosas,
porque se reconocen los dioses eternos aun cuando
uno de ellos habite en lugares distantes del otro.
Mas allí no se hallaba, en la cueva, Odiseo magnánimo,
pues estaba llorando a la orilla del mar, donde siempre,
consumiéndose a fuerza de llanto, suspiros y penas
y miraba a la mar infecunda, llorando incansable.

Preguntó así la diosa entre diosas, Calipso, a Hermes,
cuando en un refulgente sitial él estuvo sentado:

—¿Qué te trae a mi casa, señor de la vara de oro,
venerable y querido Hermes? Antes venir no solías.
Dime qué es lo que quieres; me impulsa mi ánimo a hacerlo,
si es que puedo llevártelo a cabo y es cosa hacedera.
Pero sígueme a fin de ofrecerte los dones del huésped.

Así dijo, y la diosa le puso una mesa delante;
le sirvió la ambrosía y mezcló néctar rojo en su copa.
Y bebió así y comió el mensajero Argifontes divino.
Y cuando hubo cenado y la cena repuso sus ánimos,
él entonces tomó la palabra y repuso diciendo:

—Me preguntas por qué yo, un dios, he venido a ti, ¡oh dio-
Francamente lo voy a decir, ya que así me lo pides.   [sa!
Zeus ha sido quien me lo ordenó sin que yo lo quisiera:
¿quién por gusto querría pasar tantas ondas saladas?
Y no hay cerca de ti una ciudad donde ofrezcan los hom-
sacrificios divinos, haciendo hecatombes selectas.   [bres
Pero cuando es deseo de Zeus, el que lleva la égida,
imposible es a un dios resistir o incumplir lo que quiere.
Dice que está contigo un varón que es el más desdichado
de los que combatieron en torno al alcázar de Príamo
nueve años, y al décimo, habiendo pillado la villa,
a sus casas volvieron; de vuelta ofendieron a Palas,
quien lanzó contra ellos el viento y las olas hinchadas;
encontraron en ellas la muerte sus bravos amigos,
pero a él hasta aquí la borrasca y el mar lo empujaron.
Ahora Zeus te ha ordenado que de él te separes cuanto an-
                                                          [tes,
pues no quiere que muera alejado de aquellos que ama;
su destino es volver a los suyos y entrar nuevamente
en su casa de techos tan altos, en tierra paterna.

Dijo, y se estremeció la que es diosa entre diosas, Calipso,
y, volviéndose a él, pronunció estas palabras aladas:

—¡Oh crueldad de los dioses que sois más celosos que
[nadie!
No queréis que las diosas su lecho a las claras compartan
con el hombre mortal a quien quieren tener por esposo.
Así cuando tomó a Orión[5] la Aurora de dedos de rosa
le tuvisteis envidia los dioses de vida apacible,
hasta que Artemis casta, del áureo sitial, le dio muerte
en Ortigia, asaetándolo con sus dulcísimas flechas.
También cuando Deméter de crespos cabellos, cediendo
a un impulso, entregóse a Jasón[6] en amor y en el lecho,
en su campo tres veces labrado, tardó Zeus bien poco
en saberlo, y la muerte le dio con su rayo encendido.
Y ahora, dioses, a mí me envidiáis que esté un hombre con-
[migo,
a quien pude salvar cuando, solo, a caballo en la quilla,
navegaba, una vez hubo Zeus, con su rayo encendido,
destruido su nave en el centro del ponto vinoso.

«Los valientes amigos que lo acompañaban murieron,
mas a él lo trajeron acá la borrasca y las olas.
Lo acogí y lo mantuve amorosa y solía decirle
que lo haría inmortal y de toda vejez libraríalo.
Pero cuando es deseo de Zeus, el que lleva la égida,
imposible es a un dios resistir o incumplir lo que quiere;
noramala se vaya si Zeus a marcharse lo incita
por la mar infecunda, mas yo no podría guiarlo,
pues carezco de naves remeras y de hombres que puedan
conducirlo a través de la espalda anchurosa del ponto,
mas con gusto le aconsejaré, no ocultándole nada,
para que, sano y salvo, consiga llegar a su patria.»

Dijo, y le respondió el mensajero Argifontes, diciendo:

—Haz que parta en seguida, y la ira de Zeus ten en cuenta,
que no sea se aíre y te trate con saña algún día.

---

[5] *Orión*. Cazador gigante, hijo de Poseidón, raptado por Eós a Delos
y muerto por las flechas de Ártemis al intentar violar a la hiperbórea
Opis.
[6] *Jasón*. Hijo de Zeus y Electra, descendiente del gigante Atlas.

Y, una vez dicho esto, partió el mensajero Argifontes.
Fue la Ninfa augustísima en busca del noble Odiseo,
pues había escuchado el deseo que Zeus le expresaba.
Y sentado en la playa lo halló y anegados tenía,
como siempre, los ojos, y se iba su dulce existencia
consumiendo, esperando partir; ya no amaba a la Ninfa.

Obligado pasaba en la cueva profunda las noches
junto a aquella a quien él no quería, y amado por ella.
Y pasaba los días sentado ante el mar, en las rocas,
consumiéndose a fuerza de llanto, suspiros y penas,
y miraba la mar infecunda, llorando incansable.
Acercándose a él, dijo entonces la diosa entre diosas:

—¡Desdichado! No llores ya más ni consumas tu vida.
De buen grado te dejo partir si deseas marcharte.
Toma el bronce y con él corta troncos muy largos y júntalos
y hazte una ancha almadía, y encima construye un castillo,
para que te transporte por entre las ondas sombrías.
Yo pondré en ella el pan, pondré el agua y pondré el rojo
                                                    [vino
y pondré cuantas cosas te libren del hambre, y vestidos
y, además, te enviaré favorables los vientos, de modo
que sin daño consigas llegar a tu tierra paterna,
si los dioses que el cielo anchuroso poseen, lo desean,
porque, más que yo, pueden trazar sus designios, cumplién-
                                                    [dolos.

Dijo así, y el paciente y divino Odiseo, al oírla
tuvo un gran sobresalto y le habló con aladas palabras:

—Otra cosa, mas no mi retorno imaginas, ¡oh diosa!,
cuando dices que aunque en la balsa el abismo tan grande,
tan terrible y expuesto que aun ni las más finas naves
lo atraviesan siquiera, aunque Zeus les dé vientos de popa.
No, aunque a ti te disguste, no quiero embarcar en la balsa,
si primero no juras con un juramento solemne
no forjar contra mí una desgracia que daño me cause.

Dijo así, y sonrióle la diosa entre diosas, Calipso,
y decíale mientras le hacía caricias su mano:

—En verdad no eres justo, aunque sueles ser hombre pru-
cuando tales palabras tuviste el valor de decirme.   [dente,
Sépalo ahora la tierra y, arriba, el anchísimo cielo,
y aun el agua corriente de Estigia[7] —el más espantable
juramento, el más grande que tienen los dioses felices—:
no urdiré contra ti una desgracia que daño te cause;
lo que pienso y he de aconsejarte es lo que yo quisiera
para mí, si en iguales apuros llegara a encontrarme,
porque es recto mi espíritu y no soy de aquellos que tienen
férreo el ánimo dentro del pecho, sino compasivo.

Dijo así, y echó a andar la divina entre todas las diosas
muy veloz, y Odiseo seguía el pisar de la diosa.
A la cueva profunda volvieron la diosa y el héroe,
y él, después, se sentó en el sitial del que Hermes se había
levantado, y la Ninfa sirvió toda clase de cosas,
ya comida o bebida, que toman los hombres mortales;
y estaba sentada delante de Odiseo divino,
y las siervas sirviéronle a él la ambrosía y el néctar
y ellos fueron tendiendo la mano a las cosas servidas.

Cuando ya de comer y beber estuvieron saciados,
la divina entre diosas, Calipso, tomó la palabra:

—Laertíada, casta de Zeus, ingenioso Odiseo.
Así, pues, ¿desearías marcharte en seguida a tu casa
y tu tierra paterna? Pues bien, ve y que seas dichoso.
Mas si tu corazón conociera qué clase de males
sufrirás hasta tanto consigas llegar a tu patria,
te quedaras conmigo y velaras aquí esta morada
e inmortal tú serías, por mucho que estés deseoso
de llegar a tu esposa que a diario suspiros te arranca.
Yo me jacto de no parecer menos bella que ella

---

[7] *Estigia.* Lugar mitológico infernal.

ni en aspecto ni en cuerpo, porque una mujer no podría
competir en figura y en rostro con diosa ninguna.

Y repúsole entonces así el ingenioso Odiseo:

—Venerada deidad, no te enojes conmigo. Conozco
de qué modo a tu lado jamás la discreta Penélope
en belleza y en porte podría emularte, porque ella
es mortal, y tú estás de vejez y de muerte eximida.
Sin embargo, a diario me quiero marchar cuanto antes
a mi casa y, al fin, ver el día lucir del regreso.
Y si un dios me aniquila en las ondas del ponto vinoso,
yo sabré soportarlo con un corazón muy sufrido
porque muchas y grandes fatigas viví en todo instante
en la guerra y el mar. Y sabré soportar las que vengan.

Así dijo, y el sol se ocultó y se mostraron las sombras,
y los dos retiráronse dentro de la honda caverna,
y el amor disfrutaron el uno en los brazos del otro.

[La balsa de Odiseo]

Al mostrarse en el día la Aurora de dedos de rosa,
en seguida su túnica y manto se puso Odiseo.
Se vistió entonces ella, la Ninfa, unas ropas holgadas,
delicadas y bellas, su traje ajustó con un lindo
ceñidor de oro, y luego cubrió su cabeza velándola.
Y después se ocupó de la marcha del noble Odiseo.
Le dio un hacha muy grande de bronce, de fácil manejo,
cuyas caras tenía muy bien afiladas, provista
de un astil muy hermoso, de olivo, muy bien ajustado.
Entrególe después una azuela pulida, y llevóselo
a un extremo de la isla poblado de altísimos árboles:
chopos, álamos y altos abetos que al cielo se elevan,
secos ya por el tiempo y muy duros que bien flotarían.
Cuando le hubo enseñado el lugar de los árboles altos,
regresó a su morada, la diosa entre diosas, Calipso,

y él se puso a talarlos y pronto acabó la tarea.
Derribó veinte de ellos y los desbastó con el bronce,
los pulió con destreza, a nivel los cortó rectamente.
Y Calipso, la diosa entre diosas, llevóle barrenas;
taladró él cada pieza y las fue encarando y uniendo,
y, después, con clavijas montó con las piezas la balsa.
De la misma manera que un hábil maestro de hacha
da la anchura y largura en el fondo de un barco de carga,
Odiseo hizo igual y le dio tal medida a su balsa.

Construyó luego el puente, adaptándolo a espesas traviesas
y remate le dio con un piso de largos tablones.
Puso un mástil y en él fijó luego la antena adecuada
y, después, para la dirección, fabricó el gobernalle;
protegió la almadía con mimbres cruzados que fuesen
de las olas reparo, y lastróla con mucha madera.
Y la diosa entre diosas, Calipso, llevóle unos lienzos
para hacerse las velas; las hizo Odiseo hábilmente;
colocó las bolinas y drizas y ató las escotas,
y sobre unos parales varó entre las ondas divinas.
Cuando estuvo la balsa acabada era ya el cuarto día,
y en el quinto Calipso le dio ya el adiós de la isla,
ya lavado y vestido con ropas muy bien perfumadas.
Entrególe después un pellejo de vino muy negro,
otro grande con agua, y un pan en un saco de cuero
y abundantes manjares que gratos le fueran al gusto,
y una brisa muy plácida y tibia le dio, favorable,
y Odiseo divino, gozoso, largó todo el trapo.

Y, sentado al timón, comenzó a gobernar la almadía
con soltura feliz, sin que el sueño cayese en sus párpados,
observando las Pléyades[8] como el acrónico Bootes,
y la Osa que, asimismo, Carro se llama, y que gira
sin moverse de sitio y a Orión fijamente contempla

---

[8] *Pléyades. Bootes. Osa.* Las Pléyades son siete hermanas, hijas del gigante Atlas y Pleione, que, divinizadas, pasaron a ser las siete estrellas de la constelación de su nombre. Bootes es la constelación del Boyero o *Arkturos* (lit. «labrador de bueyes»). La Osa es, naturalmente, la Osa Mayor, en el N.

que es la única que en el Océano nunca se baña;
y Calipso divina le había ordenado que siempre
a su izquierda tuviese la estrella durante el viaje.

Navegó diecisiete jornadas por rutas del piélago
y a la décimo octava ya vio las montañas umbrías
de Feacia, en la parte más próxima y como si fuera
un escudo elevándose en medio del ponto sombrío.

De Etiopía volvía el Señor que sacude la tierra;
desde el monte Solimo lo vio desde lejos, bogando
por el mar en su balsa, y su ira creció todavía
y movió la cabeza y se dijo así, hablando a su ánimo:

—¡Dioses! Mientras me hallé con los Negros, sin duda nin-
las deidades cambiaron sus fines respecto a Odiseo.   [guna
Cerca está de Feacia, de donde fatal es que logre
escapar de las grandes miserias que siguen sus pasos.
Mas espero sobre él derramar todavía más males.

Dijo así, y, empuñando el tridente, reunió muchas nubes
y la mar sacudió, y provocó en torbellinos terribles
toda clase de vientos, cubrió con la niebla la tierra
y las olas del mar, y del cielo cayeron las sombras,
y soplaron el Euro y el Noto y el Céfiro fuerte,
y el Mistral, que, nacido en el éter, levanta los mares.
Corazón y rodillas entonces a Odiseo tembláronle,
y, gimiendo, decíase en su corazón generoso:

—¡Ay de mí, desdichado! ¿Qué cosas habrán de ocurrirme?
Temo que, sin error, la verdad me haya dicho la diosa
cuando me aseguró que en el mar muchas penas, aun antes
de llegar a mi patria, tendría, y se cumple ahora todo.
¡Con qué nubes tan grandes Zeus cubre el anchísimo cielo!
Y sacude la mar, y violentas borrascas me lanzan
toda clase de vientos: me aguarda una suerte terrible.
¡Oh, tres veces y cuatro dichosos los dánaos que entonces
perecieron por ambos Atridas en la vasta Troya!

¡Así hubiera yo muerto y cumplido mi hado aquel día
en que innúmeros hombres troyanos sus lanzas de bronce
como lluvia arrojábanme junto al Pelida yacente,
porque hubiese tenido una tumba y renombre en Acaya!
Y ahora es triste la muerte a que el hado condena mi vida.

Mientras esto decía, una ola cayó de lo alto,
pavorosa e inmensa, y así zozobró la almadía.
Él cayó del castillo, el timón se le fue de las manos
y al llegar la terrible borrasca de vientos mezclados
se rompió en dos pedazos el mástil, y luego la vela
y la antena, lanzadas muy lejos, cayeron al agua.
Y él estuvo gran rato debajo del agua, sin fuerzas
que, venciendo las olas violentas, pusiéranlo a flote,
porque mucho pesaban las ropas que dióle Calipso.
Mas, por fin, emergió y escupió de la boca agua amarga
que caíale a chorros del cráneo, anegando su rostro.
A pesar de que estaba cansado, pensó en la almadía
y por entre las olas nadó y se agarró a su costado
y, después, se sentó en medio de ella, evitando la muerte.
Y, según la corriente, las olas lo vaiveneaban.
Como el Bóreas de otoño en los prados se lleva vilanos
que entre sí se entremezclan, espesos, en masa compacta,
iba así por la mar, a merced de los vientos, la balsa:
ora el Noto la lanza al Mistral para que se la lleve,
ora el Euro la cede al Poniente y así la persigue.

Mas la hija de Cadmos le vio, la de hermosos pies, Ino
Leucotea, que fue en otro tiempo mortal y que hablaba,
y en el fondo del mar compartía las honras divinas.
Ella tuvo piedad del errante y sufriente Odiseo
y en figura de una gaviota surgió de las olas,
se sentó en la almadía y le habló de este modo, diciendo:

—¡Desdichado! ¿Por qué Poseidón que sacude la tierra
se te airó de manera tan cruel y te da tantos males?
No podrá aniquilarte por mucho que anhele lograrlo.
Cumple cuanto te voy a decir, pues pareces prudente.

Quítate estos vestidos y al viento abandona la balsa
y haz de modo que puedas llegar, con las manos, nadando,
a Feacia, allí donde tu suerte será que te salves.
Ahora toma este velo y procura ceñirlo a tu cuerpo;
es divino, y no debes temer sufrimientos ni muerte.
Cuando, a fuerza de manos, consigas llegar a la orilla,
de él despójate y lánzalo al fondo del agua vinosa,
lo más lejos posible de tierra, y volviendo la cara.

Dichas estas palabras, la diosa entrególe su velo
y volvió a sumergirse en las aguas undosas del ponto,
igual que una gaviota, y las ondas sombrías cubriéronla.

Mas quedóse indeciso el paciente y divino Odiseo
y, gimiendo, decíale a su corazón generoso:

—¡Ay de mí! Que no sea que un dios una trampa me tien-
y por esto la orden me dé de que deje la balsa.   [da
No lo haré todavía; muy lejos mis ojos han visto
esa tierra en la que ella me ha dicho hallaría refugio.
He de hacer una cosa, a mi juicio mejor que ninguna:
mientras vea que todos los troncos los clavos sujetan,
seguiré aquí, en la balsa, sufriendo paciente mis penas;
pero cuando desguacen la balsa las ondas del ponto,
nadaré, ya que no se me ocurre una cosa más sabia.

Mientras iba en su ánimo y mente pensando estas cosas,
el Señor que sacude la tierra alzó una ola espantosa,
irresistible, y sobre él abatió un techo elevado.
Como un viento furioso revuelve una hacina de paja
seca, y lanza las briznas de un sitio a otro sitio, asimismo
dispersó de la balsa los troncos. Y Odiseo entonces
agarróse a uno de ellos y púsose en él a caballo;
se quitó los vestidos que dióle la ninfa Calipso,
y en seguida extendió por debajo del pecho aquel velo
y lanzóse de bruces al mar, con los brazos abiertos
y nadó; mas le vio así el Señor que sacude la tierra
y movió la cabeza diciendo y hablando a su ánimo:

—Idos, pues, tú y tus males, vagando por entre las olas,
hasta que las criaturas de Zeus en Feacia te acojan.
Sin embargo, aun más grandes miserias daré a tu contento.

Dijo así, y fustigó a los corceles de crines hermosas
y partió para Egas, que allí está su ilustre morada.

Y Atenea, la hija de Zeus, pensó un nuevo designio:
a los vientos cerró los caminos y dióles la orden
de que se apaciguaran y pronto quedasen dormidos,
mas movió un fuerte Bóreas, quebrando las olas, de modo
que llegara a Feacia, el país de los buenos remeros,
escapando de muerte y de parca, Odiseo divino.

Con sus noches, dos días vagó por las olas espesas
e iba su corazón presagiando a menudo su muerte.

Cuando al día tercero la Aurora de trenzas hermosas
se anunció, cesó el viento de pronto, y se hizo la calma;
no hubo un soplo siquiera, y Odiseo vio cerca la tierra,
aguzando la vista en lo alto de una ola rizada.
Como grata a los hijos la vida del padre se muestra,
que se encuentra postrado y padece terribles dolores
y se apaga hace tiempo por causa de un dios espantoso,
y agradable es la hora en que un dios de los males se libra,
y a Odiseo agradable le fueron la tierra y los árboles,
y, anhelante, nadó con afán de pisar tierra firme.
Mas a una distancia en que hubiéranse oído sus gritos,
oyó el ruido del mar al lanzarse y batir los peñascos;
azotando las áridas costas rugían las olas
con horrendo sonido y de espuma cubríanlo todo,
pues las naves allí no tenían ni puertos ni radas;
era abrupta la costa y había peñascos y escollos.
Corazón y rodillas entonces a Odiseo tembláronle,
y, gimiendo, decíase en su corazón generoso:

—¡Ay de mí! Cuando Zeus ha querido mostrarme la tierra
no esperada, y al fin he podido salvar este abismo,

no hay lugar en que pueda salir de la mar espumosa.
Hay afuera peñascos agudos, y en torno las olas
braman impetuosas, y lisas las rocas se elevan.
Aquí el mar es profundo y no veo la forma en que pueda
con los pies apoyarme y librarme de tantas angustias.
Que, al salir, no me envuelva una ola y, lanzándome contra
el peñasco desnudo, infructuoso resulte mi intento.
Mas si aún continúo nadando más tiempo, buscando
una playa batida al soslayo o un puerto marino
temo que la borrasca me asalte de nuevo y me lleve
gemebundo, otra vez por la mar que los peces habitan,
o que un dios contra mí incite a un monstruo marino y
                                        [terrible,
como los que la ilustre Anfitrita en gran número cría;
pues sé cuánto me odia el Señor que sacude la tierra.

Mientras iba en su ánimo y mente pensando estas cosas,
lo llevó una oleada violenta a un peñasco escarpado.
Y se hubiera rasgado la piel y partido los huesos
si Atenea, la diosa de claras pupilas, no hubiese
sugerido a su ánimo asirse a la roca con ambas
manos, donde gimió hasta que hubo pasado la ola.
La evitó, pero luego el reflujo cayó nuevamente
con violencia terrible sobre él y lo echó mar adentro.
Y al igual que en el pulpo, cuando es de su cueva arranca-
los tentáculos llevan pegadas innúmeras chinas,   [do,
se quedaron así, en el peñasco, incontables jirones
de la piel de sus manos fornidas, y el mar lo cubría.

Y muriera allí el triste Odiseo, sin ser su destino,
si Atenea, la de claros ojos, prudencia no diérale.
Emergió de las olas que contra la costa estrellábanse
y nadó por la orilla, mirando a la costa, buscando
una playa batida al soslayo o un puerto marino.
Y, nadando, llegó ante la boca de un río de curso
muy hermoso, y pensó que el lugar era muy adecuado:
desprovisto de rocas y contra los vientos abrigo,

y vio que era el desagüe, y le oró de este modo en su áni-
[mo:

—¡Óyeme, oh soberano! Quienquiera que seas, te imploro.
Vengo huyendo del mar porque en él Poseidón me sojuzga.
Incluso a los dioses, digno es de respeto el que llega
errabundo, lo mismo que yo a tus riberas me acerco,
y estoy ya a tus rodillas después de pasar tantos males.
¡Oh, señor, ten piedad del que a ti suplicándote acude!

Dijo así, y al instante cesó la deidad su corriente
y calmó el oleaje, ordenando ante sí la bonanza;
protegiólo en la boca y el héroe abatió las rodillas
y los brazos robustos, que el mar dominaba su ánimo.
Hinchadísimo el cuerpo tenía y manábale el agua
de la mar por la boca y nariz; sin aliento y sin habla
apocado yacía, y sentía un cansancio horroroso.
Cuando pudo alentar y repuso la vida en su ánimo
desató de su pecho aquel velo que dióle la diosa
y lo echó en la corriente del río que al mar se lanzaba;
lo llevó mar adentro una ola, y muy pronto Ino
en sus manos lo tuvo. Odiseo dejó atrás el río,
se echó al pie de unos juncos, besó la fructífera tierra,
y, gimiendo, decíase en su corazón generoso:

—¡Ay de mí! ¿Qué no sufro? ¿Qué cosas habrán de ocurrir-
Si, en la noche, llena de cuidados, velara ante el río, [me?
temo que la durísima helada y el fresco rocío
aniquilen mi ánimo ya, pues tan débil lo siento;
y del río una brisa glacial nace al filo del alba.
Y si subo al collado y dispongo mi lecho en el bosque,
entre espesos arbustos y entonces aléjase el frío
y el cansancio que tengo y me viene un dulcísimo sueño,
temo que me descubran las fieras y ser pasto de ellas.

Mas, pensándolo bien, prefirió sobre el otro este riesgo.
Fuese, pues, hacia el bosque, que halló muy cercano del
[agua,

en un cerro, y metióse entre unos arbustos nacidos
en un mismo lugar: un olivo y un acebuche.
Ni aun el húmedo soplo del viento pasaba entre ambos,
y tampoco pasaban los rayos del sol esplendente,
ni llegaba a pasarlos la lluvia, tal era su fronda
y crecían tan entrelazados. Odiseo debajo
se metió y con las manos dispuso al instante un buen lecho,
pues había tan gran cantidad de seroja, que fuera
suficiente para dar abrigo a dos o tres hombres
aun durante el invierno y por más riguroso que fuese.

El paciente y divino Odiseo lo vio y alegróse
y, acostándose en medio, cubrióse con hojas innúmeras.
Así como el que vive en el campo, en su casa apartado,
y en la negra ceniza, escondiendo el tizón, guarda el fuego,
evitándose ir a encenderlo a otro sitio distante,
tal tapóse Odiseo con hojas, y luego Atenea
le infundió dulce sueño en los ojos, velando sus párpados
para que se librara muy pronto de toda fatiga.

CANTO VI

[*La llegada a Feacia*]

Cuando estaba durmiendo el paciente y divino Odiseo,
de cansancio y de sueño rendido, la diosa Atenea
se fue al pueblo y ciudad que habitaban los hombres feacios,
que en los tiempos pasados vivieron en la ancha Hiperea[1],
y tenían muy cerca a los Cíclopes[2], hombres soberbios
que causábanles daño, pues eran más fuertes que ellos.
De allí pudo sacarlos Nausitóo[3], que un dios parecía;
los llevó a Esqueria[4], lejos de los que la harina trabajan,
la ciudad con un muro rodeó, levantó entonces casas,
a los dioses santuarios alzó y repartió luego el campo.
Pero ya por la parca vencido y estando en el Hades,
gobernaba ahora Alcinoo guiado por todos los dioses;
fue a su casa Atenea, la diosa de claras pupilas,
meditando el posible regreso del noble Odiseo.

Dirigióse a una estancia labrada, donde una doncella
se encontraba durmiendo; era igual en su aspecto a las
[diosas
y en belleza, Nausica, la hija de Alcinoo el magnánimo;

---

[1] *Hiperea.* Lugar geográfico no identificado, en las proximidades de Sicilia o en la misma isla.
[2] *Cíclopes.* Hay tres órdenes de cíclopes: los hijos de Urano y Gea, los *sicilianos*, que son los que aparecen en el poema, y los constructores.
[3] *Nausitoo.* Sobre Nausitoo, cf., además de este pasaje, el c. VII, y el VIII. Era hijo de Poseidón y Peribea, hija del rey gigante Eurimedonte.
[4] *Esqueria.* Cf. n. 2 al c. V.

y dos siervas, que hicieron gentiles las Gracias[5], dormían
a la puerta, a ambos lados, y estaban las puertas cerradas.
Como un soplo de viento, hasta el lecho se fue de la joven,
junto a su cabecera quedó y comenzó a hablar la diosa,
adoptando el aspecto de la hija de Dimas, el célebre
armador, que tenía sus años y le era muy grata.
De esta suerte le dijo Atenea la de claros ojos:

--¡Oh Nausica! ¿Por qué te parió tan dejada tu madre?
Descuidados están tus espléndidos trajes y cerca
de tus bodas estás; pronto habrás de ponerte tus galas
y tenerlas a punto también para todo tu séquito.
Ten en cuenta que con estas cosas se obtiene la fama
y con ello dichoso es el padre y la madre augustísima.
Ven conmigo a lavar en seguida que apunte la aurora;
yo me ofrezco a ayudarte, de forma que acabes muy pronto
porque el tiempo de tu doncellez ya se está terminando.
Pues te están pretendiendo los más señalados feacios
cuyo claro linaje es el mismo que a ti pertenece.
Ve, pues, antes que apunte la aurora a pedir a tu padre
que prepare las mulas y el carro para que te lleves
ceñidores, el velo y las telas de abrigo lustrosas.
Para ti mejor es ir sentada en el carro que andando
porque los lavaderos están alejados del pueblo.

Dijo, y fuese Atenea, la diosa de claras pupilas,
al Olimpo, allí donde, se dice, se encuentra la eterna
y segura mansión de los dioses; ni vientos la agitan,
ni la lluvia la moja, ni nieve la cubre, pues siempre
está el cielo sin nubes y un blanco fulgor la corona.
Allí donde disfrutan los dioses bienaventurados
fue la de claros ojos, después de advertir a la virgen.

Al llegar la Aurora de áureo trono, despierta Nausica,
la del peplo radiante, sintióse admirada del sueño,

---

[5] *Gracias.* En griego *Chárites,* son tres hermanas: *Eufrosine, Talía* y
Aglae, hijas de Zeus y Eurínome, la hija del Océano. Son divinidades de la
belleza, y quizá originariamente de la vegetación. Ejercen influencia sobre
los trabajos del espíritu y las obras de arte.

y se fue por la casa a enterar a sus progenitores,
a su padre querido y su madre, y halló a entrambos dentro.
Ella estaba sentada ante el fuego, y sus siervas al lado
y una lana color de las ondas purpúreas hilaba,
y él estaba a la puerta, pues iba a reunirse en consejo
con los reyes, al cual le llamaban los hombres feacios.
Y, parándose al lado del padre amoroso, le dijo:

—Amadísimo padre, ¿querrías un alto carruaje
prepararme, de ruedas ligeras, pues quiero mis ropas
más hermosas lavar en el río, que están todas sucias?
A ti mismo conviene que lleves, estando en consejo
con los reyes ilustres, bien limpias las ropas que vistas;
y tú tienes, a más, cinco hijos que están en la casa,
dos casados y tres florecientes mancebos, mas éstos
siempre quieren vestir en las danzas sus ropas más limpias,
y es a mí a quien atañe cuidar de estas cosas que digo.

Y delante del padre no habló de sus nupcias floridas,
pues le daba vergüenza; mas él comprendió y le repuso:

—Hija, yo no te niego mis mulas ni cuanto me pides.
Vete, pues; que los siervos preparen el alto carruaje
de las ruedas ligeras y ajusten en él los adrales.

Dijo así, y ordenó a los criados, que le obedecieron.
Prepararon un carro de mulas, de ruedas ligeras
y llevaron las mulas al carro y unciéronlas luego.
Y la joven sacó de su alcoba las ropas espléndidas
y ella misma las fue colocando en el carro pulido;
en un cesto, la madre le puso, además, toda clase
de exquisitos manjares y un odre de cuero de cabra
que de vino llenó, y la doncella montó en el carruaje;
y entrególe una ampolla de oro con líquido aceite
para que las esclavas la ungieran después de su baño.

Tomó entonces el látigo ella y las riendas lustrosas;
restalló aquél y entonces las mulas partieron con ruido,

alargándose por el esfuerzo, llevando las ropas
y a la joven, no sola, pues iban a pie sus doncellas.

Cuando hubieron llegado a la hermosa corriente del río,
donde los lavaderos perennes estaban y el agua
discurría abundante y muy clara, a propósito para
lavar ropas muy sucias, las siervas soltaron las mulas
y dejáronlas cerca del río sembrado de vórtices,
que pacieran la tan dulce grama, y tomaron del carro
los vestidos y al agua profunda lleváronlos luego,
y en las pilas pisáronlos; todas a tema lo hacían.
Y lavada y ya limpia la ropa de todas sus manchas
en la playa extendiéronla en filas, allí donde el agua
de la mar siempre limpias solía dejar las arenas.
Y bañáronse todas allí y con aceite se ungieron.

A comer se pusieron a orillas del río, esperando
que la ropa secárase al sol que sobre ella brillaba.
Una vez la comida acabaron, las siervas y ella
se quitaron los velos y un poco a pelota jugaron,
y a cantar comenzó la de brazos nevados, Nausica.
Y lo mismo que Artemis flechera recorre incansable
los picachos del alto Taigeto y del monte Erimantos,
y se goza en cazar jabalíes o ciervos ligeros,
y las ninfas nacidas de Zeus portador de la égida
toman parte en sus juegos, y Leto con ello se alegra
y ella sobre las otras su frente y cabeza destaca
y distínguese así fácilmente aunque todas son bellas,
distinguíase así entre sus siervas la indómita virgen.

Mas llegado el momento de ir de regreso a la casa,
enganchadas las mulas, plegados los bellos vestidos,
Atenea, la de claros ojos, dispuso otra cosa:
hacer que despertara Odiseo y viese a la hermosa
joven, que llevaría luego a la villa feacia.
Así, pues, la primera lanzó la pelota a una sierva,
mas erró y fue a caer la pelota en un gran remolino

y gritaron muy fuerte, y al punto Odiseo divino
despertó, se sentó y en su mente se dijo estas cosas:

—¡Ay de mí! ¿En qué país de mortales me encuentro yo
¿Será gente violenta tal vez, o salvajes injustos,   [ahora?
o quizá hospitalarios y tienen temor de los dioses?
Hasta aquí llegó a mí un femenil vocear de muchachas,
de las ninfas que habitan los altos picachos del monte
y en las fuentes del río y los prados cubiertos de yerba.
¿Por ventura me encuentro en un sitio donde hablan los
                                            [hombres?
Necesario es que vaya yo mismo y procure enterarme.

Así hablando, salió de la mata Odiseo divino
y con mano robusta arrancó de la espesa arboleda
una rama frondosa y con ella tapó sus vergüenzas.
Salió como el león montaraz que, confiado en sus fuerzas,
sin temor a la lluvia ni al viento, con ojos ardientes,
sobre bueyes u ovejas se lanza o selváticos ciervos
porque sobre un rebaño le ordena su vientre lanzarse
y hasta puede llegar a asaltar un establo cercado;
así, en su desnudez, Odiseo iba a ver a las jóvenes
de cabellos rizados, pues era para él necesario.
Y fue horrible de ver, le afeaba la sal de los mares:
dispersándose, huyeron por entre las playas salientes.

Solamente quedóse la hija de Alcinoo; Atenea
confianza le dio y apartó de sus miembros el miedo,
y así estuvo. Odiseo pensó de qué modo rogarle,
si abrazar las rodillas de aquella muchacha bellísima,
o tal vez, desde donde se hallaba, hablar dulces palabras,
preguntarle el camino del burgo y pedirle vestidos.
Y, pensándolo bien, prefirió decidirse por esto,
suplicarle desde donde estaba, con dulces palabras,
pues quizás, al abrazar sus rodillas, la joven se airase.
Así, pues, dijo estas palabras suaves y astutas:

—Yo te imploro, ¡oh reina! ¿Eres diosa o mortal? Si eres
entre cuantas deidades el cielo anchuroso conserva,   [diosa,
te comparo yo a Artemis, la hija de Zeus poderoso;
en belleza, en tu porte y aspecto bien puedes ser ella;
pero si eres mortal, de la gente que habita la tierra,
venturosos tres veces tu padre y tu madre augustísima,
y tres veces también tus hermanos, pues siempre
sobre sus corazones dichosos tú debes el júbilo
derramar cuando admiran tus danzas, retoño florido.
Más feliz todavía en su ánimo el hombre que pueda
descollar por sus dones nupciales y a casa te lleve.
No, jamás con mis ojos he visto mortal semejante,
ni varón ni mujer, y he quedado asombrado al mirarte.
Sólo en una ocasión, junto al ara de Apolo, vi en Delos[6]
un retoño muy joven de palma que a ti parecíase.
Pues estuve yo allí, y me seguía un gentío muy grande
en el viaje que tantas angustias había de darme.
Y, al mirarlo, quedé sorprendido durante un momento
porque nunca brotó de la tierra un retoño como ése;
de la misma manera te admiro y me asombro, y me asusta
abrazar tus rodillas. Estoy abrumado de males.
De las ondas vinosas ayer, al vigésimo día,
pude huir, que a merced de borrascas estuve ese tiempo,
desde la isla de Ogigia, y aquí me ha lanzado algún numen
a sufrir nuevo mal, que no espero terminen mis males,
pues los dioses tal vez me preparen aún más amarguras.
Pero tú, ¡oh reina!, apiádate. Luego de tantas miserias,
la primera persona que veo eres tú, y desconozco
a los que esta ciudad y comarca poseen como suya.
Muéstrame la ciudad; dame un trapo que pueda cubrirme,
si al venir con la ropa trajiste, envolviéndola, alguno.
¡Y los dioses te den todo aquello que piensas y quieres!
Un marido, una casa y la buena armonía te otorguen,
que en el mundo, en verdad, otra cosa más bella no existe
que marido y mujer gobernando de acuerdo la casa:
pena así el enemigo, y con ello se causa alegría
al amigo, y mejor que ninguno ellos mismos lo saben.

6 *Delos*. Pequeña isla de las Cícladas, en el Egeo.

Y la de níveos brazos, Nausica, le dijo, mirándolo:

-—Forastero, ya que ni insensato ni vil me pareces,
sabe, pues, que el Olímpico Zeus distribuye la dicha
a los buenos y malos, según a sus ojos se muestran;
él quizá te envió tantos males y debes sufrirlos.
Mas ahora que a nuestra ciudad y comarca has llegado
no podrás carecer de vestido, ni aun de las cosas
necesarias a quien, suplicante afligido, aquí viene.
Yo te habré de enseñar la ciudad y decirte su nombre.
Los feacios poseen esta villa, y la tierra esta es suya
asimismo, y yo soy una hija de Alcinoo el magnánimo;
de él depende la fuerza y poder de los hombres feacios.

Dijo así, y ordenó a las doncellas de pelo rizado:

—¡Deteneos, doncellas! ¿A dónde escapáis ante un hombre?
¿Es que acaso pensasteis, al verlo, que es un enemigo?
No ha nacido un mortal, ni jamás nacerá, que a esta tierra
de los hombres feacios arribe y nos traiga consigo
la batalla y la muerte, pues mucho nos aman los dioses.
Apartados vivimos en medio de un mar tempestuoso
y tan lejos que ningún mortal con nosotros comercia.
Este es un infeliz que anda errante, mas ya que ha llegado,
atendámoslo; todos, así forastero o mendigo,
son de Zeus, y un exiguo presente lo acogen con gusto.
Así, pues, dadle al punto, ¡oh doncellas!, comida y bebida.
dadle un manto y bañadlo en el río, al abrigo del viento.

Así habló, y entre sí se animaron entonces las siervas.
A Odiseo en lugar resguardado instalaron entonces,
como dijo Nausica, la hija de Alcinoo el magnánimo,
y a su alcance la ropa dejaron, el manto y la túnica;
le entregaron la ampolla de oro con líquido aceite
e invitáronlo a entrar en las aguas saltantes del río.

Y Odiseo divino habló entonces y dijo a las siervas:

—Apartaos, ¡oh doncellas!, a fin de que lave mis músculos
de la sal de los mares y me unja después con aceite,
porque ha tiempo que ignora mi cuerpo lo que es un perfu-
No podré ante vosotras bañarme; me causa vergüenza [me
ir desnudo ante bellas muchachas de crespos cabellos.

Dijo así, y se apartaron, y habláronle de ello a Nausica.
Con el agua del río la sal fue Odiseo quitándose,
pues cubríale toda la espalda y los hombros fornidos,
y limpió su cabeza de espuma del mar infecundo.

Cuando se hubo bañado y ungido después con aceite
y vestido las ropas que dióle la virgen intrépida,
Atenea, la hija de Zeus, hizo que pareciera
aún más alto y más grueso y le hizo caer de las sienes
unos crespos cabellos, igual q. la flor del jacinto.
Como el oro que en torno a la plata derrama el orfebre
diestro, a quien enseñaron Hefestos y Palas Atena
los secretos del arte y produce preciosos trabajos,
así ella la gracia vertió en su cabeza y sus músculos.
Y él entonces se fue hasta la orilla y sentóse en la arena,
deslumbrante de gracia y belleza, y la joven mirábalo.
Y ella entonces les dijo a sus siervas de crespos cabellos:

—Escuchad lo que os digo, doncellas de brazos nevados.
No a disgusto de los que el Olimpo poseen, las deidades,
vino este hombre a reunírsenos con los feacios divinos.
Al principio tenía un aspecto, en verdad, miserable,
mas parécese ahora a los dioses señores del cielo.
Ojalá a un hombre así yo pudiese llamar mi marido
y viviera en la isla y gustara de estar con nosotros.
Mas, doncellas, servidle en seguida comida y bebida.

Dijo así, y escucháronla todas y le obedecieron
y vecina a Odiseo pusieron comida y bebida.
Y Odiseo divino comió y bebió ávidamente,
porque hacía muchísimos días que nada tomaba.

Y Nausica la de níveos brazos dispuso otra cosa:
doblar hizo la ropa y la puso en el bello carruaje
y las mulas de cascos potentes unció, y subió al carro
y, volviéndose luego, le habló de este modo a Odiseo:

—Forastero, levántate y vamos al pueblo, que iremos
al palacio que tiene mi padre; es un sabio y en casa
te aseguro hallarás a los más señalados feacios.
Pero tú haz lo que diga, pues no me pareces un necio.
Si pasamos por quintas y tierras que estén cultivadas,
con las siervas camina detrás de las mulas y el carro,
caminando ligero; la senda te iré yo enseñando.
Verás, cuando lleguemos al pueblo, sus altas murallas,
sus dos puertos tan bellos, que se hallan a un lado y a otro,
mas de bocas estrechas; las naves curvadas dispuestas
próximas al camino, pues tiene un abrigo cada una;
junto al Poseidón, que es un templo muy bello, está el
[ágora,
construida con grandes molones hundidos en tierra.
De los negros navíos allí guárdase el aparejo,
el cordaje y las velas, se pulen y aguzan los remos,
pues los hombres feacios no quieren ni arcos ni aljabas,
sino sólo los palos y remos de armónicas naves,
con las cuales, altivos, recorren la mar espumosa.
Pero quiero evitarme, no obstante, su amarga ironía,
que censuren lo que hago; en el pueblo los hay insolentès.
Bastaría que alguno más malo nos viera, y diría:
«¿Quién es el forastero tan alto y apuesto que sigue
a Nausica? ¿De dónde lo obtuvo? ¿Será su marido?
Sí, debió recoger a algún hombre, perdida su nave,
de lejanos países, pues no del contorno parece.
¿O es el dios suspirando por ella que vino a sus ruegos,
descendiendo del cielo, dispuesto a vivir a su lado?
Mejor que haya encontrado marido en algún forastero
porque cierto es que ella desprecia en Feacia, su tierra,
a los que la pretenden, con ser numerosos e ilustres.»
Dirán esto y tendré que sufrir semejantes ultrajes;
también yo indignaríame viendo estas cosas en otra,

·si, a pesar de los suyos, viviendo su padre y su madre,
con los hombres se viera sin ser publicada su boda.
Ahora tú, forastero, comprende muy bien mis palabras
para que de mi padre consigas volver a tu tierra.
Hallaremos cercana al camino la bella alameda
de Atenea; hay en ella una fuente y en torno hay un prado.
Allí tiene mi padre su campo y su viña fructífera,
y tan cerca que pueden oír en la villa a quien grite.
Allí siéntate y ponte a esperar hasta que, de regreso
en la villa, vayamos a ver a mi padre a su casa.
Cuando creas que en casa ya estamos, dirígete entonces
a la villa feacia y pregunta tú allí por la casa
de mi padre, ya sabes quién es, el magnánimo Alcinoo.
No es difícil de hallar, pues el niño más niño sabría
conducirte hasta ella porque es muy distinta de todas
las mansiones de nuestros feacios, tan bella es la casa
del magnánimo Alcinoo. Al estar al favor de sus muros,
ya en el atrio, atraviesa la sala y ve al punto a mi madre
que se sienta ante el lar para hilar a la luz de las llamas
una lana purpúrea, y es grato mirarla, apoyada
contra una columna, y sus siervas sentadas tras ella.
Y, de espaldas al fuego, se encuentra el sitial de mi padre,
donde siéntase y bebe su vino como un dios eterno.
Pasa ante él y dirígete pronto a abrazar las rodillas
de mi madre, si quieren tus ojos ver pronto tu día
de regreso, por lejos que se halle la tierra en que vives.
Pues si su corazón hacia ti se inclinara benévolo,
concebir la esperanza podrás de volver a los tuyos
y a tu casa muy bien construida, en tu tierra paterna.

Dijo así, y fustigó con su azote lustroso a las mulas,
y al momento dejaron atrás la corriente del río.
Y trotaban muy bien y otras veces el paso alargaban.
Y, para que a pie le siguieran Odiseo y las siervas,
sujetaba las riendas y usaba con tino del látigo.

Y se puso ya el sol y al llegar al magnífico bosque
consagrado a Atenea, Odiseo divino detúvose.
Y en seguida rezóle a la hija de Zeus poderoso:

—¡Óyeme, hija de Zeus portador de la égida, Indómita!
Préstame hoy la atención que negásteme cuando yo era
víctima del glorioso señor que la tierra sacude.
Dame amor y piedad entre todos los hombres feacios.

Esto dijo rogando, y oyó su plegaria Atenea,
pero aún no se quiso mostrar ante él, por respeto
a su tío, que había de estar encendido de cólera
contra Odiseo divino hasta que se hallara en su patria.

CANTO VII

[Entrada en el palacio de Alcinoo]

Mientras iba rogando Odiseo paciente y divino,
el vigor de las mulas llevó a la princesa a la villa.
Y cuando hubo llegado a la excelsa morada paterna,
se paró ante el portal; sus hermanos en torno acudieron,
que en su aspecto más bien parecían ser dioses; del carro
desuncieron las mulas y entraron la ropa en la casa.
Se marchó ella a su alcoba y el fuego encendió Eurimedusa,
que era su camarera, una anciana de Epiro[1], que antaño
la trajeron de Epiro las naves de extremos curvados;
para Alcinoo escogiéronla, ya que él reinaba entre todos
los feacios, e igual que si fuera algún dios lo escuchaban;
crió ella en la casa a Nausica, la de níveos brazos.
Encendió, pues, el fuego, y dispuso la cena en la alcoba.

Entonces levantóse Odiseo para irse a la villa,
y Atenea, velando por él, lo envolvió en densa nube,
por temor de que algún orgulloso feacio lo hallase
y zahiriese al hablarle y también preguntase quién era.
Pero estando ya a punto de entrar en la villa agradable,
dirigióse a su encuentro Atenea la de claros ojos,
convertida en doncella que lleva a la fuente su cántaro.
Se detuvo ante él y Odiseo le habló de este modo:

---

[1] *Epiro.* Región extrema al N. O. de Grecia.

—Hija mía, ¿querrías acaso guiarme al palacio
del señor que gobierna este pueblo, a la casa de Alcinoo?

Yo soy un forastero que, luego de muchos trabajos,
de muy lejos llegué, de una tierra apartada y a nadie
de los que esta ciudad y estos campos habitan conozco.

Y Atenea, la diosa de claras pupilas, le dijo:

—Padre mío, extranjero, yo voy a enseñarte la casa
que deseas, pues muy cerca vive mi padre intachable.
Sígueme silencioso; el camino te iré yo mostrando.
Y no mires a nadie, ni hagas pregunta ninguna,
porque aquí no es bien visto ningún forastero, ni acogen
con halagos a nadie que venga de extraños países.
En sus naves veloces confían y cruzan con ellas
el abismo del mar, que esto Aquel que la tierra sacude
les dio, y son tan ligeras como alas, como el pensamiento.

Dijo así, y echó a andar Atenea con pasos alados,
y él andaba siguiendo tras ella el pisar de la diosa.
Sin que verlo pudieran los grandes marinos feacios,
a pesar de que entre ellos cruzaba la villa; Atenea,
la terrible deidad de los crespos cabellos, sintiendo
gran cuidado por él, lo envolvió bajo niebla divina.

Odiseo admiraba los puertos y armónicas naves,
y las ágoras de aquellos héroes, las grandes murallas
altas y empalizadas, y que eran de ver agradables.
Al llegar a la ilustre morada del rey, Atenea,
la de claras pupilas, tomó la palabra, diciendo:

—Padre mío, extranjero, el palacio que buscas es éste;
hallarás a los reyes en él, que de Zeus son criaturas,
celebrando un banquete, mas entra y no turbes tu ánimo,
pues si el hombre es audaz más fortuna consigue en su em-
[presa
cuando quiere triunfar, sobre todo si es un extranjero.

En la sala mayor hallarás a la reina primero,
cuyo nombre es Arete y desciende asimismo del padre
y la madre que fueron los padres de Alcinoo el monarca.
A Nausitoo[2] engendraron primero el que mueve la tierra,
Poseidón, y la más exquisita mujer, Peribea,
la menor de las hijas del que, Eurimedonte magnánimo,
fue señor otro tiempo de los orgullosos Gigantes,
mas perdió él a su pueblo malvado y perdióse a sí mismo.
Del amor de ella y de Poseidón nació entonces un hijo:
el magnánimo rey de los hombres feacios, Nausitoo.
Y Nausitoo fue padre a su vez de Rexénor y Alcinoo.
Murió uno a los tiros del arco de plata de Apolo,
a raíz de casado, y sin hijos varones, dejando
sólo a Arete en la casa, que Alcinoo tomó por esposa
y la honró como nunca lo fue una mujer que gobierna
en la casa, mas bajo la ley que el marido le impone.
Cordialmente ella honrada por todos lo ha sido y lo es
                                                    [siempre
por sus hijos, Alcinoo y también por los súbditos suyos,
y lo mismo que a una deidad la contemplan y acogen
con amables palabras cuando ella aparece en la villa.
No carece de juicio sereno y dirime entre quienes
quiere bien los litigios que tengan, aun cuando sean hom-
Y si su corazón hacia ti se inclinara benévolo   [bres.
concebir la esperanza podrás de volver a los tuyos
y a tu casa muy bien construida, en la tierra paterna.

Dijo, y fuese Atenea, la diosa de claras pupilas,
por la mar infecunda y, dejando la Esqueria agradable,
llegó así a Maratón y a la de calles anchas, Atenas,
y a la sólida casa arribó de Erecteo[3]. Odiseo
iba ya hacia el ilustre palacio de Alcinoo, y su ánimo
se turbó, y se paró ante el umbral construido con bronce,
pues, igual que con luces de sol o de luna, el palacio
del magnánimo Alcinoo por todas sus partes brillaba.

---

[2] *Nausitoo.* Cf. los primeros versos del c. VI y la n. 3 al mismo canto.
[3] *Erecteo.* Héroe ateniense, cuyo mito está ligado a los orígenes de la
ciudad.

A derecha e izquierda corrían los muros de bronce,
del umbral hasta el fondo y un friso en azul coronábalos;
puertas de oro cerraban por dentro la sólida casa,
y las jambas de plata arrancaban del suelo de bronce
y el dintel era de plata y el modillón era de oro.
Y de oro y de plata, a ambos lados, había dos perros
que esculpió Hefestos con sutilísimo ingenio, de modo
que guardaran así la mansión del magnánimo Alcinoo,
pues de muerte y vejez los dos perros estaban exentos.
Adosados al muro, a ambos lados, había sitiales,
del umbral hasta el fondo, seguidos, y había, cubriéndolos,
unos suaves tapices, tejidos muy bien por mujeres;
y sentábanse en ellos los más principales feacios
a comer y beber, pues sin tregua banquetes tenían.
Niños de oro se erguían en bases muy bien construidas,
sosteniendo en sus manos hachones que estaban ardiendo,
alumbrando en la noche la sala de los invitados.

En la casa se hallaban cincuenta criadas, y de ellas
unas iban moliendo en las muelas el trigo dorado,
otras iban tejiendo, sentadas, moviendo los husos,
y movían las manos cual hojas de un plátano excelso,
y del lino tejido brillaba, al caer, el aceite.
Así como es experto el feacio más que ningún hombre
en guiar por los mares las naves veleras, lo mismo
su mujer lo es tejiendo; Atenea las hizo capaces
de hacer bellos trabajos, y dueñas de ingenio excelente.
Por defuera del patio hay un huerto cercano a la puerta,
de unas cuatro yugadas, ceñido todo él por un seto.
Altos árboles crecen allí florecientes: perales
y granados, manzanos cargados de espléndidas pomas
y muy dulces higueras y verdes olivos lozanos.
No se pierden sus frutos ni de ellos carecen, ya sea
en invierno o verano; son frutos perennes; el Céfiro
sopla siempre, a unos produce y a otros madura;
la pera envejece en la pera, y la manzana en la poma,
y la uva en la uva y el higo también sobre el higo.
Allí crece una viña que está siempre llena de uvas

y una parte del fruto, en lugar abrigado, se seca
bajo el sol, y del resto vendimian también una parte
y la otra la pisan; y están más allá las agraces,
que la flor van soltando, y las otras que apenas negrean.
Y las últimas cepas bordean los linios de toda
variedad de verduras, en toda estación siempre verdes.
Hay dos fuentes en él; por el huerto va el agua de una
y la de otra va, bajo el umbral, a la excelsa morada,
y allí acude por agua la gente de toda la villa.
Tales eran los dones que dieron los dioses a Alcinoo.

Allí quieto, Odiseo paciente y divino admirábalo,
y después de admirar cada cosa en su ánimo, rápido
dirigióse al umbral, lo cruzó y entró luego en la sala;
y encontró a los caudillos y a los principales feacios
que en sus copas libaban por el vigilante Argifontes,
que era el último a quien ofrendaban al ir a acostarse.
Odiseo paciente y divino cruzó la gran sala,
bajo la densa niebla con que lo envolvía Atenea,
hasta que hubo llegado ante Arete y Alcinoo el magnánimo.
Y Odiseo tendió a las rodillas de Arete los brazos,
y al momento quedó disipada la niebla divina.
Y en la casa calláronse todos al ver a aquel hombre,
lo miraban pasmados, y empezó Odiseo sus ruegos:

—Hija del semejante a los dioses, Rexénor, ¡oh Arete!
A tu esposo y rodillas me acerco cansado de males,
y ante tus invitados. Que a todos concedan los dioses
una vida feliz, y entregar a los hijos la herencia
de la casa y los dones que el pueblo les haya otorgado.
Mas a mí dadme guías que pronto a mi casa me lleven,
que hace tiempo que sufro apartado de todos los míos.

Dijo así, y se sentó en las cenizas, al lado del fuego,
y quedáronse inmóviles todos guardando silencio.
Y habló al fin el anciano Equeneos, el héroe, que era
el que de los varones feacios más años tenía

y el de más elocuencia y sabía antiquísimas cosas.
Así, pues, habló a todos benévolamente, diciendo:

—Ni correcto ni bueno es, Alcinoo, que un huésped se en-
sobre estas cenizas sentado y al lado del fuego: [cuentre
y nosotros callamos tan sólo esperando que hables.
Haz, pues, que se levante y aquí siéntalo en una silla
claveteada de plata y haz que los heraldos el vino
mezclen para ofrecer libaciones a Zeus, que se goza
con el rayo y a los suplicantes honrosos asiste.
Y que la despensera le dé del reposte la cena.

Cuando oyó estas palabras la Sacra Potencia de Alcinoo,
de la mano tomó a Odiseo astuto y magnánimo;
del hogar lo apartó y lo sentó en una silla brillante
de la que levantó a Laodamante el valiente, su hijo,
que a su lado se hallaba sentado y lo amaba muchísimo.
Con su áreo y bellísimo jarro una joven doncella
le vertió el aguamanos en una jofaina de plata
y dispuso ante él una mesa pulida, y la grave
despensera le dio luego el pan y sirvióle manjares
y obsequióle contenta con cuanto tenía guardado.
Odiseo paciente y divino comió y bebió de ello.
Y le dijo al heraldo la Sacra Potencia de Alcinoo:

—Mezcla vino, Pontonoo, en la crátera, y de él sirve a todos
para, al punto, ofrecer libaciones a Zeus, que se goza
con el rayo y a los suplicantes honrosos asiste.

Así dijo, y Pontonoo mezcló dulce vino en la crátera;
entre todos lo distribuyó, ofreciéndolo en copas.
Cuando todos hubieron libado y bebido a su gusto,
dijo entonces Alcinoo con estas palabras a todos:

—Consejeros y nobles feacios, oíd lo que os digo,
las palabras que mi corazón en el pecho me dicta.
Terminado el festín, ahora iréis a acostaros a casa;
pero, al alba, a los más numerosos ancianos llamadme;

al forastero en palacio le ofreceremos los dones
de la hospitalidad, y a los dioses haremos ofrendas,
buscaremos los guías, y así, sin fatigas ni daño,
por nosotros guiado, podrá el forastero, contento,
regresar en seguida a su patria por lejos que se halle,
y que no sufra ahora miseria ninguna ni daño
hasta que en su país desembarque; una vez en su patria,
que se cumpla el destino que las Hilanderas severas
se pusieron a hilar cuando lo hubo alumbrado su madre.
Mas si fuese un eterno que hubiera bajado del cielo,
señal es de que alguna misión nos preparan los dioses.
Pues, hasta hoy cuando menos, los dioses se nos evidencian
cada vez que ofrecemos alguna hecatombe magnífica,
y se sientan con todos y comen de lo que comemos,
y si algún caminante se encuentra con ellos de paso,
no se ocultan de él, ya que somos parientes cercanos,
cual los Cíclopes son y también los salvajes Gigantes.

Y repúsole entonces así el ingenioso Odiseo:

—Piensa, Alcínoo, otra cosa, que en nada yo soy semejante
ni en figura ni aspecto a un eterno que es dueño del cielo
anchuroso, sino que soy hombre mortal, y bien puedo,
con los hombres de quienes sepáis que mayores desdichas
soportar en el mundo han podido, en dolor compararme.
Y aun os fuera más largo el relato de mis infortunios,
pues tan grandes trabajos pasé por designio divino.
Mas dejadme cenar, a pesar de que grande es mi angustia;
pocas cosas tan perras existen como un vientre odioso
que a pensar en él siempre nos fuerza, a pesar de que esta-
afligidos, y que el corazón la tristeza nos llene,   [mos
como yo tengo el mío ahora lleno de pena y, no obstante,
me ha forzado a comer y beber y olvidar mis angustias,
todas cuantas sufrí, y a llenarlo; y me obliga a estas cosas.
Mas vosotros, en cuanto la aurora se muestre, daos prisa,
haced que, ¡oh desdichado!, regrese a la tierra paterna,
a pesar de mis males. No quiero morirme sin verla,
junto con mis haciendas y siervos y mi alta morada.

Dijo así, y aprobáronlo todos y se aconsejaron
prestar guías al huésped, pues fue cuanto dijo juicioso.

Cuando todos hubieron libado y bebido a su gusto,
cada uno se fue a su morada dispuesto a acostarse.
Quedó sólo Odiseo divino en la sala espaciosa;
a su lado sentáronse Arete y Alcinoo el deiforme,
y las siervas lleváronse cuanto se usó en el banquete.
Empezó Arete entonces a hablar, la de brazos nevados,
porque reconoció en los hermosos vestidos el manto
y la túnica que ella tejió con sus siervas un día.
Y, volviéndose a él, pronunció estas palabras aladas:

—¡Huésped! Yo te interrogo primero que nadie. ¿Quién
[eres,
de qué tierra y quién fue el que te dio los vestidos que lle-
¿No dijiste que errante viniste cruzando las ondas? [vas?

Y repúsole entonces así el ingenioso Odiseo:

—Muy difícil, ¡oh reina!, será que te cuente uno a uno
mis trabajos, pues muchos me dieron los dioses celestes.
Mas te contestaré a las preguntas que me haces ahora.
Hay en medio del mar una isla lejana, es Ogigia,
donde vive la hija de Atlante, la astuta Calipso,
la de crespos cabellos, deidad poderosa, y muy pocos
tienen tratos con ella, ni dioses ni hombres mortales.
Pero a mí, ¡oh desdichado!, llevóme a su casa algún numen,
una vez fue mi nave veloz, con el rayo encendido,
destruida por Zeus en el centro del ponto vinoso.
Los valientes amigos que me acompañaban murieron
y, abrazado a la quilla de mi bien curvado navío,
nueve días vagué por el mar, y a la décima noche
me llevaron los dioses a Ogigia; allí está la de crespa
cabellera, Calipso; esta diosa terrible, amorosa
acogida me dio, me mantuvo y solía decirme
que me haría inmortal y de toda vejez libraríame;
sin embargo, jamás consiguió persuadirme en mi ánimo.

Siete años estuve en la isla, regando con llanto
los divinos vestidos que allí me fue dando Calipso.
Pero cuando su curso por fin empezó el año octavo,
me exhortó y me incitó a que partiera a mi patria en se-
                                        [guida,
bien por orden de Zeus, o quizá por pensar ya otra cosa.
Me dejó en una balsa ensogada, con pan abundante
y dulcísimo vino y vestidos de hechura divina,
y una brisa suave después me mandó, favorable.
Diecisiete jornadas vagué por las rutas del ponto
y a la décimo octava advertí las umbrías montañas
de estas tierras y mi corazón se llenó de alegría,
¡oh infeliz!, y aun había de hallarme ante grandes trabajos
que me dio Poseidón, el Señor que sacude la tierra,
pues, soltando los vientos contrarios, vedó mi camino
sacudiendo la mar infinita, y así el oleaje
me impedía avanzar en mi balsa, y gemí sin consuelo;
y muy pronto quedó destrozada y entonces, nadando,
fui cruzando el abismo hasta que el oleaje y el viento
me trajeron a vuestro país, sin cesar empujándome.
Cuando ya suponía alcanzar la ribera, una ola
duramente me hubiese lanzado, en un sitio funesto,
contra un alto peñón, si hacia atrás yo no hubiera na-
                                        [dado.
Llegué al río, por fin, a un lugar que creí conveniente,
pues no había en él rocas y estaba al abrigo del viento.
Agotado caí, y vino entonces la noche divina.
Me alejé de las aguas que envían los dioses, y bajo
dos arbustos dispuse mi lecho con mucha seroja,
y posó una deidad en mis ojos un sueño profundo.
En el lecho de hojas dormí, aun a pesar de mi angustia,
esa noche, y dormí la mañana y dormí el mediodía.
Y poníase el sol cuando, al fin, desperté de mi sueño,
y vi entonces jugar a las siervas que tiene tu hija,
en la playa, y tu hija era igual que una diosa entre ellas.
Le imploré, y en las cosas que dijo se vio claramente
su buen juicio, como es de esperar que lo tenga una joven
en tal trance; a menudo no son muy sensatos los jóvenes.

Me dio pan suficiente y un vino quemante y oscuro;
me ha bañado en el río y me ha dado las ropas que llevo.
Esto es cuanto, a pesar de estar triste, quería contarte.

Y repúsole entonces Alcinoo con estas palabras:

—¡Huésped! No ha procedido mi hija como es conveniente,
puesto que no te trajo a esta casa con todas sus siervas,
ya que fue la primera persona a quien tú suplicaste.

Y repúsole entonces así el ingenioso Odiseo:

—No reproches por esto, señor, a tan alta doncella,
puesto que me invitó a que viniese con ella y sus siervas,
mas no quise yo hacerlo por puro respeto y por miedo
de que con mi visita pudieras airarte conmigo,
que en la tierra acostumbran los hombres a ser suspicaces.

Y repúsole entonces Alcinoo con estas palabras:

—¡Huésped! El corazón que en mi pecho se alberga no aí-
sin motivo, y al fin lo mejor suele ser lo más justo.   [rase
En verdad desearía, ¡por Zeus, Atenea y Apolo!,
al saber como eres, pensando lo mismo que pienso,
entregarte a mi hija y poderte llamar yerno mío,
que quedaras aquí: te daría una casa y riquezas,
si quisieras quedarte. Mas nadie en Feacia podría
retenerte a la fuerza, pues Zeus se airaría con ello.
Sabe bien que decido desde ahora que se haga mañana
tu viaje. Y en tanto rendido de sueño descansas,
remará nuestra gente en el mar apacible hasta que hayas
a tu patria llegado, a tu casa o allí donde quieras,
por distante que esté, aunque más lejos de Eubea se en-
                                                    [cuentre,
que está lejos, según esto dicen aquellos que, cuando,
para que entrevistárase en ella con Titio[4], el hijo

---

[4] *Titio.* Gigante, hijo de Zeus y Elara.

de la Tierra, llevaron allí a Radamantis[5] el rubio.
En un día pudieron llegar; sin fatiga ninguna
recorrieron tan largo camino y volvieron a casa.
Por ti mismo sabrás lo excelentes que son mis navíos
y cuán hábiles son mis remeros batiendo la espuma.

Dijo; Odiseo paciente y divino estuvo contento,
y en seguida rezó una oración y, rezando, decía:

—Padre Zeus, ojalá cumpla Alcinoo lo que ha prometido
y que nunca su gloria se extinga en la tierra fecunda
y que yo pueda, al cabo, volver a mi tierra paterna.

Mientras tanto los dos entre sí sus palabras cambiaban,
la de brazos nevados, Arete, ordenó a las mujeres
que debajo del porche montaran un lecho y pusieran
las más bellas frazadas purpúreas y encima las colchas
y dejasen sobre ellas pellicas que abrigo les dieran.

De la sala salieron las siervas con hachas ardiendo
y una vez terminaron de hacer velozmente la cama,
dirigiéronse a Odiseo y así lo invitaron:

—¡Huésped nuestro! Levántate y ven; ya está lista tu cama.

Así hablaron, y a él le fue grato marchar a acostarse.
Y Odiseo paciente y divino durmió blandamente
en un lecho labrado, debajo del porche sonoro.
Luego Alcinoo acostóse en el fondo de la alta morada
donde el lecho y la cama dispuso la esposa y señora.

[5] *Radamantis.* Héroe cretense, uno de los tres hijos de Zeus y Europa,
hijo de Minos y Sarpedón.

CANTO VIII

[Presentación de Odiseo a los feacios]

Al mostrarse en el día la Aurora de dedos de rosa,
de sus lechos salieron la Sacra Potencia de Alcinoo
y Odiseo, el retoño de Zeus, destructor de ciudades.
Y la Sacra Potencia de Alcinoo mostraba el camino
hacia el ágora de los feacios cercana a las naves.
Y, al llegar, en los bancos de piedra pulida sentáronse
unos junto a los otros. Y por la ciudad iba Palas
Atenea, en figura de heraldo de Alcinoo el prudente,
preparando la vuelta a su patria del noble Odiseo.
Y ante cada varón se paraba y así le decía:

—Por aquí debéis ir, consejeros y nobles feacios.
Id al ágora; en ella podréis contemplar a ese huésped
que llegó no hace mucho a la casa de Alcinoo el prudente.
Recorrió muchos mares, y a un dios inmortal se parece.

Dijo así, y conmovió el corazón de los hombres y el ánimo,
y muy pronto la gente que se iba reuniendo en el ágora
ocupó los asientos. Delante del hijo prudente
de Laertes pasmáronse muchos; la diosa Atenea
una gracia divina esparció en su cabeza y sus miembros,
y lo hizo más alto y robusto a la vista, de modo
que ganárase así el corazón de los hombres feacios,
su temor y respeto, y llevara a buen término todos
los juegos con que ellos querían probar a Odiseo.

Cuando el pueblo acudió y la asamblea ya estuvo reunida,
la palabra tomó Alcinoo entonces y habló de este modo:

—Consejeros y nobles feacios, oíd lo que os digo,
las palabras que mi corazón en el pecho me dicta.
He aquí un huésped que no sé quién es; llegó errante a mi
[casa
—venga ya de Poniente o de donde amanece la Aurora—,
nos suplica encarecidamente que lo acompañemos.
Procurémosle un guía en seguida, tal como solemos.
Pues jamás hubo nadie que, habiendo llegado a mi casa,
mucho tiempo estuviera anhelando el retorno a la suya.
Así, pues, en las ondas divinas un negro navío
no estrenado botemos; del pueblo escoged a cincuenta
y dos jóvenes, más los que han sido hasta hoy los más dies-
Y una vez cada remo se encuentre fijado a su banco, [tros.
que regresen de a bordo a mi casa, pues quiero, en seguida,
disponer un banquete, y deseo que todos asistan.
Esto ordeno a los jóvenes, pero a vosotros, ¡oh reyes
portadores de cetro!, en mis bellas estancias os quiero
para que los honores podamos hacer a mi huésped.
Y que nadie se niegue. Enviad a buscar a Demódoco,
el aedo divino, a quien dio la deidad gran maestría
para que nos alegre con cantos que su ánimo quiera.

Dijo, y comenzó a andar, y los reyes que cetro llevaban
lo siguieron. Fue por el aedo divino un heraldo.
Y los cincuenta y dos elegidos mancebos se fueron
a la orilla del mar infecundo, a cumplir su mandato.

Cuando hubieron llegado por fin a la nave, en la orilla,
a las aguas profundas lanzaron el negro navío,
y pusieron el mástil al negro navío, y la vela,
con correas ataron los remos a fuertes escálamos,
a lo largo de toda la borda y la vela extendieron,
fondearon la nave ante el cabo, en la parte del río,
y a la excelsa morada de Alcinoo el prudente se fueron.

Llena estaba de gente: los porches, recintos y salas,
y la gente apretábase, viejos y jóvenes juntos.
Para toda esa gente hizo Alcinoo inmolar doce ovejas,
ocho cerdos de blancos colmillos, dos bueyes flexípedes;
desollados y asados, se hizo una grata comida.

Y acercóse el heraldo seguido del digno rapsoda,
al que amaba la Musa y el mal con un bien le había dado,
puesto que le privó de la vista y le dio un dulce canto.
Y Pontonoo le puso una silla con clavos de plata,
entre los convidados, a una alta columna adosada
y su lira sonora de un clavo colgó, después, sobre
su cabeza, enseñándole a que con las manos llegara,
y le puso a su alcance una cesta, una mesa muy bella
y la copa del vino, que así bebería a su gusto.
Y ellos fueron tendiendo la mano a las cosas servidas.

Cuando ya de comer y beber estuvieron saciados,
el cantor, por la Musa inspirado, eligió entre las gestas
un cantar cuya gloria llegaba al anchísimo cielo:
la disputa que tuvo Odiseo con Aquiles Pelida,
que en un grave festín de los dioses, con duras palabras
altercaron, y allí Agamenón, el señor de los hombres,
se alegró al ver reñir a sus más señalados aqueos,
porque ya Febo Apolo se lo presagió en la excelente
Pito[1] el día en el que atravesó sus umbrales de piedra
para allí consultar el oráculo, el día en que quiso
el gran Zeus provocar el desastre de dánaos y teucros.

Mientras esto cantaba el aedo famoso, tomando
con sus manos robustas el manto purpúreo, Odiseo
se lo echó a la cabeza, y veló sus bellísimos rasgos,
pues le daba vergüenza llorar ante aquellos feacios.

Cada vez que el aedo divino cesaba en su canto
enjugábase el llanto y el manto apartaba del rostro
y en la copa gemela libaba en ofrenda a los dioses;

[1] *Pito*. En el oráculo de Apolo en Delfos.

pero cuando volvía a cantar el aedo incitado
por los nobles feacios, que ansiaban gozar de los versos,
nuevamente cubría su rostro Odiseo y lloraba.

No se dio cuenta nadie del llanto que estaba vertiendo;
sólo Alcinoo sintió una sospecha y se dio cuenta de ello
porque estaba sentado a su lado y oyó sus sollozos.
Y de pronto habló así a los feacios, los buenos remeros:

—Consejeros y nobles feacios, oíd lo que os digo:
del banquete común satisfecho ya está nuestro ánimo
y también de la lira, tan propia de excelsos banquetes.
Hora es ya de salir y probar toda clase de juegos,
para que nuestro huésped, al verse de nuevo en su patria,
diga a todos los que ama que somos mejores que nadie,
bien en el pugilato, la lucha, saltando o corriendo.

Dijo así, y empezó a caminar y siguiéronle todos.
Y la lira sonora el heraldo colgó de la escarpia
y tomó de la mano a Demódoco y fuera llevóselo
del palacio, siguiendo el camino por donde se fueron
a admirar los ilustres feacios los juegos aquellos.

Y hacia el ágora fueron y toda la gente seguíalos
a millares. Y allí levantáronse innúmeros jóvenes.
Levantáronse Acróneo y Ocíalo y luego Elatreo
y Nauteo, Primneo y Anquíalo, con Eretmeo,
y Ponteo y Proreo y Toón, y se alzó Anabesíneo,
y Anfíalo, el hijo que fue de Políneo Tectónida;
levantóse Euríalo, que era un Ares funesto,
y este hijo del héroe Naubolo era en rostro y figura
el feacio más bello después de Laodamante el valiente.
Y tres hijos de Alcinoo, el rey intachable, se alzaron,
Laodamante y Halios con el divinal Clitoneo.

Compitieron primero en los juegos en una carrera;
de la raya, simultáneamente, partieron volando
con afán, levantando en el llano una gran polvareda.

El mejor corredor de ellos fue Clitóneo el eximio,
y cuan largo es el surco en barbecho que trazan dos mulas,
tanto se adelantó a los demás al volver a la gente.
Y probaron la lucha de palmas, perdiendo el aliento,
y el más diestro fue Euríalo entre los que destacaron.
Y en el salto fue Anfíalo siempre más diestro que nadie,
y en el disco, entre todos, logró destacarse Elatreo,
y Laodamante, el hijo de Alcínoo, en el pugilato.

Una vez de los juegos gozaron en su ánimo todos,
Laodamante, el hijo de Alcínoo, habló de este modo:

—Preguntemos ahora, ¡oh amigos!, al huésped si sabe
y practica algún juego. No es nada mezquino su aspecto
por los muslos y piernas que tiene, y los brazos debajo
de su cuello fornido, y el pecho tan ancho, y conserva
juventud todavía aunque esté quebrantado de penas,
pues yo os digo que nada peor que la mar se conoce,
donde un hombre, por fuerte que sea, a la larga se agosta.

Así dijo, y repúsole Euríalo de esta manera:

—Laodamante, has hablado como era oportuno que ha-
[blaras.
Ve tú mismo a invitarle y decirle lo que a mí me has dicho.

Cuando oyó estas razones, el hijo excelente de Alcínoo
avanzó y fue a encontrar a Odiseo, y entonces le dijo:

—Ahora tú, padre mío, en los juegos debieras probarte,
si es que alguno aprendiste, y pareces muy bien conocerlos;
porque no hay en la vida una gloria mayor para un hombre
que saber manejar en sus obras las piernas y brazos.
Ejercítate, pues, y disipa las penas de tu ánimo;
no tendrá tu viaje una larga demora, al contrario,
fue botada la nave y sus hombres están ya dispuestos.

Y repúsole entonces así el ingenioso Odiseo:

—Laodamante, ¿por qué con palabras que hieren me in-
[vitas?
Si al dolor se me va el corazón en lugar de a los juegos,
y es porque he padecido hasta ahora muchísimas penas.
Y si al ágora vuestra acudí es porque estoy mendigando
mi regreso, y al rey lo suplico y a todo su pueblo.

Mas Euríalo dijo, lanzándole al rostro este escarnio:

—En verdad, forastero, sospecho que no eres un hombre
instruido en los juegos, que tanto los hombres conocen,
pero sí quien su vida ha pasado en su nave bancada:
un patrón de marinos que va traficando y se cuida
de la carga, y vigila las cosas que lleva y su lucro
de pirata; pues no tienes traza de ser un atleta.

Y, con torvo mirar, respondió el ingenioso Odiseo:

—¡Huésped! Mas has hablado y pareces un hombre insen-
En verdad no reparten los dioses en un hombre solo [sato.
sus amables presentes: belleza, elocuencia e ingenio.
La apariencia de uno dijérase acaso mezquina,
mas un dios de belleza corona sus frases, y todos
se complacen mirándolo, y habla seguro y modesto,
dulcemente, y destaca entre toda la gente reunida,
y en la calle es un dios que se lleva tras él las miradas.
Otro, en cambio, aparenta la misma belleza de un numen,
mas la gracia jamás le corona las frases que dice,
como tú, que eres bello, y un dios no te hubiera formado
de otro modo, y, no obstante, se muestra mezquino tu inge-
Acuciásteme tú el corazón en el fondo del pecho   [nio.
con tus frases tan torpes; no soy en los juegos novato
como tú te imaginas; sospecho que fui de los pocos
cuando en mi juventud y mis brazos tenía confianza.
Ahora me hallo agobiado de males, pues tanto he sufrido
combatiendo a los hombres, surcando las olas terribles.
Mas, con todo y mis muchas angustias, haré alguna prueba:
me mordiste en lo vivo y tus frases me retan a hacerlo.

Dijo, y se levantó, y sin librarse siquiera del manto,
tomó un disco, el mayor y más grueso, y aún más pesado
que los que los feacios solían usar entre ellos;
le dio vueltas y lo despidió con el brazo robusto.
Y la piedra silbó, y se agacharon tocando la tierra
los señores de remos muy largos, insignes marinos,
bajo el aire del disco que fue, velozmente volando,
más allá de las marcas de todos; y puso Atenea,
en figura de hombre, los hitos y díjole luego:

—Forastero, hasta un ciego sabría cuál es, tanteando,
tu señal, porque no está entre todas las otras señales,
sino mucho más lejos. Ya puedes estar bien tranquilo,
pues feacio ninguno podría alcanzarla o pasarla.

Dijo. Odiseo paciente y divino estuvo contento,
muy feliz por haber encontrado a un amigo en la liza,
y, con alas en el corazón, dijo así a los feacios:

—¡Jóvenes, superad la señal! Y veréis en seguida
que tan lejos o más todavía, yo os lanzo otro disco.
Y quienquiera que sea, si su ánimo y gusto lo quiere,
pues me habéis incitado, que venga y se mida conmigo,
bien en el pugilato, la lucha o corriendo, que a nadie
de los hombres feacios rehúso, de no ser Laodamante.
Es mi huésped y, ¿quién lucharía con quien nos acoge?
Insensato o malvado es aquel que provoca en los juegos
al que le ha recibido lo mismo que a un huésped en tierra
extranjera; con ello a sí mismo tan sólo se daña.
Pero de los restantes a nadie rehúso o desdeño;
conocerlos deseo y poder frente a frente probarlos.
No del todo un inepto me creo en el juego que sea:
sé muy bien el manejo de un arco de lisa madera,
y sería el primero en herir con la flecha al que en me-
[dio
de un montón de enemigos se hallara, aunque hubiese mu-
[chísimos
compañeros lanzando sus flechas a los adversarios.

Filocteles[2] tan sólo vencíame a mí con el arco
cuando, en tierras de Troya, los hombres de Acaya lo usá-
           [bamos.
Pero os digo que a todos los otros supero con mucho,
a cualquier hombre que en la tierra se nutre de trigo.
Con los héroes de antaño, no obstante, no quiero medirme,
como Heracles o Eurito de Ecalia, que con los eternos
competían en habilidad manejando los arcos.
Así fue como Eurito murió tan temprano y no pudo
alcanzar la vejez en su casa. Colérico, Apolo
lo mató por haberlo retado a tirar con el arco.
Y la pica yo lanzo más lejos que otro hombre sus flechas.
Solamente, corriendo, imagino que algunos feacios
consiguieran vencerme, pues entre muchísimas olas
he sufrido de forma terrible, y no siempre tenía
provisiones a bordo, y por eso flaquean mis piernas.

Así dijo, y calláronse todos y estaban inmóviles;
solamente repuso a sus frases Alcinoo, diciendo:

—Tus palabras, ¡oh huésped!, no pueden causarnos disgusto,
puesto que has deseado mostrar que el valor de acompaña,
enojado porque te ha increpado ese hombre en la liza,
siendo así que hombre alguno mortal, si llegara en su ánimo,
a pensar con justicia no hiriera tus altas virtudes.
Mis palabras atiende y así bien podrás repetirlas
a otros héroes en cuanto te encuentres de nuevo en tu casa
con tu esposa y tus hijos comiendo, y entonces recuerdes
nuestros méritos; justo es que digas entonces qué empresas
Zeus nos adjudicó desde tiempos de nuestros abuelos.
Grandes púgiles nunca hemos sido, ni aun luchadores;
mas corriendo y bogando en las naves ninguno nos puede,
y, además, agradables nos son el banquete y la lira,
los vestidos bien limpios, el baño caliente y el lecho.
Pero, vamos, que los danzarines feacios más hábiles
salgan ya para que el forastero, al volver a su casa,
diga a todos los que ama que somos mejores que nadie

[2] *Filoctetes.* Cf. n. 15 al c. III.

gobernando un navío, corriendo, en el canto y la danza.
Y que alguno a Demódoco traiga la lira sonora,
en seguida, que está en un rincón, no sé cuál, del palacio.

Así Alcinoo deiforme opinó y levantóse un heraldo
y al palacio del rey fue a buscarle la cóncava lira.
Los maestros del juego, entre el pueblo escogidos, se alzaron;
eran nueve y cuidaban del juego; aplanaron el piso
y al momento formaron un ancho y bellísimo corro.

Y el heraldo volvió, portador de la lira sonora
que a Demódoco dio, quien se puso en el centro y, en torno,
los mancebos floridos más diestros en todas las danzas;
con los pies golpearon la liza divina; Odiseo
contemplaba la danza brillante y estaba admirado.

[*Los amores de Ares y Afrodita*]

El aedo, pulsando la lira, empezó un dulce canto,
los amores de Ares con la coronada Afrodita,
cómo por vez primera se unieron en casa de Hefestos
en secreto, y los dones que hizo, y también cómo el lecho
le infamaron a Hefestos, y cómo fue el Sol a contarle
que había hallado a los dos abrazados en acto amoroso.

Cuando Hefestos por él conoció el humillante suceso,
dirigióse a la fragua, pensando en su pecho vengarse;
sobre el bando dispuso el gran yunque y forjó entonces re-
irrompibles, que firmes quedasen donde él las dejara. [des

Construida la trampa, en su furia feroz contra Ares,
dirigióse a la alcoba en que estaba su lecho amadísimo;
colocó en torno al lecho las redes, en un amplio círculo,
y también en gran número en lo alto de todas las vigas,
telarañas sutiles que nadie advertir lograría,
ni aun los dioses dichosos: las hizo con gran artificio.

Cuando en torno del lecho ya estuvo dispuesta la trampa,
simuló que marchábase a Lemnos la bien construida;
para él la más bella de todas las tierras que había.
Mas no en balde al acecho encontrábase el dios de áureas
[riendas,
Ares; viendo que se iba el magnífico artífice Hefestos,
dirigióse al palacio del ínclito Hefestos, ansioso
del amor de la bien coronada mujer, Citerea[3].
Justamente venía del bello palacio del padre,
del potente Cronión, y se había sentado en la alcoba,
y cuando Ares entró, la cogió de la mano y le dijo:

—Ven al lecho, ¡oh amada!, y gocemos el uno del otro,
que ahora Hefestos se encuentra muy lejos del pueblo; sin
[duda
partió a Lemnos y está con los sinties de bárbaro idioma.

Así dijo, y la diosa opinó que era grato acostarse.
Y metiéronse en cama y yacieron, y luego, de pronto,
en las redes del hábil Hefestos quedaron prendidos;
ni los miembros mover conseguían, ni aun levantarse.
Y supieron entonces que huir no les era posible.

No tardó en presentarse ante ellos el ínclito Cojo,
que volvió sin haber arribado a la tierra de Lemnos,
porque el Sol, que al acecho se hallaba, acudió a darle aviso,
y a su casa volvió y la tristeza llenaba su pecho,
y al umbral se detuvo, encendido de cólera horrible
y gritó de una forma espantosa, clamando a los dioses:

—¡Padre Zeus, y vosotros los dioses felices y eternos!
Acudid y veréis qué ridícula escena, un escándalo.
Por ser cojo, Afrodita, la hija de Zeus, me escarnece
a diario, y con Ares, que es hombre perverso, amancébase,
ya que él tiene apostura y no es cojo; mas si yo he nacido
contrahecho, no es mía la culpa, sino de mis padres,

---

[3] *Citerea*. Epíteto de Afrodita, que fue llevada por los vientos Céfiros a
Citera (isla al S. de Laconia), apenas surgida del mar.

de mi padre y mi madre: jamás engendrarme debieron.
Mas venid y veréis de qué modo amoroso se unen
en mi lecho, y de verlo me asalta una inmensa tristeza.
Mas no espero que así les complazca yacer por más tiempo,
ni aun queriéndose mucho, muy pronto ni el uno ni el otro
desearán dormir juntos; sujetos la red y la trampa
los tendrán mientras no me devuelva su padre los dones
que le di por su hija de cara de perro, hasta el último;
es hermosa la joven, mas no se contenta su ánimo.

Dijo, y en el broncíneo lumbral se pararon los dioses.
Poseidón, el que ciñe la tierra, acudió, y el benéfico
Hermes, luego el que hiere de lejos, el ínclito Apolo.
Por pudor femenino las diosas quedáronse en casa.

A la puerta, los dioses, dadores de bienes, estaban,
y una risa incesante se alzó entre los dioses dichosos
contemplando la obra ingeniosa del hábil Hefestos.
Y uno de ellos decíale al otro cambiando miradas:

—No prosperan las malas acciones; el más tardo alcanza
al más ágil, lo mismo que el pata galana de Hefestos,
que al más rápido dios que el Olimpo posee prendió, Ares,
con ardides y aun cojo. Y tendrán que pagarle la multa.

Mientras ellos charlaban así de estas cosas, Apolo,
el señor soberano, al hijo de Zeus, Hermes, dijo:

—Hermes, hijo de Zeus, mensajero, dador de riquezas,
¡bien quisieras que tan poderosas cadenas te ataran
por estar con la rubia Afrodita acostado en el lecho!

Y repúsole entonces así el mensajero Argifontes:

—¡Ojalá fuera así, rey que hieres de lejos, Apolo!
¡Y una serie tres veces mayor de cadenas me atara
y vosotros, en torno, miraseis, los dioses y diosas,
por estar con la rubia Afrodita acostado en el lecho!

Así dijo, y alzóse de nuevo la risa en los dioses;
Poseidón, sin embargo, callaba y rogaba incesante
al tan hábil artífice Hefestos dejase a Ares libre.
Y le habló dirigiéndole estas palabras aladas:

—Suéltalo; te aseguro que habrá de pagar lo que digas,
lo que es justo, en presencia de todos los dioses eternos.

Y con estas palabras repúsole el Ínclito Cojo:

—Poseidón que la tierra circundas, no ordenes tal cosa,
puesto que la fianza que al malo se presta no es buena.
¿Qué podría exigirte en presencia de los inmortales,
si Ares, libre de sus ataduras, negase la deuda?

Y, a su vez, Poseidón que la tierra sacude, le dijo:

—Si, ¡oh Hefestos!, llegara el momento en que Ares huyese,
y a pagar se negara, yo habré de pagarte su deuda.

Y repúsole entonces el Ínclito Cojo, diciendo:

—Yo no puedo ni quiero dudar de lo que me prometes.

Dijo así, y la Potencia de Hefestos quitóle los lazos.
Y ellos, viéndose libres de aquéllos, que tan recios eran,
levantáronse prestos, y él fuese camino de Tracia[4],
y Afrodita, la amante risueña, fue a Chipre y a Pafos[5],
donde está su recinto y su altar incensado, y las Gracias
a la diosa bañaron y ungieron con óleo divino
que embellece con brillo la piel de los dioses eternos;
y le dieron tan bellos vestidos que verlos pasmaba.

Tales cosas cantaba el aedo famoso; Odiseo
se gozaba de oírlo, y lo mismo los hombres feacios,
los señores de remos muy largos e insignes marinos.

---

[4] *Tracia*. Región extra-helena situada al N. del Egeo, lindando con la Macedonia al O. y la Propóntide al E.
[5] *Pafos*. Ciudad del S. O. de Chipre, donde en época histórica se alzaba un templo a Afrodita, oriunda de aquellos lugares.
[6] *Gracias*. Cf. n. 5 al c. VI.

Y ordenó Alcinoo entonces que Halios y Laodamante baila-
[sen,
los dos solos, pues nadie a emularlos bailando atrevíase.
En sus manos tomaron la bella pelota purpúrea
fabricada para ellos por Pólibo el habilidoso,
y uno, echado hacia atrás, la lanzaba a las nubes sombrías;
luego el otro, saltando, lograba tomarla en el aire
antes que sobre el suelo volvieran sus pies a apoyarse.
Ya probados lanzando de frente los dos la pelota,
a bailar empezaron los dos en la tierra fecunda,
alternando a menudo, y los otros muchachos marcaban
el compás con los pies, en la liza, y hacían gran ruido.
Y Odiseo divino habló entonces y dijo así a Alcinoo:

—Rey Alcinoo, señor, ciudadano el más noble en tu pueblo,
prometiste probar la excelencia de tus danzarines
y en verdad lo has cumplido, y de verlos estoy asombrado.

Dijo así, y se alegró la Sagrada Potencia de Alcinoo,
y a los hombres feacios, los buenos remeros, les dijo:

—Consejeros y nobles feacios, oíd lo que os digo:
en verdad, me parece este huésped un hombre sensato.
Ofrezcámosle, pues, como cumple, los dones del huésped.
Doce reyes preclaros tenemos que son soberanos
de este pueblo, más yo, el treceavo[7], que os habla a vosotros.
Cada uno que traiga aquí un manto bien limpio, una túnica
y un talento del oro más fino; ofrezcámoslo al huésped
en seguida, que al ver en sus manos reunidos los dones,
irá a nuestro banquete con más alegría en el ánimo.
Y que Euríalo ahora se excuse con gratas palabras
y un presente, que habló como no era oportuno que hablase.

Dijo así, y aplaudiéronlo, y luego, cumpliendo la orden,
envió cada uno a un heraldo a buscar un presente.
Y repúsole Euríalo entonces, que habló de este modo:

---

[7] *Doce reyes...* Debe aludir a una confederación de régulos o nobles
feudales.

—Rey Alcinoo, señor, ciudadano el más noble en tu pueblo,
como lo has ordenado, ante el huésped presento mi excusa,
Le regalo esta espada de bronce con puño de plata
cuya vaina es de claro marfil aserrado hace poco;
imagino sabrá darse cuenta de cuál es su precio.

Dijo, y puso en sus manos la espada de clavos de plata,
y de nuevo habló y estas palabras alígeras dijo:

—¡Padre huésped, salud! Y si he dicho palabras molestas,
que bien pronto violentas borrascas las lleven muy lejos.
Y los dioses te den el regreso a tu esposa y tu patria,
que hace tiempo que lejos de todos los tuyos padeces.

Y repúsole entonces el ingenioso Odiseo:

—Y a ti, amigo, salud; que los dioses de dicha te colmen
y que no eches de menos la espada de clavos de plata,
que me has dado, después de excusarte ante mí con palabras.

Dijo, y púsose al hombro la espada de clavos de plata.

Ya era noche y estaban allí los gloriosos presentes;
y a la casa de Alcinoo los nobles heraldos lleváronlos
y los hijos del rey intachable tomáronlos luego
y los bellos regalos llevaron a la augusta madre.
La Sagrada Potencia de Alcinoo mostraba el camino,
y, una vez en la casa, en los altos sitiales sentáronse.
Y la Sacra Potencia de Alcinoo habló entonces a Arete:

—Trae, mujer, el mejor de los cofres lujosos que tengas
y tú misma en él pon una túnica y manto bien limpios;
poned a calentar la caldera del agua en el fuego,
para que nuestro huésped se bañe y, al ver ordenados,
los presentes que los señalados feacios trajeron,
del banquete disfrute y del canto que cante el aedo.
Mi presente será esta hermosísima copa de oro

para que sin cesar me recuerde durante su vida
al hacer en su casa a los dioses y a Zeus libaciones.

Esto dijo, y entonces Arete ordenó que sus siervas
en seguida pusieran al fuego un magnífico trípode.
A la llama avivada pusieron las siervas el trípode,
para el baño, y echaron el agua y pusieron más leña.
Calentaron el agua las llamas rodeando la panza
del caldero. Y Arete sacó para el huésped, del cuarto,
su mejor cofre y puso en el fondo los bellos presentes:
ropas y oro que habíanle dado para él los feacios.
Y agregó luego un manto y después una túnica espléndida,
y, volviéndose a él, pronunció estas palabras aladas:

—Examina tú mismo la tapa y el nudo haz de prisa,
que no vayan a hurtarte las cosas durante el viaje
mientras duermes dulcísimo sueño en el negro navío.

Al oír el paciente y divino Odiseo estas cosas,
ajustó bien la tapa y sobre ella hizo un nudo difícil
que, en secreto, enseñóselo a hacer la augustísima Circe.
Y, después, le invitó la intendenta a bañarse en la pila,
y ante el baño caliente sintió gran contento, pues poco
él había cuidado de sí desde que hubo dejado
el hogar de Calipso, la joven de crespos cabellos   [dido.
donde, en todo momento, lo mismo que un dios fue aten-

Una vez las mujeres lo hubieron bañado y ungido
con aceite, y echado en sus hombros el manto y la túnica,
de la pila salió y fue a reunirse con los bebedores;
mas Nausica, a quien todos los dioses belleza otorgaron,
se paró ante el montante que el sólido techo aguantaba
y fijó en Odiseo sus ojos, de verlo admirábase,
y, volviéndose a él, pronunció estas palabras aladas:

—Salve, huésped, y cuando de nuevo en tu patria te en-
                                          [cuentres,
no me olvides; me debes haber rescatado tu vida.

Y repúsole entonces así el ingenioso Odiseo:

—¡Oh Nausica, hija del tan magnánimo Alcinoo! Concéda-
Zeus tonante, el esposo de Hera, que logre a mi casa   [me
regresar y poder ver el día feliz del retorno
porque, igual que a una diosa, a diario yo habré de in-
[vocarte,
puesto que has sido tú quien mi vida ha salvado, ¡oh don-
[cella!

Así dijo, y sentóse después junto a Alcinoo, el monarca.
Cuando estaban cortando la carne y mezclaban el vino
presentóse el heraldo y con él el aedo Demódoco,
tan amable y honrado por todos, y le hizo sentarse
entre los invitados, de espaldas a una alta columna.

Y al heraldo habló entonces así el ingenioso Odiseo,
dividiendo un pedazo —y quedó todavía— del lomo
de un verraco de blancos colmillos, con grasa abundante:

—Toma, heraldo, esta carne y que coma Demódoco de ella
que, aunque estoy afligido, yo quiero también obsequiarle.
Porque en toda la tierra al aedo los hombres otorgan
reverencia y honor, pues la Musa les ha concedido
conocer los secretos del canto, y a todos estima.

Así dijo, y la carne el heraldo tomó de sus manos
y a Demódoco, el héroe, la dio, que aceptóla contento.
Y ellos fueron tendiendo la mano a las cosas servidas.

Cuando ya de comer y beber estuvieron saciados,
a Demódoco entonces habló el ingenioso Odiseo:

—Más a ti que a otro hombre mortal yo te alabo, Demó-
[doco,
pues la Musa, la hija de Zeus, te ha enseñado, o Apolo,
porque cantas muy bien el azar de los hombres aqueos,
sus desdichas, hazañas y cuantos reveses tuvieron,

cual si lo hubieses visto tú mismo o por ellos sabido.
Mas prosigue y relátanos ahora la acción del caballo
de madera que con Atenea logró hacer Epeo,
cómo Odiseo divino, engañándolos, en el alcázar
los metió, y dentro de él los guerreros que a Ilión devasta-
Si estas cosas consigues cantarme en la forma debida,   [ron.
al instante seré testimonio entre todos los hombres
de que un dios complaciente te ha dado los dones del canto.

Dijo, y por un impulso divino movido el aedo,
comenzó desde que los argivos, en naves bancadas,
a la mar se lanzaron después de incendiadas sus tiendas;
con el famoso Odiseo en Ilión se encontraban los jefes
dentro de ese caballo, escondidos, al cual a la acrópolis
arrastraron los propios troyanos, y hallábase erguido
en el ágora, y en torno suyo, sentados, los teucros,
y opinaban confusas razones, pensando tres cosas:
o con bronce implacable hacer trozos el cóncavo leño,
o arrastrarlo a la cumbre y lanzarlo por entre las rocas,
o dejarlo como una magnífica ofrenda que fuera
a los dioses propicia; y, por fin, coincidieron en esto,
pues fatal era que la ciudad se perdiese si entraba
el corcel de madera en que estaban los jefes de Argos
aguardando llevar a los teucros la muerte y la parca.

Contó cómo los hombres aqueos la villa asolaron
al salir del caballo, dejando la hueca emboscada,
y cantó de qué modo, dispersos por todos lados,
la ciudad devastaron, y Odiseo, lo mismo que Ares,
fue al hogar de Deífobo con Menelao el divino;
y contó de qué modo afrontó el más terrible combate
hasta ser vencedor, por favor de Atenea magnánima.

Tales cosas cantaba el aedo famoso; Odiseo
conmovióse y el llanto, al caer, le mojó las mejillas.
Y como una mujer que, abrazada al marido, solloza
cuando éste ha caído delante del pueblo y su gente
para así liberar la ciudad y a los hijos del día

implacable, y al verlo morir, jadeando, se lanza
ella a él y laméntase y grita, y están los contrarios
golpeando con picas su espalda y sus músculos todos,
y la llevan cautiva a que pase trabajos y angustias,
y en la tan lastimosa agonía consume su cara,
penoso era el llanto al brotar de los ojos de Odiseo.
Y escondía él a todos el llanto que estaba vertiendo;
sólo Alcinoo sintió una sospecha y se dio cuenta de ello
porque estaba sentado a su lado y oyó sus sollozos.
Y de pronto habló así a los feacios, los buenos remeros:

—Consejeros y nobles feacios, oíd lo que os digo:
que Demódoco cese en el canto la lira sonora,
que posible es que a todos no gusten las cosas que canta.
Desde que comenzóse a cenar y el aedo divino
levantóse, no cesa en su triste llorar nustro huésped,
pues tal vez de su entraña le vino un dolor espantoso.
Cese, pues, el aedo y hagamos común nuestro júbilo,
huésped y acogedores, que entiendo es mejor que así sea.
Puesto que para el huésped honroso se han hecho las cosas:
darle guías y dones en prueba de cuánto le amamos;
el que viene o suplica tendría que ser un hermano
para el hombre que tenga tan sólo pequeña prudencia.
Tú tampoco me ocultes con unas sutiles razones
lo que quiero saber; háblame, que es así más correcto.
Dime el nombre con que te llamaban tu padre y tu madre
allí y en la ciudad y la gente vecina a la villa,
que no hay hombre ninguno en el mundo que nombre no
                                                    [tenga,
por plebeyo que sea o por noble y al punto en que nace;
antes bien, al nacer se lo ponen sus padres a todos.
Di cuál es tu país y cuál es tu ciudad y tu pueblo,
para que nuestras naves, dispuestas con su inteligencia,
te conduzcan allí; los feacios no tienen pilotos
ni timones, cual suelen usarlos los otros navíos;
antes bien, nuestras naves ya saben qué quieren sus hombres
y conocen ya toda ciudad y los fértiles campos
y con gran rapidez atraviesan las simas del ponto,

aun envueltas en niebla o vapor, y jamás han sentido
el temor de poder averiarse o llegar a perderse.
Ahora bien, una cosa contaba mi padre, Nausitoo:
Poseidón contra todos nosotros está muy irritado,
pues de forma infalible guiamos a todos los hombres
y hará que al regresar de una lleva una armónica nave
de Feacia naufrague en el centro del ponto sombrío,
y la vista de nuestra ciudad tapará con montañas.
El anciano así hablaba, y el dios podrá acaso cumplirlo,
o quizá no lo cumpla, según de su gusto le sea.
Mas, a ver, háblame y estas cosas aclárame pronto
cómo fue que anduviste perdido y qué tierras has visto
y qué gentes y villas pobladas en ellas había;
y qué gente arrogante y salvaje y no justa conoces,
o bien hospitalaria y que siente temor de los dioses.
Di también por qué lloras y en tu corazón te lamentas
al oír el azar de los héroes dánaos y Troya:
lo quisieron los dioses que así decretaron la muerte
de esos hombres, y a los venideros habrá de cantarse.
¿Es que acaso perdiste delante de Ilión a algún deudo
que era noble, un cuñado o un suegro, que son los más pró-
a nosotros, aparte los de nuestra sangre y familia?   [ximos
¿O fue acaso un amigo esforzado que mucho te amaba
y era noble y leal? Ciertamente podría decirte
que no es nunca inferior a un hermano un amigo prudente.

CANTO IX

[Cícones y lotófagos]

Y repúsole entonces así el ingenioso Odiseo:

—Rey Alcinoo, señor, ciudadano el más noble en tu pueblo,
en verdad es amable escuchar a un aedo como éste
cuya voz se parece a la voz de los dioses eternos.
Y yo os digo que nada hay más grato que ver la alegría
que se ha ido adueñando de toda la vida de un pueblo
y que los invitados escuchen en casa al aedo,
en buen orden sentados delante de mesas colmadas
de manjares y pan, y que, mientras, extraiga el copero
de la crátera el vino y lo sirva en las copas a todos.
Para mi corazón muy hermoso es tal espectáculo.
Pero tu ánimo quiere saber mis luctuosas desdichas
para que llore aún más y prorrumpa en amargos suspiros.
¿Qué primero y después y por último debo contarte?
¡Muchos males a mí me enviaron los dioses celestes!

»Mas primero deseo decirte mi nombre, que todos
lo sepáis, y que yo si me evado del día implacable
vuestro huésped sea siempre, aunque lejos mi casa se encuen-
Soy Odiseo, hijo de Laertes, y todos conócenme   [tre.
por mis muchos ardides y llega mi fama hasta el cielo.
En Ítaca, la que desde lejos se ve, vivo; en ella
hay un monte magnífico, lleno de frondas, el Nérito,

y hay innúmeras islas pobladas en torno, muy cerca
todas, Same y Duliquio, y la nemorosa Zacinto.
Mas la mía es muy baja y, de todas, en medio del agua,
es la más alejada hacia el punto en que el sol oscurece,
y al Levante las otras acércanse y al Mediodía.
Es fragosa la tierra; no obstante, fecunda en mancebos;
pero es mía, y no sé que otra tierra más dulce se encuentre.

»Sí, Calipso, la diosa entre diosas, allí me retuvo,
en cavernas profundas; quería que fuera su esposo;
y la pérfida Circe de Eea también me retuvo
en su bello palacio, quería que fuera su esposo.
Pero mi corazón generoso no fue persuadido;
nada existe en el mundo mejor que la patria y los padres,
¿de qué sirve vivir en destierro en un rico palacio,
entre gente extranjera, si lejos se está de los padres?

»Pero voy a contarte mi muy trabajoso regreso,
pues lo quiso así Zeus desde que hube salido de Troya.
Al partirme de Ilión me llevaron los vientos a Ismaro[1],
al país de los cícones, y los maté y dejé en ruinas
su ciudad, mas saqué a sus mujeres y grandes riquezas
y nos las repartimos de modo que nadie se fuese
sin botín. Y ordené que con pies muy ligeros huyeran,
mas ninguno hizo caso, ¡insensatos!, de cuanto les dije.
Se bebió mucho vino. Ante el mar, en aquella ribera,
degolláronse ovejas y bueyes cornudos flexípedes.
Y los cícones fueron corriendo a llamar a otros cícones,
sus vecinos, más fuertes y más numerosos; vivían
y pie a tierra también, como fuera para ellos preciso.
Presentáronse al alba en gran número como las hojas
y las flores en la primavera; y un triste destino
Zeus nos dio, ¡oh infelices!, colmándonos de desventuras.
Alineáronse para luchar ante las naos veloces;
con sus lanzas de punta de bronce el ataque empezaron.

---

[1] *Ismaro.* Ciudad de la Tracia.

»Mientras era aún mañana y la luz continuaba creciendo,
resistimos la lucha, no obstante ser grande su número.
Pero, al oscurecer, cuando el buey se libera del yugo,
a los aqueos vencieron e hicieron huir los cícones,
y, de cada navío, seis hombres de grebas hermosas,
perecieron, y huimos los otros del hado y la muerte.

»Desde allí navegando seguimos con ánimos tristes,
ya evadidos de muerte aunque algunos amigos murieron.
Pero no comenzamos la ruta en mis curvos navíos
sin llamar por tres veces a nuestros amigos misérrimos,
a los que en la llanura quitaron la vida los cícones.

»Zeus, que junta las nubes, alzó un fuerte Bóreas que aullaba
de una forma espantosa, y después envolvió con la niebla
tierra y mar juntamente y del cielo cayeron las sombras.
Daban grandes bandazos las naves y el viento impetuoso
desgarró en tres o cuatro pedazos las velas de todas;
amainamos entonces las velas, temiendo el naufragio,
y con prisa y a fuerza de remos a tierra bogamos.
Estuvimos dos días allí con sus noches, tendidos,
sin movernos, e inmensa fatiga y dolor nos roía.
Mas tan pronto la Aurora de rizos hermosos nos trajo
el tercero, arbolamos los palos e izamos las velas,
nos sentamos, y viento y pilotos llevaron las naves.
Y es posible que indemne yo hubiera llegado a mi patria
si, arribando a Malea por fin, la corriente y las olas
no me hubiesen forzado a que atrás me dejara Citera.

»Nueve días los vientos por mares poblados de peces
me llevaron forzado y llegamos al décimo a tierra
de lotófagos, pueblo que come un florido alimento.
Allí a tierra saltamos y entonces hicimos aguada,
y en seguida los hombres comieron en torno a las naves.

»Cuando ya de comer y beber estuvimos saciados,
a tres hombres mandé para reconocer el terreno
y de qué comedores de pan eran esos lugares:

elegí dos muchachos y fue como heraldo un tercero.
Y en seguida partieron y hallaron a aquellos lotófagos,
que, en verdad, no querían la muerte de nuestros amigos;
antes bien, a probar unos frutos de loto les dieron;
cuantos iban probando la pulpa melosa del loto
no querían traernos noticias ni ansiaban la vuelta,
y querían quedarse allí junto a los hombres lotófagos
y comer siempre loto, olvidando el regreso a la patria.

»Los llevé hasta las naves, llorando, a la fuerza, y debajo
de los bancos de nuestros navíos les puse ataduras;
y en seguida ordené a los demás compañeros leales
que volvieran a bordo al instante, no fuera que alguno
intentase comer loto y luego olvidara el retorno;
y embarcamos al punto; en los bancos sentáronse en filas
y empezaron después a batir con los remos la espuma.

[El Cíclope]

»Navegando seguimos, llevando afligidos los ánimos,
y a una tierra llegamos de gente orgullosa, los Cíclopes
que carecen de ley, y, fiando en los dioses eternos,
no utilizan sus manos; ni plantan ni labran los campos,
puesto que sin semilla ni arada germínales todo,
la cebada y el trigo y las vides, las cuales producen
vino en grandes racimos, y Zeus con sus lluvias los nutre.
Y no tienen un ágora donde cambiar pareceres,
y carecen de leyes y viven en altos picachos,
en profundas cavernas; la ley cada uno la dicta
a sus hijos y esposas, y a nadie le importa ninguno.

»Ante el puerto se encuentra una isla, pequeña, alargada,
ni muy cerca ni lejos de donde los Cíclopes viven,
muy boscosa, y las cabras monteses allí multiplícanse,
pues el paso del hombre jamás del lugar las ahuyenta,
ni rastrean allí cazadores que crucen los bosques
fatigándose por la montaña y subiendo a sus cumbres;

ni hay ganado en la isla, y tampoco hay allí labradío;
sin arar ni sembrar está todo el terreno en la isla,
y carece de hombres y cría muchas cabras balantes.
Y no tienen los Cíclopes naves de rojas mejillas[2],
ni tampoco maestros de hacha capaces de hacerlas
con innúmeros bancos, o quien comerciara con ellas
de ciudad a ciudad navegando, tal como los hombres
atraviesan el mar con frecuencia, buscando uno a otro,
y esto hubiérale dado ciudades muy bien construidas,
pues no es mala y daría a su tiempo muchísimos frutos,
porque hay húmedos prados al borde del agua espumosa,
tiernos prados en donde las vides jamás perderíanse;
es arija y muy llana la tierra; en verano podría
cosecharse una altísima mies, pues es campo muy fértil.

»Tiene un puerto de fácil fondeo, y no se usan amarras
ni se emplean las áncoras ni se utilizan las cuerdas,
pues se atraca y allí se está el tiempo que sea, hasta el día
en que el ánimo incita al marino a partir, o hay buen viento.
En lo alto del puerto una fuente de límpido chorro
mana bajo una cueva, y en torno han crecido los álamos.
Allí, pues, fondeamos y un dios nos debió hacer de guía
en aquella oscurísima noche en que nada veíamos,
pues la niebla era densa, envolvía las naos, y la luna
no brillaba en el cielo, escondida detrás de las nubes.
Nadie tuvo manera de ver con sus ojos la isla
ni las olas inmensas en tanto en la tierra rompíanse,
hasta que los bancados navíos allí fondeamos.
Una vez fondeados, arriamos entonces las velas
y saltamos a tierra tocando los altos rompientes
y, rendidos de sueño, esperamos la Aurora divina.

»Al mostrarse en el día la Aurora de dedos de rosa,
recorrimos la isla admirados de cuanto veíamos,
y las Ninfas, las hijas de Zeus portador de la égida,
levantaron las cabras monteses para que comiesen

---

[2] *Naves de rojas mejillas.* Alusión a los mascarones policromados que
se hallaban en los extremos o costados de las naves.

mis amigos. De las naos trajimos los arcos curvados
y los dardos de punta alargada; en tres grupos, tiramos,
y muy pronto nos dio una deidad una caza abundante.
Eran doce las naos que seguíanme, y correspondieron
nueve cabras por nave, y dejáronme a mí diez de ellas.
Todo el día, hasta que hubo ya el sol descendido a su ocaso,
disfrutamos de carne abundante y de vino dulcísimo,
puesto que el vino rojo no estaba agotado en las naves,
pues habíamos hecho un acopio abundante de ánforas
cuando hubimos tomado la sacra ciudad de los cícones.
El país de los Cíclopes vimos muy cerca, y el humo,
y sus voces oímos también, y el balar de las cabras.

»Cuando el sol se ocultó y descendieron a poco las som-
en la playa a dormir nos pusimos al pie de las olas. [bras,

»Al mostrarse en el día la Aurora de dedos de rosa,
convoqué a una asamblea a mis hombres y entonces les dije:

»—Continuad en el mismo lugar, mis amigos leales;
yo me iré con mi nave llevando a mis hombres a bordo
a saber quiénes son los que viven en estos lugares;
si son gentes tal vez arrogantes, salvajes o injustas,
o bien hospitalarias y sienten temor de los dioses.

»Dije así, y embarqué en mi navío, ordenando a mis hom-
[bres
que embarcáranse junto conmigo, y soltaron amarras.
Y embarcáronse al punto; en los bancos sentáronse en filas
y empezaron después a batir con los remos la espuma.

»Y tan pronto llegué a aquel lugar que muy próximo estaba,
dominando la mar, a un extremo, se hallaba una gruta
a la que sombreaban algunos laureles; en ella
muchos hatos de ovejas y cabras había asestados
dentro de una alta cerca de piedras hundidas en tierra,
y unos pinos esbeltos y robles de copas muy altas.
Un varón gigantesco, de noche, habitaba la cueva

solitario; a pacer sus rebaños llevaba, y con nadie
se trataba, y, viviendo apartado, pensaba ruindades.
En verdad era un monstruo espantoso que no parecíase
a los hombres que viven de pan, sino a un pico selvático
que en la sierra se aísla y destaca entre todas las cumbres.

»Así, pues, en seguida ordené a mis amigos leales
que quedáranse junto a la nave y velaran por ella,
y partí cuando me hube elegido a los doce mejores,
y en un odre de cuero de cabra llevé un dulce vino
negro, que me hubo dado Marón, el retoño de Evantes,
sacerdote de Apolo, deidad tutelar que es de Ismaro,
pues a él, su mujer y sus hijos salvamos la vida
por respeto: vivía en un bosque que fue a Febo Apolo
consagrado, y después me hizo muchos regalos espléndidos:
me dio siete talentos de oro muy fino y labrado,
una crátera llena de plata; asimismo, por último,
me dio un vino con el que llenó una docena de ánforas,
dulce y puro, bebida de dioses, que no conocía
en su casa ningún siervo suyo ni esclava ninguna,
sólo él y su esposa amadísima y una intendenta.

»Si querían beber este vino encarnado y dulcísimo
una copa del mismo vertían en veinte de agua;
de la crátera entonces salía un aroma tan suave
y divino que no saborearlo causaba gran pena.
De él llevaba un gran odre muy lleno y el pan en la alforja
porque mi corazón generoso entendió prontamente
que a encontrarnos iría un varón de gran fuerza dotado,
muy salvaje, ignorante de ley y de toda justicia.

»En seguida a la cueva llegamos, mas no estaba en ella;
a sus gordas ovejas había llevado a los pastos.
Penetramos en ella, admirando las cosas que había:
zarzos llenos de quesos, y establos con muchos corderos
y cabritos, y clasificados estaban en cercas:
separados los grandes en una, después los medianos,

luego los recentales; y todos los vasos el suero
goteaban, barreños y tarros, en los que ordeñaba.

»Suplicáronme entonces mis hombres que nos repartiéramos
unos quesos y que nos marcháramos; dándonos prisa,
a la nave veloz, de las cijas, llevarnos podríamos
los cabritos y ovejas, y huir por las aguas saladas.
Pero yo me negué, ¡y ojalá les hubiera hecho caso!,
por saber de ese hombre y qué dones hacía a los huéspedes.
Pero para mis hombres muy pronto sería funesto.

»Encendimos el fuego, ofrecimos primicias, tomamos
unos quesos, comimos, y allí le aguardamos sentados;
y volvió con la grey y un haz grande de leña muy seca
para hacerse la cena, y la echó al interior de la gruta
con un ruido tan grande que todos nosotros, con miedo,
nos lanzamos corriendo hacia adentro, al final de la cueva.
Hizo entrar en el amplio cobijo a las gruesas ovejas
que quería ordeñar, y dejó a las demás a la puerta,
y morruecos y bucos en el elevado recinto.
Levantó un gran peñasco que hacía las veces de puerta
y cerró, tan pesado que ni veintidós poderosos
carros de cuatro ruedas lo hubiesen movido del suelo.
Aplicado el peñasco infranqueable a la puerta, sentóse
y ordeñó a las ovejas y cabras balantes, por su orden
y una vez hecho esto les puso a las ubres las crías.
En seguida tomó la mitad de la leche blanquísima,
la cuajó y la dispuso después en los zarzos de mimbres,
pero en unas vasijas dejó la restante a su alcance
para cuando quisiera beberla durante la cena.

»Cuando, dándose prisa, logró terminar sus quehaceres,
hizo fuego y a todos nos vio y preguntó de este modo:

»—¿Quiénes sois? ¿Desde dónde vinisteis por húmedas ru-
[tas?
¿Qué negocio es el vuestro? ¿Vagáis por el mar a ventura

cual si fueseis piratas que, errantes, exponen sus vidas
y a los hombres de lenguas extrañas desdichas les causan?

»Dijo, y el corazón se nos iba quebrando en el pecho
por temor de la voz espantosa que el monstruo tenía.
Mas, con todo, repuse con estas palabras, diciendo:

»—Todos somos aqueos; venimos, perdidos, de Troya;
toda clase de vientos nos llevan por entre las olas;
el afán de volver nos ha hecho tomar otra ruta
y distintos caminos; así debió Zeus ordenarlo.
Somos de Agamenón el Atrida, y servirle nos honra,
cuya gloria no tiene hoy rival por debajo del cielo;
¡devastó una ciudad poderosa y ha sido la ruina
de muchísimos hombres! Y aquí nos hallamos; venimos
a abrazar tus rodillas, pidiendo acogida y rogando
tus presentes, como es justo se haga con todos los huéspedes.
¡Oh, excelente! Respeta a los dioses; a ti suplicamos;
Zeus es el vengador del que va suplicando y del huésped
es el Acogedor; él los guía y exige respeto.

»Así dije, y con ánimo cruel respondióme en seguida:

»—Eres niño, extranjero, o viniste de tierras lejanas,
pues me dices que tema a los dioses y de ellos me guarde.
Les es poco a los Cíclopes Zeus portador de la égida
y otros dioses dichosos, pues somos más fuertes que ellos.
No confíes en que por temor a su odio os perdone,
ni a tus hombres ni a ti, si no quiere ordenármelo el ánimo.
Pero dime en qué sitio has dejado la armónica nave,
al venir; si muy lejos o cerca. Quisiera saberlo.

»Dijo para tentarme, mas yo lo supuse en seguida,
y de nuevo le hablé, mas con estas arteras palabras:

»—Poseidón, que sacude la tierra, rompió mi navío;
se estrelló en el confín de estos campos, entre unos peñascos

al lanzarlo los vientos del mar contra algún promontorio.
Me salvé de una muerte terrible con estos amigos.

»Dije, y no respondió, mas con un corazón implacable,
levantóse de un salto y, echando a mis hombres la mano,
agarró a dos de ellos, como a unos cachorros, y a tierra
los lanzó; y su cerebro saltó y salpicó todo el suelo.
Y sus miembros cortó y preparóse con ellos la cena.
Como un león montaraz los comió sin dejar nada de ellos:
ni intestinos, ni carne, ni huesos ni médula de éstos.
Y al Olímpico Zeus elevamos las manos llorando
ante un hecho tan cruel, e indefensos allí nos sentimos.

»Cuando el Cíclope hubo llenado por fin su gran vientre
con viandas humanas, después de beber leche sola,
se acostó en la caverna entre todo el ganado que había,
Pensó herirle en el pecho mi buen corazón valeroso,
con la espada afilada que sobre mi muslo pendía,
en el sitio en que el hígado está rodeado de entrañas,
previamente palpándolo; empero, pensé otro propósito:
de una muerte terrible allí todos hubiéramos muerto,
pues el Cíclope puso un peñasco tapando la puerta
y jamás nuestras manos hubieran podido apartarlo.

»Suspirando, esperamos volviese la Aurora divina.
Al mostrarse en el día la Aurora de dedos de rosa,
el rescoldo avivó y ordeñó a las ovejas robustas
como debe de hacerse, y llevó a cada una su hijuelo.
Cuando, dándose prisa, logró terminar sus quehaceres,
agarró por los pies a otros dos y dispuso su almuerzo;
terminó de comer y sacó de la cueva el ganado,
levantando con facilidad el portón y dejándolo
como estaba, y fue como si hubiese tapado una aljaba.
Con estruendo, llevó su ganado a los montes el Cíclope.
Yo quedé meditando en mi ánimo horribles venganzas
para darle castigo y tener de Atenea la ayuda.
Y escuchad lo que yo medité como más acertado:
la gran clava del Cíclope vi en el corral, sobre el suelo,

verde tronco de olivo que había cortado pensando
usar cuando estuviera ya seco, y lo comparábamos
con el mástil de un negro navío de veinte bancadas,
de una nave de carga muy grande que el ancho mar cruza,
pues tan grande y tan gruesa la clava a los ojos nos era.
Me acerqué y corté de ella una estaca de un largo de braza
que entregué a mis amigos diciendo que la desbastasen.
La dejaron bien lisa y me puse a aguzarle la punta
y la fui endureciendo en el fuego que había avivado,
y después la oculté bajo el fiemo de aquella caverna,
pues había una gran cantidad de un extremo a otro extremo.
Mandé que por la suerte eligiéranse aquellos que habían
de ayudarme alzando la estaca y clavándola luego
en el ojo, una vez le asaltara el dulcísimo sueño.
Y la suerte tocó a aquellos cuatro que hubiese escogido
yo también, y reunido con ellos formaba yo el quinto.

»Por la tarde volvió con el hato de hermosos vellones
y al pesado rebaño introdujo en la cueva espaciosa
sin dejar fuera de este recinto a una oveja tan sólo,
por recelo, o tal vez porque un dios de este modo lo quiso.
Levantó el gran peñasco y tapó la salida. Sentóse
y ordeñó a las ovejas y cabras balantes por su orden,
y una vez hecho esto les puso a las ubres las crías.
Cuando, dándose prisa, logró terminar sus quehaceres,
agarró por los pies a otros dos y dispuso su cena.
Y llegándome al Cíclope entonces le hablé de este modo,
sosteniendo en mis manos un cuenco de vino muy negro:

»—Bebe, Cíclope, vino después de comer carne humana
y sabrás qué bebida guardábase en nuestro navío.
Ésta es la libación que te traje por si te apiadabas
y me enviabas a casa, mas insoportable te airaste.
¡Miserable! ¿Podrá en lo futuro venir algún hombre
de los muchos que existen si de esta manera procedes?

»Dije así, lo tomó y lo bebió y le gustó de tal modo
aquel vino tan dulce que más me pidió todavía:

»—Dame más, buenamente, mas dime tu nombre en seguida
para que, como huésped, te ofrezca un regalo y te alegres,
pues también a los Cíclopes estas campiñas producen
vino en grandes racimos y Zeus con sus lluvias los nutre.
Sin embargo, éste es pura ambrosía mezclada con néctar.

»Dijo así, y otra vez llené el cuenco de vino ardentísimo,
y tres veces aún, y las tres lo bebió incautamente,
Cuando vi que la mente del Cíclope estaba enturbiándose,
le hablé entonces con estas suaves palabras, diciendo:

»—¿Saber quieres mi nombre famoso? Pues voy a decírtelo.
Pero dame el presente de huésped que me has prometido.
Pues bien, Nadie es mi nombre; así me llaman. Nadie mi
y mi padre y los compañeros que traigo conmigo.   [madre

»Así hablé, y respondióme con un corazón implacable:

»—Será Nadie el que en último término habré de comerme;
comeré a sus amigos primero, y el don será éste.

»Dijo, echóse hacia atrás y cayóse de espaldas, y, echado,
inclinó el ancho cuello, y el sueño, que todo lo vence,
lo rindió, y de la boca salíale el vino y pedazos
de los hombres comidos y como un borracho eructaba.
Y yo entonces metí en el rescoldo abundante la estaca
para que calentárase, hablando a mis hombres de modo
que animáranse y nadie, asustado, dejase la empresa.
Cuando el palo de olivo, a pesar de ser verde, quería
encenderse, y lanzaba un fulgor intensísimo en torno,
lo saqué de las llamas, corrí presuroso y rodeáronme
mis amigos, y un dios nos dio a todos la audacia precisa.
Levantaron el palo e hincaron la punta en el ojo,
y yo, echándome encima, empecé, por arriba, a girarlo;
igual que una barrena perfora la tabla de un buque
al forzar por debajo con una correa, y tirando
de una punta y después de la otra la van embutiendo,
así dentro del ojo la estaca inflamada girábamos,

y, rodeando la estaca encendida, brotaba la sangre:
y al arder la pupila, el vapor las pestañas y párpados
le quemó, y al calor las raíces del ojo chirriaron.
Así como el herrero una gruesa macheta o un hacha
en el agua muy fría sumerge y chirría con ruido,
para darle el buen temple que es toda la fuerza del hierro,
así el ojo chirriaba rodeando la estaca de olivo.
Él aulló horriblemente, y la peña, a su voz, retumbaba,
y, asustados, huimos, y entonces quitóse la estaca,
toda sucia de sangre, del ojo, y con furia tremenda
la agarró con las manos, y la despidió a gran distancia.
Con sus gritos horribles llamaba a los Cíclopes, quienes
habitaban las grutas cercanas en cumbres ventosas.
Al oír sus clamores, de todos lugares llegaron
y paráronse en torno a la gruta, inquiriendo la causa:

»—Polifemo, ¿qué cosa te enoja que das tantas voces
en la noche inmortal y a nosotros despiertas de pronto?
¿Ha venido quizá algún mortal a llevarse tu hato?
¿O te matan usando de engaños o bien con la fuerza?

»Y con su gruesa voz Polifemo clamaba en la gruta:

»—Nadie, amigos, me mata engañándome y no con la
[fuerza.
»Y con estas palabras aladas dijéronle ellos:

»—Pues si nadie te fuerza y habitas tú solo la gruta,
evitar no se pueden los males que Zeus nos envía.
Pero ruégale tú a Poseidón, ya que el dios es tu padre.

»Esto dicho, marcháronse y yo me reía en mi ánimo
viendo cómo engañóles mi nombre y mi ardid excelente.
Una angustia terrible arrancaba gemidos al Cíclope;
quitó a tientas la peña que hacía las veces de puerta
y sentóse a la entrada, tendiendo los brazos, creyendo
que podría agarrarnos a alguno al pasar con el hato,
¡ciertamente debió suponer que yo fuera tan necio!

Yo pensaba en qué forma mejor acabar aquel lance
y buscaba poder evitarles la muerte a mis hombres
y a mí mismo, y pensaba en engaños y ardides innúmeros,
pues la vida iba en ello y estaba muy cerca el desastre.
Y fue esta la idea mejor que yo tuve en mi ánimo:
allí había unos gruesos carneros de espesos vellones,
muy hermosos y grandes, de lana pardusca y purpúrea.
En silencio, de tres en tres, púseme a atarlos con mimbres
de los que la yacija formaban del monstruo injustísimo;
el carnero de en medio a un amigo consigo llevaba
y los de entrambos lados el hombre ocultaban al monstruo.
Así, pues, tres carneros saldrían llevando a un amigo;
y quedó para mí uno muy grande, el mejor del rebaño.
Lo agarré por el lomo y debajo del vientre me puse,
con las manos me así de las largas vedijas rizosas
y mantúveme en esta postura, paciente mi ánimo.

»Suspirando, aguardamos llegase la Aurora divina.
Al mostrarse en el día la Aurora de dedos de rosa,
a pacer, presurosos, salieron entonces los machos,
mas las hembras bramaban en torno al corral, pues no
[fueron
ordeñadas y estaban repletas sus ubres. El amo,
afligido de angustias, palpábale el lomo a las reses
que se hallaban de pie y el muy simple no dábase cuenta
de que estaban mis hombres atados al vientre lanudo.
Mi carnero fue el último en irse, mas iba cargado
con su lana y conmigo que estaba pensando mil cosas.

»Y con su gruesa voz Polifemo clamó, acariciándolo:

»—Buen carnero, ¿por qué de la gruta tú sales el último?
Tú no sueles quedar rezagado detrás del rebaño;
antes bien, eras siempre el primero en partir a los pastos
a pacer tiernas flores, y al ir al arroyo el primero,
y el primero en volver al establo al caer de la tarde.
¿Cómo es, pues, que ahora vas rezagado? ¿Es que el ojo del
[amo

has echado de menos? El ojo que un hombre malvado
me cegó, con sus hombres perversos después de embriagarme
ese Nadie que aún no se ha librado de muerte terrible.
Si sintieras lo mismo que siento y pudieras hablarme,
me dirías en dónde se esconde y mi cólera evita.
De su cráneo partido podría esparcir por el suelo
de la gruta sus sesos. Y en mi cirazón calmaría
las angustias que me ha ocasionado ese mísero Nadie.

»Así dijo, y soltó a su carnero y lo echó hacia la puerta.
Cuando lejos estábamos ya del establo y la gruta,
me solté del carnero y después desaté a mis amigos,
y, empujando a las reses tan pingües de gráciles patas,
avanzando con muchos rodeos, a la nave llegamos.
Alegráronse nuestros amigos de vernos a salvo
de la muerte, y después por los otros lloraron gimiendo.

»Con las cejas les hice señal de cesar en su llanto
y ordené que cargasen aprisa muchísimas reses
en la nave, y surcáramos pronto las aguas saladas.
Y embarcamos al punto; en los bancos sentáronse en filas
y empezaron después a batir con los remos la espuma.
Pero a una distancia que puede alcanzarse gritando
hablé al Cíclope entonces con estas mordaces palabras:

»—Mal usaste tus fuerzas, ¡oh Cíclope!, para comerte
en tu cueva profunda a los hombres de un hombre inde-
La secuela debiste esperar de tus malas acciones,   [fenso.
¡miserable!, pues no vacilaste en comerte en tu casa
a unos huéspedes. Zeus y los dioses castigan tus actos.

»Esto dije, y aún más encendióse la ira en su ánimo
y arrancó de una enorme montaña la cumbre y lanzóla
al instante ante nuestro navío de proa azulada,
y bien poco faltó para darle en la punta al codaste.
Agitóse la nave al caer el peñasco en las aguas,
y las olas del mar, otra vez, al surgir del abismo,
empujaron la nave a la costa y lleváronla a tierra.

Pero yo con las manos tomé el botador más potente,
la arroncé, y ordené a mis amigos con un movimiento
de cabeza, que usaran los remos, y hacer rumbo entonces
para huir del peligro. Y los hombres remaron curvándose.
Pero estando en las ondas, a doble distancia de antes,
quise hablar con el Cíclope y todos mis hombres rodeá-
y, con suaves palabras, quisieron así disuadirme: [ronme,

»—¡Desdichado! ¿Por qué has de irritar a este hombre sal-
[vaje
si con lo que a las ondas lanzó nuevamente ha arrastrado
el navío a la costa, y creímos morirnos en ella?
Y si oyera las voces de alguien o que habla cualquiera,
la cabeza nos aplastaría y la obra del buque,
arrojándonos áspera peña. ¡Tan lejos dispara!

»Así hablaron, mas mi corazón convencer no pudieron,
y le hablé dirigiéndole estas palabras con ira:

»—Si los hombres mortales, ¡oh Cíclope!, a ti preguntaran
por la causa de la vergonzosa ceguera que sufres,
diles que fue Odiseo quien lo hizo, el que a Troya ha aso-
sí, fue el hijo de Laertes, y tengo en Ítaca mi casa.   [lado;

»Dije, y él, gemebundo, repuso con estas palabras:

»—En verdad, ¡oh deidades!, se cumplen los viejos pronós-
[ticos.
Hubo aquí un adivino, un mortal, pero noble y muy grande,
Télemos Eurimida, un famoso maestro adivino
y que vaticinando a los Cíclopes se hizo muy viejo.
Para un tiempo futuro estas cosas antaño predijo,
que en las manos de Odiseo aquí perdería la vista.
Esperé siempre a un hombre robusto, de gran estatura
que acudiese a mi encuentro, investido de fuerza tremenda.
Y es un hombre pequeño y mezquino, es un ser despreciable,
el que para vencerme y cegarme valióse del vino.
Pero ven, Odiseo, a buscar los presentes del huésped;

pediré tu retorno al Señor que sacude la tierra,
pues yo soy hijo suyo y mi padre se gloria con ello.
Y curarme podrá si lo quiere, que nadie lo haría,
ni los dioses dichosos y aun menos los hombres mortales.

»Así habló, y contesté a las palabras que dijo, diciendo:

»—Ojalá te pudiera arrancar el aliento y la vida,
y enviar a la casa del Hades, tan cierto como ahora
tu ojo no ha de curar el Señor que sacude la tierra.

»Dije así, y a su rey Poseidón comenzó a suplicarle
levantando ambas manos al firmamento muy estrellado:

»—¡Poseidón de cabellos azules, que ciñes la tierra!
Si en verdad soy tu hijo y te glorias por ser tú mi padre,
haz que Odiseo que a Ilión arrasó, no vuelva a los suyos,
este hijo de Laertes, que tiene en Ítaca su casa.
Pero si es su destino que torne a los suyos y vuelva
a su casa tan bien construida, en la tierra paterna,
que con daño y muy tarde lo haga y perdidos sus hombres
en ajeno navío y que encuentre pesar en su casa.

»Esto dijo, y le oyó la deidad de cabellos azules.
Y tomó él una peña mayor que la otra, la hizo
voltear, arrojóla después con terrible potencia
y nos vino a caer tras la popa cerúlea del buque
y bien poco faltó para darle en la punta al codaste.
Agitóse la mar al caer el peñasco en las aguas
y la ola empujó nuestra nave otra vez a la orilla.

»Al llegar a la isla en que estaban reunidas las otras
naos de bellas bancadas con nuestros amigos, sentados
junto a ellas, con ánimos tristes y siempre esperándonos,
abordamos allí y empujamos la nave a la arena
y saltamos entonces nosotros por entre las ondas;
de la concavidad de la nave las reses del Cíclope
extrajimos y las repartí y les di a todos su parte.

Y a mí sólo los hombres de grebas hermosas me dieron
el carnero por añadidura. Y a Zeus el Cronida,
el que nubes reúne y a todos gobierna, en la plaza
lo ofrendé con la quema de muslos; mas él no lo quiso;
meditaba en qué forma podría perder mis navíos
de tan bellas bancadas y a mis compañeros leales.

»Todo el día hasta que hubo ya el sol descendido a su ocaso
disfrutamos de carne abundante y de vino dulcísimo;
cuando el sol se ocultó y descendieron a poco las sombras,
en la playa a dormir nos pusimos al pie de las olas.

»Al mostrarse en el día la Aurora de dedos de rosa,
exhorté a mis amigos, y luego ordené que al momento
a la nave volvieran y aprisa soltaran amarras.
Y embarcamos al punto; en los bancos sentáronse en filas
y empezaron después a batir con los remos la espuma.
Desde allí navegando seguimos con ánimos tristes,
ya evadidos de muerte, aunque algunos amigos murieron.

CANTO X

[Eolo y los lestrigones]

»A la isla de Eolia[1] llegamos, en donde vivía
el Hipótada, Eolo[2], tan caro a los dioses eternos.
Es una isla flotante cercada por una muralla
infrangible, de bronce; una roca, escarpada, que yérguese.
Doce hijos naciéronle a Eolo y están en la casa;
seis varones y seis hembras tiene y los doce floridos.
Y ocurrió que a los hijos les dio por esposas las hijas.
Están todos junto al padre y augusta la madre en eterno
banquete, comiendo manjares innúmeros; en la casa,
que perfuma el asado, de día las flautas resuenan;
con las castas esposas, de noche, se va cada uno
a dormir en tapices, encima de lechos labrados.

»Así, pues, a su villa y hermosas estancias llegamos
y allí me agasajó por un mes preguntándome cosas
sobre Ilión y las naves argivas, y cómo volvieron
los de Acaya, y yo, punto por punto, se lo iba contando.
Cuando quise partir le rogué me enseñase el camino,
y no se negó a hacerlo y el viaje dispúsome entonces.
Metió en un saco de cuero de un buey recién desollado,
de nueve años, las rutas de todos los vientos que ululan,

[1] *Isla de Eolia.* Se ha identificado con la isla Stronguila, hoy Stromboli,
o con Lípari, ambas de las Islas Eolias (al N. de Sicilia).
[2] *Eolo.* Regidor de los vientos, ha sido identificado frecuentemente con
Eolo, hijo de Poseidón y Arne.

pues de todos le hizo señor soberano el Cronida,
y al que sea lo excita o aquieta según su deseo.
Con un hilo brillante, de plata, en la cóncava nave,
ató el saco, no fuera a escaparse ni un soplo siquiera.
Me envió luego el Céfiro, haciendo que a todos nosotros
en las naos nos llevara, mas no sucedió de esta forma,
puesto que nuestra propia imprudencia debía perdernos.

»Nueve días singlamos sin tregua de día y de noche;
y ya al décimo día la tierra paterna advertimos
tan cercana que vimos los fuegos y gente encendiéndolos.
Y yo entonces sentí un dulce sueño, que estaba cansado
de tener en mis manos la escota y no dársela a nadie,
pues quería llegar lo más pronto posible a la patria.
Y mis hombres entonces pusiéronse a hablar entre ellos,
convencidos de que iba con oro y con plata a mi casa,
dados por gentileza de Eolo, el magnífico Hipótada.

»Y decíanse ellos, cambiando entre sí las miradas:

»—¡Cuán amado este hombre es en todos lugares y cómo
le honran todos, no importa la tierra o ciudades que pise!
Ya de Troya llevóse consigo un botín excelente,
un tesoro, y nosotros que hicimos el mismo viaje,
al volver a la patria llevamos las manos vacías.
Y ahora Eolo, obsequiándolo como a un amigo muy grato,
estas cosas le ha dado. Venid a ver estos presentes,
todo el oro y la plata que dentro del saco se encierra.

»Así hablaron, y prevaleció este funesto consejo.
Desataron el saco y entonces los vientos huyeron;
nos cogieron de lleno, a altamar nos llevaron las ráfagas,
y lloraron los hombres al ver que la patria alejábase.
Desperté, y en mi pecho inocente pensé si sería
preferible arrojarse del buque y morir en el piélago,
o sufrir en silencio y estar entre todos los vivos.
Pero, al fin, resistí, mi cabeza tapé y en la nave

me acosté nuevamente. Y la horrible borrasca, de nuevo,
nos condujo a la isla de Eolia, y mis hombres lloraban.

»Allí mismo saltamos a tierra e hicimos aguada,
y en seguida mis hombres comieron en torno a las naves.
Cuando todos gustamos el pan y bebimos el vino,
me hice entonces seguir de un heraldo y de un compañero
y nos fuimos los tres al palacio del ínclito Eolo,
que encontrábase en pleno festín, con su esposa y sus hijos.
Al llegar nos sentamos allí, en el umbral, apoyados
en las jambas, y atónitos nos preguntaron al vernos:

»—Odiseo, ¿aquí vienes? ¿Qué numen fatal te persigue?

»Te enviamos con grandes cuidados de modo que fueras
nuevamente a tu patria y tu casa y a todos los tuyos.

»Así hablaron, y dije yo entonces con ánimo triste:

»—Son la causa mis hombres infieles y un sueño fatídico.
¡Socorredme, oh amigos! Vosotros podéis ayudarme.

»Así dije, halagándolos con mis suaves palabras;
mas calláronse todos y al cabo repúsome el padre:

»—¡Vete de nuestra isla en seguida, malvada criatura!
¡No me está permitido cuidar de tu vida y regreso,
de un mortal que es odiado por todos los dioses dichosos!
Vete, pues, noramala; la ira divina lo quiere.

»Así dijo, y me hizo salir del palacio llorando.
Desde allí navegando seguimos con ánimos tristes,
y el molesto remar agotaba el afán de mis hombres,
por tan necias acciones, sin guía que nos ayudara.

»Navegamos sin tregua seis días, de día y de noche
y llegamos al séptimo al burgo de Lamos, Telépilo,

alta villa de la Lestrigonia[3]; allí el pastor llama
al pastor: cuando uno entra, otro, saliendo, responde.
Allí quien no durmiera podría ganar dos salarios:
conduciendo a los pastos ya bueyes, ya blancas ovejas,
de tal modo el camino del día sucede al nocturno.

»Cuando hubimos llegado a aquel puerto famoso, rodeado
de un extremo a otro extremo por un roquedal escarpado
y que tiene, a su entrada, encaradas, dos puntas agudas,
por lo cual, ciertamente, es angosta la boca del puerto,
allí dentro aportamos las naves de extremos curvados,
y amarrámoslas luego en el fondo del puerto, reunidas
una al lado de otra, por cuanto no hay olas, ni grandes
ni pequeñas, y en torno una plácida calma se extiende.
Yo tan sólo atraqué al exterior mi sombrío navío,
cerca de la bocana; a un peñasco até allí las amarras.
Y me puse al acecho en la cumbre de una áspera cima.
Ni labores de bueyes ni de hombres veíanse en torno;
solamente, a lo lejos, el humo ascendía del suelo.

»A unos hombres mandé para que se enteraran qué gentes
eran las que comían el pan en aquellos lugares;
elegí dos mancebos y fue como heraldo un tercero.
Comenzaron a andar por un llano sendero, por donde
las carretas al pueblo la leña del monte llevaban.
Cerca de la ciudad se encontraron con una doncella
que bajaba a la fuente de Artacia, la hija de Antífates
lestrigón excelente, y el agua manaba clarísima,
pues la gente del pueblo bajaba a la fuente por ella.
Detuviéronse a hablar a la joven y le preguntaron
quién el rey era allí y sobre quiénes el rey gobernaba,
y al instante mostró la elevada mansión de su padre.
A la casa magnífica fueron; y estaba la esposa,
y era alta como una montaña y, al verla, asustáronse.
Y llamó a su marido del ágora, el ínclito Antífates,
que pensó en una muerte funesta que dar a mis hombres:

[3] *Lestrigonia.* Región identificada con *Formiae,* en el S. del Lacio, en el límite de la Campania.

a uno de ellos asió y con su cuerpo dispuso su cena,
y los dos que quedaron huyeron corriendo a las naves.
Y él gritó por el pueblo y, oídas sus voces, robustos
lestrigones al punto acudieron de todos lugares,
a millares, y más parecían gigantes que hombres.
Desde aquellos cantiles tirábannos piedras que tanto
como un hombre pesaban. Y pronto se alzó de las naves
un estruendo de gritos de muerte, y de naos destrozadas.
Y ensartados cual peces la horrible comida lleváronse.

»Mientras ellos morían así en el hondísimo ponto,
la agudísima espada saqué que pendía a mi muslo,
las amarras corté de mi nave de proa azulada
y, exhortando a mis hombres, mandé que bogaran aprisa
si escapar deseábamos todos de tanta desgracia.
Y batieron la espuma, teniendo terror al desastre.

»Y feliz me sentí cuando estuvo mi nao mar adentro,
lejos de los dos picos. Las otras allí se perdieron.

[*Circe*]

»Desde allí navegando seguimos con ánimos tristes,
ya evadidos de muerte, aunque algunos amigos murieron.
A la isla de Eea[4] llegamos, allí donde vive
Circe, la de los crespos cabellos, deidad poderosa
y dotada de voz, que es la hermana de Eetes terrible.
A los dos engendró el Sol que envía su luz a los vivos,
y su madre es la hija que tuvo el Océano, Perse.

»En silencio acercamos la nave hasta el puerto abrigado,
donde entramos, pues una deidad hasta allí nos condujo.
Y saltamos a tierra y pasamos tumbados dos días
con sus noches, y estábamos muertos de pena y cansancio.

---

[4] *Eea.* Bérard quiso identificarla con Monte Circello, pero parece que el poeta (cf. c. XII, 4) se imagina una isla en el Extremo Oriente mediterráneo.

Cuando trajo el tercero la Aurora de crespos cabellos,
tomé entonces mi pica y cuchillo de punta agudísima
y veloz de la nave partí y me subí a una eminencia,
para ver si obra humana veía u oíanse voces.
Y, en acecho, en lo alto del pico escarpado en que estaba,
vi que el humo salía de un suelo de muchos caminos:
allí estaba la casa de Circe entre un bosque y hayedos.
Y en mi mente y mi ánimo estuve dudando si iría
a enterarme de dónde aquel humo tan negro elevábase.
Y pensando qué fuera mejor, yo creí conveniente
ir primero a la orilla y volver a mi rápida nave,
disponer que comieran mis hombres y alguno partiese.

»Cuando estaba cercano a mi nave de extremos curvados,
algún dios se apiadó de mi suerte al saberme tan solo
y me puso al alcance un gran ciervo de múltiple cuerna,
que bajaba del pasto del bosque a beber en el río,
pues la fuerza del sol le dio sed. Así, pues, en saliendo
de las matas, al borde del río le herí sobre el lomo
y de un lado a otro quedó por el bronce ensartado;
en el polvo tendido quedó y gamitó hasta la muerte.
Puse el pie sobre el cuerpo del ciervo y saqué de la herida
mi broncínea azagaya y después la dejé sobre el suelo;
arranqué luego mimbres y juncos y me hice con ellos
una cuerda de doble trenzado y de casi una braza,
y até entonces con ella las patas del monstruo, las cuatro;
me lo eché sobre el hombro y me fui hacia mi negro navío
y en la pica apoyábame, pues no podía, a la espalda
y con sólo una mano, llevar animal tan enorme.
Lo dejé ante la nao y empecé a despertar a mis hombres,
y con dulces palabras hablé a cada uno, diciéndoles:

»—Pese a estar afligidos, ¡oh amigos!, no visitaremos
la morada del Hades, en tanto no llegue ese día.
Mientras haya comida y bebida en la rápida nave,
no pensemos en más y evitemos que el hambre nos gaste.

»Dije así, y al instante cumplieron mis órdenes todos.
Destapáronse y viendo en la arena del mar infecundo
animal tan enorme, asombrados quedaron mirándolo.
Una vez con sus ojos gozaron de tal maravilla,
se lavaron las manos y un gran festín prepararon.
Todo el día, hasta que hubo ya el sol descendido a su ocaso,
disfrutamos de carne abundante y de vino dulcísimo.
Cuando el sol se ocultó y descendieron a poco las sombras,
en la playa a dormir nos pusimos al pie de las olas.

»Al mostrarse en el día la Aurora de dedos de rosa,
reuní a todos mis hombres y hablé de esta forma, diciendo:

»—Escuchad mis palabras, por más que sufráis, compañeros.
Ignoramos aquí dónde caen el ocaso y la aurora,
ni por dónde este sol que a los vivos alumbra desciende
a la tierra y se sale de ella; pues bien, en seguida
meditemos qué hacer; a mí nada que hacer se me ocurre.
Desde un pico escarpado he podido observar esta isla,
que es muy baja y está por las ondas sin fin circuida,
con mis propias pupilas me ha sido posible ver cómo
elevábase el humo allí, en medio, entre un bosque y hayedos.

»Dije así, pero sus corazones la angustia encogía,
pues de Antífates el lestrigón se acordaron entonces,
y la fuerza del Cíclope cruel que comía a los hombres,
y lloraron clamando y vertiendo muchísimas lágrimas.
Sin embargo, de nada este llanto podía valerles.

»Así, pues, yo formé con mis hombres de grebas hermosas
dos secciones y di a cada una su jefe adecuado:
yo mandaba una de ellas, y la otra, el deiforme Euríloco.
En seguida en un yelmo de bronce las suertes echamos,
y la suerte dispuso que fuera el magnánimo Euríloco,
y se puso en camino y con él veintidós compañeros,
que lloraban y atrás me dejaban también sollozando.
En el fondo de un valle encontraron la casa de Circe,
con sus muros de piedra pulida, en lugar muy visible.

Y encontrábanse en torno leones y lobos monteses
que ella había encantado por medio de pérfidas drogas.
Pero no acometieron a mis compañeros; se alzaron
y se fueron a ellos moviendo las colas larguísimas.
Al igual que los perros menean la cola ante el amo
al volver del festín, pues les hace calmar su apetito,
los leones y lobos de garras potentes rodeábanles
meneando la cola, y temblaron al ver tales monstruos.
Desde el atrio del lar de la diosa de rizos bellísimos
escucharon a Circe cantar con voz dulce en la casa,
mientras iba tejiendo una tela divina, una de esas
delicadas, graciosas y finas labores de diosa.

»Y tomó la palabra Polites, caudillo de hombres,
que era el más respetable y querido de mis compañeros.

»—En la casa, ¡oh amigos!, hay una mujer que, cantando
dulcemente, una tela está urdiendo, y la casa resuena.
¿Es deidad o mortal? Mas debemos llamarla en seguida.

»Esto dijo, y mis hombres alzaron la voz y llamáronla.
Y abrió ella la puerta magnífica, y dijo que entraran;
y mis hombres, ¡incautos!, siguiéronla todos a una.
Sólo Euríloco afuera quedó, recelando un engaño.
Y ella, dentro, les hizo sentar en sitiales y sillas;
tomó queso y harina y miel verde, y mezcló todo ello
con un vino de Pramnio y echó dentro de él perniciosas
drogas, para que no recordaran jamás a su patria.
Lo sirvió a cada uno, y mis hombres bebieron, y entonces
los tocó con su vara y después los metió en sus pocilgas.
Y de puerco tenían la voz, la cabeza y las cerdas,
y hasta el cuerpo, y, no obstante, tenían las mientes de antes.
Encerrados estaban llorando y echábales Circe,
como pasto, fabucos, bellotas y frutos de corno,
lo que comen los cerdos que suelen echarse en la tierra.

»Mas Euríloco vino a la nave veloz y sombría
a contarnos la suerte funesta de mis compañeros.

Y no le era posible ni hablar, a pesar de quererlo,
pues estaba angustiado por tanto dolor, y tenía
anegados los ojos y sólo en llorar complacíase.
Estrechado a preguntas estaba por todos nosotros
y por fin nos contó la desgracia fatal de sus hombres:

»—Como, ilustre Odiseo, mandaste, pasé los hayedos
y en el centro de un valle encontramos un bello palacio
con sus muros de piedra pulida, en lugar muy visible.
En la casa una joven tejía una tela y cantaba
con voz clara: deidad o mortal, no lo sé. La llamaron,
y abrió ella la puerta magnífica, y dijo que entraran;
y mis hombres, ¡incautos!, siguiéronla todos a una.
Solamente yo afuera quedé, recelando un engaño.
Esfumáronse todos y ni uno volvió tan siquiera,
a pesar de que estuve observando muchísimo rato.

»Dijo, y púseme al hombro la espada de bronce agudísima,
claveteada de plata, y encima me eché luego el arco,
y ordené me mostrara al instante cuál era el camino.
Pero con ambas manos, rogando, abrazó mis rodillas
y entre grandes sollozos me habló con palabras aladas:

»—¡Oh, tú, alumno de Zeus! No me lleves allí a pesar mío.
Déjame, pues sé bien que jamás volverás, ni a ninguno
de tus hombres traerás. Vale más escapar en seguida
con nosotros; podemos del día fatal evadirnos.

»Esto dijo, y entonces le dije a mi vez, respondiendo:

»—No te muevas de aquí, quédate, si lo quieres, Euríloco;
come y bebe pegado a la cóncava nave sombría,
mas yo iré porque siento el deseo apremiante de irme.

»Dije así, y me alejé de la nave y de aquella ribera.
Pero cuando, cruzado aquel valle sagrado, me hallaba
cerca ya del palacio de Circe, la gran hechicera,
a mi encuentro salió entonces Hermes, el dios de áurea vara,

en figura de un mozo al que apunta ya el bozo en el labio
y a quien la juventud ha dotado de gracia florida.

»Me tomó de la mano y me habló de este modo, diciendo:

»—¿Dónde vas, desdichado, por estas colinas y solo
si el país no conoces? En casa de Circe tus hombres
encerrados están, como cerdos, en fuertes pocilgas.
¿Vas acaso a salvarlos? No creo que nunca consigas
regresar; antes bien, les harás compañía a los otros.
Mas yo quiero de mal preservarte y salvarte deseo.
Toma, pues, esta yerba de vida; a la casa de Circe
llévala y entrarás; y se irá de tu frente el mal día.
Y ahora te explicaré las maléficas artes de Circe.
Te hará alguna mixtura, echará algún brebaje en tu copa,
mas, con todo, imposible será que ella pueda hechizarte,
porque lo impedirán estas yerbas; y haz como te he dicho.
Cuando Circe te toque por fin con su larga varita,
desenvaina la espada que sobre tu muslo se apoya
y acomete así a Circe fingiendo que vas a matarla,
y, cobrándote miedo, dirá que te acuestes con ella.
A yacer con la diosa en su lecho no debes negarte
para que a tus amigos libere y te acoja benigna,
mas que jure con el juramento de los venturosos
no tramar contra ti nuevamente algún daño funesto,
pues, desnudo, podría anular tu valor y tu fuerza.

»Dijo así, y Argifontes cogió de la tierra una yerba
que me dio y enseñó a conocer el poder que tenía;
la raíz es muy negra y la flor del color de la leche,
denomínanla *moly* los dioses, y al hombre le cuesta
arrancarla, mas todo lo pueden los dioses eternos.

»Por encima de la isla boscosa se fue Hermes entonces
al Olimpo anchuroso, y yo fui a la morada de Circe,
avanzando, me hirió el corazón más de un pensamiento.
Me paré en el portal de la diosa de rizos bellísimos
y llamé desde allí y advirtió mi llamada la diosa.

Y la puerta brillante me abrió y me invitó a que acudiera,
y, al seguirla, iba mi corazón anegado de pena.
Me sentó en un hermoso sitial claveteado de plata
muy labrado, y había a sus pies una bella banqueta;
vertió en copa de oro la mezcla para que bebiese
y echó en ella la droga pensando en su mente maldades.
Me sirvió y la bebí, mas no pudo lograrse el hechizo,
y después me tocó con su larga varita, diciendo:

»—Ahora ve a la pocilga a dormir donde duermen los otros.

»Dijo, y yo con la espada que sobre mi muslo se apoya
me lancé sobre Circe, fingiendo que iba a matarla.
Se echó al suelo gritando y en él se abrazó a mis rodillas
y me habló suplicante con estas palabras aladas:

»—¿Tú quién eres, cuál es tu país, tu ciudad y tus padres?
Maravíllame mucho que hayas tomado las drogas
y no estés hechizado, pues nadie logró resistirlas
ni aun habiendo tocado siquiera el vallar de los dientes.
Un espíritu hay dentro de ti que no puede torcerse.
Serás, pues, Odiseo, el de tantos ardides; de él siempre
me anunció la venida el de la áurea varita, Argifontes,
de regreso de Troya en su cóncava nave sombría.
Mas envaina la espada y vayamos los dos a ese lecho
y acostémonos juntos en él; de este modo ya unidos
en amor y en el lecho, los dos confiarnos podremos.

»Dijo así, y a mi vez le repuse con estas palabras:

»—¿Cómo puedes, ¡oh Circe!, pedirme que sea benévolo
pues aquí convertiste tú en puercos a todos mis hombres
y ahora aquí me retienes y engaños maquinas, mandándome
que te siga ahora mismo a tu alcoba y me acueste en tu le-
y, desnudo, querrás agostarme el valor y la fuerza?   [cho,
Mas no esperes, ¡oh diosa!, de mí que en tu lecho me tienda
mientras no estés dispuesta a jurar con el gran juramento
no tramar contra mí nuevamente algún daño funesto.

»Dije, y ella al instante juró como se lo pedía
y en seguida que me hubo prestado su gran juramento,
ya sin más, me acosté en el bellísimo lecho de Circe.

»Sus doncellas, en tanto, afanábanse en todas las salas;
cuatro siervas a todo el quehacer del palacio atendían,
y las cuatro eran hijas nacidas de fuentes y bosques
y de ríos sagrados que llevan al mar sus corrientes.
Ocupábase una en cubrir los sitiales con bellos
y purpúreos tapices, y lienzos al pie colocaban;
otra iba poniendo ante estos sitiales las mesas
hechas todas de plata, y encima cestillos de oro;
la tercera mezclaba un suave y dulcísimo vino
en un vaso de plata y las copas de oro ponía,
y la cuarta llegó con el agua, y debajo del trípode
hizo fuego, y entonces el agua se fue calentando.   [llante,
Cuando el agua empezó a hervir ya dentro del bronce bri-

me llevó hasta la pila y bañó y me vertió agua templada
que del trípode aquel recogió, en mi cabeza y mis hombros
hasta que de mis miembros se fue la fatiga que agota.
Cuando me hubo bañado y ungido con finos aceites
echó sobre mis hombros un manto muy bello y la túnica,
me condujo a un hermoso sitial claveteado de plata
muy labıado, y había a sus pies una bella banqueta.
Con el áureo y bellísimo jarro una joven doncella
me vertió el aguamanos en una jofaina de plata,
ante mí puso luego la mesa pulida, y la grave
despensera acudió con el pan y sirvió los manjares,
obsequiándome alegre con cuanto tenía guardado.
Me invitó luego Circe a comer, mas no quiso mi ánimo;
quieto estaba y, muy lejos de allí, presagiaba desgracias.

»Al ver Circe que inmóvil estaba en mi sitio, y mis manos
no tendía hacia el pan, abrumado por grandes pesares,
a mi lado se vino y me habló con palabras aladas:

»—¿Por qué así, como un mudo, Odiseo, consumes tu
sin tocar de esta mesa ninguna comida o bebida? [ánimo,
¿Imaginas que te he preparado otro engaño? No temes
ya de mí, pues presté el juramento solemne pedido.

»Dijo así, y a mi vez le repuse con estas palabras:

»—¿Qué hombre, ¡oh Circe!, que fuera en verdad razonable
atreverse a probar la comida o bebida no habiendo   [podría
libertado a los suyos, sin verlos con sus propios ojos?
Si realmente gustosa a comer y a beber me convidas,
suéltalos, que a mis hombres leales mis ojos contemplen.

»Así dije, y, cruzando la sala, salió Circe entonces
con la vara en la mano, y abrió del chiquero la puerta,
y salieron cual cerdos que hubiesen cumplido nueve años.
Ante ella encontrábanse, y ella pasaba entre todos
y con una mixtura distinta los iba así untando,
y cayeron las cerdas que hizo crecer en sus miembros
la mixtura fatal que les dio la augustísima diosa,
y de nuevo volviéronse hombres, pero eran más jóvenes
y más bellos que antes y aún de mayor estatura.
Luego, al verme, uno a uno a estrecharme la mano acudían,
y lloramos un llanto dulcísimo, y toda la casa
resonó bajo el llanto, y la diosa llegó a conmoverse.
Y la diosa entre diosas se vino a mi lado y me dijo:

»—Laertíada, raza de Zeus, ingenioso Odiseo,
vete ahora a tu rápida nave, a la playa arenosa,
y haced que en tierra firme se quede varada la nave,
trasladad aparejos y vuestro tesoro a las grutas,
y hecho ya este quehacer vuelve aquí con tus hombres leales.

»Dijo, y mi corazón generoso cumplió su mandato,
y me fui hacia mi rápida nave, a la playa arenosa.
Y en la rápida nave encontré a mis leales amigos
lamentándose tristes, llorando muchísimas lágrimas.
Como en las boyerizas acuden las chotas en torno

de las vacas gregales que ahítas de yerba regresan
al aprisco, y, saltando, los morros alargan a ellas
y el corral contenerlas no puede y, mugiendo, rodean
a las madres, así ellos al verme llegar con sus ojos,
me rodearon llorando y sentían en sus corazones
la emoción de haber vuelto a la patria y hallarse en sus
[pueblos
de la aspérrima Ítaca en que hubieron nacido y. criáronse.
Y, llorando, decíanme estas palabras aladas:

»—De tal modo tu vuelta, ¡oh alumno de Zeus!, nos alegra
que creemos estar de regreso en Ítaca, la patria.
Pero cuéntanos cómo murieron los otros amigos.

»Así hablaron, y entonces les dije con suaves palabras:

»—A la nave varemos en tierra primero, llevemos
todos los aparejos y nuestro tesoro a las grutas
y, hecha ya esta tarea, en seguirme debéis daros prisa,
y veréis en la sacra morada de Circe a los otros
que allí comen y beben, pues hay abundancia de todo.

»Así hablé, y al instante cumplieron las órdenes dadas.
Sólo Euríloco quiso intentar detener a mis hombres
y, elevando la voz, pronunció estas palabras aladas:

»—¿Dónde vamos? ¡Cuitados! ¿Por qué vais buscando con
[esto
vuestro daño, y queréis ahora entrar en la casa de Circe
que en verracos, leones o lobos habrá de cambiarnos
para que le guardemos la casa de grado o por fuerza?
Recordad lo que el Cíclope hizo en llegando a su gruta
nuestros hombres, cuando iba el valiente Odiseo con ellos:
por su loca osadía perdieron la vida esos hombres.

»Así dijo, y pensé si sería mejor que sacara
la agudísima espada que sobre mi muslo pendía
y de un tajo le hiciera rodar la cabeza en el suelo,

a pesar de ser deudo cercano, mas me detuvieron
por doquier mis amigos, diciendo con suaves palabras:

»—Que se quede, ¡oh retoño de Zeus!, este hombre si quie-
junto a nuestro navío y entonces vigile la nave,   [res,
y a la sacra morada de Circe a nosotros condúcenos.

»Y esto dicho, alejáronse así de la nave y la playa,
mas Euríloco junto a la cóncava nave no estuvo,
pues se fue con nosotros temiendo el furor de mi cólera.

»Mientras tanto a mis otros amigos, solícita, Circe
fue bañando y ungiendo uno a uno con finos aceites
y a los hombros el manto de lana y la túnica púsoles,
y, sentados, estaban gozando de un magno banquete.
Cuando viéronse luego unos frente a los otros, reunidos,
sollozaron allí y resonó bajo el llanto la casa.
Y la diosa entre diosas se vino a mi lado y me dijo:

»—Laertíada, casta de Zeus, ingenioso Odiseo,
aplacad vuestro llanto; bien sé por mí misma los males
que en la mar que los peces habitan habéis padecido
y los que en tierra firme os causaron los hombres injustos.
Mas comed los manjares y luego bebed de este vino,
hasta que recobréis en el pecho los ánimos de antes,
cuando por vez primera dejasteis la tierra paterna
de la aspérrima Ítaca; os halláis desalados y mustios
acordándoos sin tregua de vuestras andanzas, y en vuestro
corazón la alegría no cabe pues tanto sufristeis.

»Dijo, y los corazones de todos su ruego acataron.

[*Evocación de los muertos*]

»Día a día estuvimos allí todo el tiempo de un año,
disfrutando de carne abundante y dulcísimo vino.
Mas al cabo de un año, al ser ya primavera de nuevo,

cuando, al irse los meses, se hacían los días más largos,
mis leales amigos llamáronme aparte y dijéronme:

»—¡Desdichado! Ya es tiempo de ir en la patria pensando,
si el destino ha ordenado que sano y a salvo regreses
a tu casa tan bien construida, en la tierra paterna.

»Así hablaron, y mi corazón acató tales ruegos.
Todo el día, hasta que hubo ya el sol descendido a su ocaso,
disfrutamos de carne abundante y de vino dulcísimo;
cuando el sol se ocultó y descendieron a poco las sombras,
a dormir en las salas oscuras se fueron mis hombres.

»Yo al espléndido lecho de Circe me fui, y abrazando
sus rodillas rogué, y escuchó mis palabras la diosa
y, elevando la voz, pronuncié estas palabras aladas:

»—Circe, cúmpleme ya la promesa que hiciste de enviarme
a mi casa, pues ya para ella se vuela mi espíritu
y el de mis compañeros, que mi corazón acongojan
lamentándose en torno de mí cuando tú no estás cerca.

»Dije, y acto seguido repuso la diosa divina:

»—Laertíada, casta de Zeus, ingenioso Odiseo,
no os quedéis por más tiempo en mi casa si no es vuestro
[gusto.
Sin embargo, ante todo, debéis emprender un viaje:
ir al Hades y ver a la diosa terrible Perséfona[5],
y pedirle consejo al principio vital de Tiresias,
el profeta tebano, que es ciego y la ciencia conserva,
que aunque muerto, Perséfona un claro sentido le ha dado,
y los otros son sólo unas sombras que siempre se mueven.

»Así dijo, mas dentro de mí el corazón se partía
y lloraba sentado en el lecho y vivir no quería

---

[5] *Perséfona*. Hija de Zeus y Deméter, diosa del Infierno y compañera de Hades.

ni admirar nunca más este sol cuya luz nos alegra.
Cuando ya me cansé de llorar y de desesperarme,
elevando la vóz pronuncié estas palabras aladas:

»—Circe, en este viaje, ¿quién ha de guiarnos? Al Hades
hasta hoy nadie ha ido jamás en un negro navío.

»Dije, y acto seguido repuso la diosa divina:

»—Laertíada, casta de Zeus, ingenioso Odiseo,
no te apure pensar que no tienes quien guíe tu nave.
Pon el mástil, despliega las velas blanquísimas, siéntate
y verás como el soplo del Bóreas conduce el navío.
Y cuando haya cruzado tu nave el Océano todo
pronto un cabo y los bosques verás de la diosa Perséfona
con sus álamos grandes y esbeltos y estériles sauces;
allí proa tu nave tocando los vórtices hondos
del Océano y vete a la oscura morada del Hades
hasta el sitio en que vierte sus aguas en el Aqueronte
el Cocito, un afluente de la Estigia, y el Piriflejeton[6].
Un Peñasco hay en donde se encuentran los ríos sonoros;
acercándote, pues, a este sitio tal como te ordeno,
¡oh señor!, abre un hoyo que tenga un codo por lado
y haz en torno de él tres ofrendas por todos los muertos:
la primera con leche y con miel, la segunda con vino,
la tercera con agua, y de harina muy blanca empolvóralas,
luego invoca a los muertos así; a sus cabezas inanes,
y promete matar, ya en Ítaca, una vaca infecunda,
la mejor, y quemarla en la pira, con ricas ofrendas;
por Tiresias sacrificarás un carnero bien negro
y sin mancha, el que más se destaque de vuestros rebaños.
Cuando esté ya invocado el gran pueblo de todos los muertos
sacrifica un carnero, una oveja bien negra[7], volviendo
la cabeza al Erebo y después, alejándote un poco,

---

[6] *Aqueronte, Cocito, etc.* Ríos infernales.
[7] *Carnero bien negro... oveja bien negra.* Los dioses y habitantes infernales prefieren víctimas negras (símbolo de las tinieblas) en sus sacrificios. Asimismo, el sexo de la víctima guarda relación con el ser honrado: en este caso el adivino tebano Tiresias y Perséfona, respectivamente.

mas mirando hacia el Río, verás en qué número acuden
prontamente las sombras de aquellos que vida tuvieron.
A tus hombres anima y ordena desuellen las reses
que estarán, degolladas por bronce implacable, en el suelo,
y las quemas después invocando a los dioses con rezos,
al potente Hades y a la terrible Perséfona, juntos.
Saca luego de junto a tu muslo la espada agudísima,
siéntate y haz que ni un solo muerto de inane cabeza
a la sangre se acerque antes que te aconseje Tiresias[8].
Y muy pronto vendrá el adivino, pastor de los hombres;
que él te diga el camino y los días que dure el viaje,
cómo regresarás por el mar que los peces habitan.

»Dijo, y vino al momento la Aurora en su trono de oro.
Circe un manto me dio y una túnica para vestirme
y se puso ella un blanco y holgado vestido, la Ninfa
delicada y graciosa, y se puso ciñendo su talle
un ideal ceñidor de oro y luego veló su cabeza.

»Por la casa yo anduve exhortando a mis hombres leales
y con suaves palabras les iba diciendo uno a uno:

»—Basta ya de dormir disfrutando las mieles del sueño.
Vámonos, pues así la augustísima Circe lo quiere.

»Dije, y los corazones de todos mi ruego acataron.
Mas de allí no me pude llevar a mis hombres indemnes,
pues Elpénor, el que era de todos más joven en años,
mas no audaz en la guerra ni estaba muy claro de juicio,
se durmió en el tejado, en la sacra morada de Circe,
porque estaba embriagado y quería sentirse más fresco;
al oír de mis hombres las voces y el ruido que hacían
al moverse, de pronto se alzó y, olvidado de todo,
en lugar de bajar la escalera, se echó hacia adelante
y cayó desde el techo y rompióse en el suelo las vértebras
de su cuello, y su aliento se fue a la morada del Hades.

---

[8] *A la sangre...* Concepción materialista primitiva. El alma primitiva del
muerto, considerada como una sombra vana, adquiere consistencia al beber
la sangre de las víctimas.

»Ya mis hombres reunidos, hablé de esta forma, diciéndoles:

»—Os debéis suponer que a la patria tan cara volvemos,
pero es otro el viaje que Circe ha dispuesto que hagamos:
ir al Hades y ver a la diosa terrible Perséfona
y pedirle consejo al principio vital de Tiresias.

»Dije así, y en sus pechos partíanse los corazones.
Y sentados allí sollozaban mesándose el pelo,
mas ya nada podían lograr lamentándose tanto.
Y partimos al fin a la rápida nave, a la playa.
Nos marchamos muy tristes vertiendo muchísimas lágrimas.
Circe se adelantó y nos dejó junto al negro navío
un cordero y al lado una oveja negrísima, atados,
fácilmente evitándonos, pues, ¿quién podría ver nunca
con sus ojos a un dios que va y viene, si a él no le place?

CANTO XI

»Cuando hubimos llegado a la nave, alcanzada la orilla,
en las ondas divinas botamos primero la nave
y en el negro navío arbolamos el palo y las velas
y embarcamos las reses y luego embarcamos nosotros,
pero estábamos tristes, llorando muchísimas lágrimas.
No tardó, tras la nave de proa azulada, en enviarnos
un leal compañero en la brisa que henchía las velas,
Circe, diosa dotada de voz y de crespos cabellos.
Puesto ya el aparejo en su sitio en la nave, nosotros
nos sentamos, y el viento y piloto llevaron la nave.

»Todo el día la nave viajera singló a toda vela,
y se puso ya el sol y la sombra veló los caminos
al llegar al confín del Océano de aguas profundas
donde se halla la tierra y ciudad de los hombres cimerios,
entre nieblas y nubes; son hombres a quienes los rayos
esplendentes del Sol no deslumbran jamás en la vida,
ni siquiera al subir a los cielos poblados de estrellas
ni tampoco al bajar de los cielos buscando la tierra:
sobre tales cuitados se extiende una noche de muerte.
Arribados allí, en tierra firme varamos, y luego
nos llevamos las reses, siguiendo el perfil del Océano,
hasta haber alcanzado aquel punto indicado por Circe.

»Perimedes y Euríloco asieron entonces las víctimas,
saqué luego de junto a mi muslo la espada agudísima,
abrí entonces un hoyo que un codo por lado tenía

y vertí en torno de él tres ofrendas por todos los muertos:
la primera con leche y con miel, la segunda con vino,
la tercera con agua y vertí blanco polvo de harina,
invoqué a los muertos al fin, a sus cabezas inanes,
prometiendo matar, ya en Ítaca, una vaca infecunda,
la mejor, y quemarla en la pira con ricas ofrendas;
por Tiresias sacrificaría un carnero bien negro
y sin mancha, el que más destacara entre todos mis hatos.
Invocado ya el pueblo excelente de todos los muertos,
tomé entonces las reses y las degollé sobre el hoyo,
y la sangre corrió con oscuro vapor; del Erebo
ascendieron, reunidas, las sombras de muchos difuntos:
novias y jovenzuelos y ancianos que mucho sufrieron
y muchachas con penas recientes en sus corazones
y varones heridos por lanzas de punto de bronce,
a los que Ares mató y cuyas armas aún sangre tenían;
una turba agitábase en torno del hoyo, gritando
de manera espantosa, y entonces sentí verde miedo.
Animé a mis amigos, mandé desollaran las reses,
degolladas allí, por el bronce implacable, en el suelo,
y después las quemé e invoqué con mi rezo a los dioses
al potente Hades y a la terrible Perséfona, juntos.
Saqué luego de junto a mi muslo la espada agudísima,
me senté y no dejé a ningún muerto de inane cabeza
a la sangre llegar, mientras no me informase Tiresias.

»La primera en venir fue la sombra de Elpénor, que estaba
todavía insepulto en la tierra de innúmeras rutas,
pues dejamos su cuerpo en la sala de Circe, y no habíamos
hecho exequias, llorado por él; otras cosas pensábamos.
Y yo, al verle, lloré y en mi pecho sentí viva lástima,
y, elevando la voz, pronuncié estas palabras aladas:

»—¿Por qué a estas tinieblas sombrías viniste, oh Elpénor?
Más temprano llegaste que yo con mi negro navío.

»Dije así, y él, gimiendo, con estas palabras repuso:

»—Laertíada, casta de Zeus, ingenioso Odiseo,
me daño el desamor de algún dios y el exceso de vino.
Me dormí en el tejado de casa de Circe; olvidándolo,
en lugar de bajar la escalera, me eché hacia adelante
y caí desde el techo y rompíme en el suelo las vértebras
de mi cuello, y mi aliento bajó a la morada del Hades.
Por los tuyos que no están aquí y que te esperan, te imploro,
por tu esposa y tu padre, que te hubo criado de niño,
por Telémaco, el único hijo que allí te dejaste;
porque sé que, partiendo de aquí, de la casa del Hades,
detendrás a tu armónica nave en la isla de Eea:
cuando a tales lugares arribes, señor, no me olvides;
no te vayas y dejes mi cuerpo sin llanto ni exequias,
que no sea se aíren contigo, por mí, las deidades.
Quémame con las armas que tengo y erígeme un túmulo
en la orilla cubierta de arena del mar espumoso
para hacerles saber mi desgracia a los hombres futuros.
Hazlo así como digo y encima de mi sepultura
pon el remo con el que bogaba con mis compañeros.

»Dijo, y acto seguido repuse con estas palabras:

»—Todo esto, ¡infeliz!, cumpliré como dices. No temas.

»—De este modo cambiábamos juntos palabras siniestras.
Levantada yo, sobre la sangre, tenía la espada,
y seguíame hablando mi amigo en el lado frontero.

»Presentóse la sombra después de mi madre difunta,
Anticlea, la hija que fue del magnánimo Autólico,
a quien viva dejé yo al partir para Troya la sacra.
Lloré al verla y por ella sentí compasión en el pecho;
sin embargo, a pesar de sentirme afligido, impedíale
a la sangre llegar, mientras no me informase Tiresias.

»Presentóse después la sombra de Tiresias tebano,
con su cetro de oro y, al verme, me habló, conociéndome:

»—Laertíada, casta de Zeus, ingenioso Odiseo,
¿cómo tú, ¡desdichado!, dejando la luz de tu día,
a los muertos visitas en este lugar tan solemne?
Vete lejos del hoyo y aparta la espada agudísima,
para que, ya bebida la sangre, verdades te diga.

»Dijo así, y me aparté e introduje en la vaina la espada
claveteada de plata, y bebió de la sangre negrísima,
y el ilustre adivino me dijo con estas palabras:

»—Un retorno dulcísimo buscas, preclaro Odiseo,
mas un dios te lo hará trabajoso; no creo que pases
a escondidas de Aquel que sacude la tierra y te tiene
en el pecho rencor por haberle cegado a su hijo.
A tu patria pasando trabajos aún llegarías
si dominaras tu ánimo y el de tus compañeros
en cuanto hayas tu armónica nave atracado en la isla
de Trinacia, escapando del ponto violáceo, y encuentres
pastoreando a las Vacas del Sol[1] y a las gordas ovejas
del que nada se escapa a sus ojos y todo lo oye.
Si las dejas indemnes y sólo en volver te preocupas,
aún podrás regresar a tu Ítaca, pasando trabajos;
mas si daño les causas, te anuncio ahora mismo la pérdida
de tu nave y tus hombres, y aun cuando consigas librarte
llegarás tarde y mal, ya que habrás a tus hombres perdido,
y en un buque no tuyo, y tendrás en tu casa más males;
a unos hombres soberbios que agostan tu hacienda y preten-   [den
a tu esposa divina y le ofrecen regalos de boda.
Cuando llegues harás que ellos paguen tan grandes excesos,
y cuando hayas matado en tu casa a los pretendientes,
bien usando de astucia, o de frente y con bronce agudísimo,
toma entonces tu remo de fácil manejo y camina
hasta que al pueblo llegues de quienes el mar no conocen,
gentes que nunca toman comida con sal sazonada
ni conocen los buques que tienen rojizas mejillas,

---

[1] *Vacas del Sol.* Animales de una blancura inmaculada, con los cuernos dorados, cuidados por las hijas del Sol, las Helíadas, en la isla de
Trinacia (Sicilia).

ni los fáciles remos que son de la nave las alas.
Te daré una señal manifiesta que no ha de engañarte:
cuando cruce tu ruta un viajero y al verte pregunte
dónde vas con un aventador sobre el hombro gallardo,
planta entonces en tierra tu remo de fácil manejo
y haz al rey Poseidón sacrificios que sean perfectos:
un carnero y un toro, un verraco que cubra a las cerdas,
y regresa a tu casa y ofrece hecatombes sagradas
a los dioses eternos, señores del cielo anchuroso,
por su orden a todos, y lejos del mar, dulcemente,
morirás, mas dejando la vida llegado ya a una
placentera vejez; y tu pueblo será en torno tuyo
muy feliz. Y en verdad yo te digo que todo es muy cierto.

»Dijo, y acto seguido repuse con estas palabras:

»—¡Oh Tiresias! Sin duda estas cosas los dioses ordenan.
Pero aclárame esto, y responde con toda franqueza.
Yo contemplo la sombra ahora, aquí, de mi madre difunta,
silenciosa, detrás de esta sangre, y aun ni se atreve
a mirar frente a frente a su hijo, o hablarle tan sólo.
Di, señor, de qué modo sabrá que yo soy hijo suyo.

»Dije, y acto seguido repuso con estas palabras:

»—Simples son las palabras que harán que estas cosas com-
[prendas.
Cualquier muerto al que dejes tú ahora llegar a esta sangre
te dará verdadera noticia de todas las cosas,
pero aquel a quien tú se lo niegues se irá apresurado.

»Así dijo, y la sombra del rey soberano Tiresias,
a la casa del Hades volvió, dichos ya sus oráculos.
Y en silencio yo allí continué hasta que vino mi madre
y la sangre negruzca bebió y conociéndome al punto,
liberando su llanto, me dijo con estas palabras:

»—¡Hijo mío! ¿Por qué, vivo, a estas tinieblas sombrías
has venido? Un viviente no es fácil que vea estos sitios;
grandes ríos y muy impetuosas corrientes sepáranlos
sobre todo el Océano, el cual cruzar pueden muy pocos
yendo a pie, sino en un acabado y perfecto navío.
¿Quizá vienes de Troya, después de vagar mucho tiempo
con la nave y tus hombres? ¿Acaso no fuiste aún a Ítaca
y no viste en tu hogar todavía a tu esposa amadísima?

»Dijo, y acto seguido repuse con estas palabras:

»—Madre mía, me fue necesario llegar hasta el Hades
para que aconsejárame ahora el tebano Tiresias;
pero aún no he podido llegarme hasta Acaya, ni he vuelto
a pisar nuestra tierra, pues siempre camino errabundo,
¡ay de mí!, desde cuando seguí a Agamenón el divino
hasta Ilión la yegüera, a luchar con los hombres troyanos.
Pero aclárame esto, y responde con toda franqueza.
¿Qué destino de muerte espantosa acabó con tu vida?
¿Fue una larga dolencia? ¿O ha sido Artemis flechera
quien te ha dado la muerte al lanzarte sus flechas suaves?
Háblame de mi padre y del hijo que en casa he dejado,
si en sus manos mi honor se conserva, o si de él ya dispone
algún otro varón, o suponen que ya no regrese.
Háblame de mi auténtica esposa, qué quiere y qué piensa,
si está junto a mi hijo y en pie toda cosa mantiene,
o casó con alguno de los más ilustres aqueos.

»Dije, y acto seguido repuso con estas palabras:

»—Sigue siéndote fiel con su ánimo firme, viviendo
en tu casa, y para ella transcurren muy tristes las noches
y los días, y llora sin tregua amarguísimo llanto.
Y ninguno tomó para sí tu realeza excelente,
Y Telémaco cuida tranquilo de toda tu hacienda
y comparte festines que dan los prohombres del pueblo
porque a todos le invitan. Tu padre se queda en el campo
y no va a la ciudad, y no tiene siquiera una cama

donde echarse a dormir, ni frazadas ni colchas espléndidas;
duerme junto a los siervos durante el invierno, mas sobre
la ceniza del lar, y se viste con ropas groseras.
Cuando viene el estío y le sigue el fructífero otoño
por doquier en el fértil viñedo caen hojas marchitas;
tristemente, con ellas por lecho, se acuesta en el suelo
y, anhelando tu vuelta, le crece en el pecho la pena,
y, además, con los males que sufre se va haciendo viejo.
De este modo morí yo también y cumplí mi destino;
no en la casa me hirió la deidad de la vista certera,
la Flechera, lanzándome tiros de suaves saetas.
No he tenido dolencia ninguna de las que una odiosa
consunción se nos lleva de encima el vigor de los miembros;
no estar tú ni tener tus cuidados, mi caro Odiseo,
ni gozar tu ternura, quitáronme vida dulcísima.

»Dijo, y quise cumplir el designio formado en mi pecho
de poder abrazar en su sombra a mi madre difunta.
Me acerqué por tres veces, que a ello incitábame el ánimo
y tres veces voló de mis manos igual que una sombra,
como un sueño, y la pena se hacía en mi pecho agudísima.

»Y, elevando la voz, pronuncié estas palabras aladas:

»—¡Madre mía! ¿Por qué te me huyes si voy a abrazarte,
si en el Hades al menos, en brazos el uno del otro,
saciaríamos juntos el llanto tristísimo nuestro?
¿Por qué ahora tu vano fantasma me envía Perséfona,
para que se acreciente mi llanto y suspire sin tregua?

»Dije, y acto seguido repuso mi madre augustísima:

»—¡Ay de mí, hijo mío, tú el más infeliz de los hombres!
No hay engaño de la hija de Zeus, de la diosa Perséfona.
Esta es la condición de todo hombre mortal cuando muere,
pues los nervios no tienen ya unidos la carne y los huesos:
la potente energía del fuego consúmelo todo
cuando toda la vida vacía la blanca osamenta

y el principio vital se nos vuela lo mismo que un sueño.
Mas procura volver lo más pronto a la luz, y recuerda
todo esto, de modo que puedas contarlo. a tu esposa.

»Así hablábamos juntos, y algunas mujeres vinieron,
pues la augusta Perséfona ahora a salir las movía,
cuantas fueron esposas o, hijas de eximios varones.
Todas ellas reuniéronse en torno a la sangre negruzca,
y pensé cómo hacerles preguntas, mas por separado.
Y creí que la forma mejor de lograrlo era esta:
desnudé la agudísima espada de junto a mi muslo
e impedí que bebieran reunidas la sangre negruzca,
y ellas fueron entonces por orden llegando una a una
y me hacían saber su linaje, y les hice preguntas.

»La primera fue Tiro, la hija de un padre muy noble,
engendrada, según dijo, por Salmoneo el ilustre,
que después fue la esposa del hijo de Eolo, Creteo.
Se sintió enamorada de un río, el divino Enipeo,
el más bello de todos los ríos que cruzan la tierra,
y a menudo iba donde pasaba su hermosa corriente.
En figura del río, el que ciñe y sacude la tierra,
se acostó donde desembocan sus aguas profundas
y la ola purpúrea se hinchó como un monte, envolviéndolos,
ocultando así al dios y a la joven mortal en su seno.
Y él soltó el ceñidor e infundió dulce sueño a la virgen.
Mas tan pronto el dios hubo cumplido el deseo amoroso,
la tomó de la mano y habló estas palabras con ella:

»—Sé feliz, ¡oh mujer!, con mi amor porque al cabo de un
parirás unos hijos ilustres, pues nunca es estéril   [año
una unión con los dioses, y cuida bien de ellos y críalos.
Y ahora vuelve a tu casa y no digas a nadie mi nombre;
para ti sola soy Poseidón que la tierra sacudo.

»Dijo así, y sumergióse en las aguas undosas del ponto.
Tiro encinta quedó; de Neleo y de Pelias fue madre,
servidores que fueron de Zeus, y los dos esforzados.

Pelias, rico en ganado, habitaba en la extensa Iaolcos,
y Neleo en la tierra arenosa de Pilos vivía.
De Creteo la esposa real tuvo aun nuevos hijos:
Esón, Feres y luego Amitaon, valiente en el carro.

»Y después vi también a la hija de Asopo, a Antíope,
orgullosa de haber, en los brazos de Zeus, concebido;
y dio a luz a dos hijos, que fueron Anfíon y Zetos,
fundadores primeros de Tebas, la de siete puertas,
a la cual torrearon, pues era imposible, sin torres,
habitar tal llanura, no obstante ser ellos valientes.

»Y vi a Alcmena también, la mujer de Anfitrión, la que tuvo
en los brazos a Zeus poderoso y fue madre de un héroe,
héroe de corazón de león, el intrépido Heracles;
parió luego a Megara, la hija del bravo Creonte,
que con el valor indomable casó, el Anfitriónida.

»Y vi luego a la madre de Edipo, la bella Epicasta
que, ignorándolo su corazón, cometió una gran falta
al casar con su hijo, que, habiendo matado a su padre,
la tomó por esposa; y los dioses contaron el hecho
a los hombres. En Tebas la amable, penando, reinaba
sobre el pueblo cadmeo, por duro designio divino;
y ella al Hades bajó, que con puertas tan sólidas ciérrase;
abrumada de pena, del techo de su alta morada
suspendió un fuerte lazo, y dejó para él tantos males
como pueden causar las Erinies que tenga una madre.

»Y vi allí a la bellísima Cloris, que por su hermosura
por esposa Neleo tomó dando innúmeros dones,
la menor de las hijas de Anfíon, el hijo de Iaso,
poderoso monarca de Orcómeno, pueblo de minios.
Néstor, Cromio y después el audaz Periclímeno, y luego
alumbró a la ilustrísima Pero, estupor de los hombres
pretendida por cuantos vecinos tenía; Neleo
no la daba sino por las vacas robustas de frentes
espaciosas, que Ificlos el fuerte guardábase en Fílace.

Era empresa difícil. Y sólo el ilustre adivino
prometió que lo haría, y un dios con destino funesto
lo impidió: unos boyeros lo ataron con fuertes cadenas.
Mas después que pasaron los días y meses, y el ciclo
se cerró de otro año y nació primavera de nuevo,
liberó al adivino el de miembros robustos, Ificlos,
por decirle su oráculo; así cumplió Zeus sus deseos.

»Allí mismo vi a Leda también, que fue esposa de Tíndaro
y que tuvo dos hijos de él, valentísimos, Cástor,
domador de caballos, y el púgil impar Polideuces.
A los dos los mantiene con vida la tierra fecunda,
Zeus los colma de honores debajo de toda esta tierra,
de tal suerte que viven y mueren en días alternos,
y disfrutan de iguales honores que todos los dioses.

»Asimismo allí vi a Ifimedea, mujer de Aloeo,
que fue por Poseidón poseída, según se gloriaba,
y dio a luz a dos hijos, los cuales vivieron muy poco:
Otos, bello como un inmortal, y el magnánimo Efialtes,
los más altos que había criado la tierra triguera,
y, exceptuando al magnífico Orión, los más bellos de todos:
nueve codos medían de anchura al cumplir nueve años
y medían, también a esta edad, nueve brazas de altura.
A los dioses lanzaron los dos la terrible amenaza
de llevar al Olimpo el tumulto, encendiendo la guerra.
A la Osa querían poner sobre aquél, y en la Osa
al frondoso Pelión, y llegar de este modo hasta el cielo.
Y lo hubieran logrado si hubiesen llegado a ser mozos,
pero el hijo de Zeus y de Leto de crespos cabellos,
los mató antes que el vello empezara a apuntar en sus caras
y su barba empezase a cubrirse de suave pelusa.

»Y vi a Fedra y a Procis y vi a la hermosísima Ariadna,
hija del muy maléfico Minos, que un día Teseo
se llevó desde Creta a la villa sagrada de Atenas,
pero no la gozó porque en Día, la isla entre mares,
la mató Artemis por la denuncia que le hizo Dionisos.

»Y vi a Clímene y Mera, y también a la odiosa Erifila,
que por oro muy fino vendió al amadísimo esposo.

»Mas no puedo contar ni nombrar las que vi, tantas eran
las mujeres e hijas de héroes que vieron mis ojos
que la noche inmortal pasaría con ello. Y ya es tiempo
de dormir, o en mi nave veloz con mis hombres, o en
[esta
casa, y cuiden los dioses y todos vosotros del viaje.»

Dijo así, y todos ellos guardaron profundo silencio,
y en la sala sombría, de oírlo, arrobados estaban.

Y habló al fin la de brazos nevados Arete, diciendo:

—¿Qué os parece este hombre, ¡oh feacios!, por todo su as-
por la gran estatura que tiene y su juicio tan claro? [pecto,
Es mi huésped, mas todos conmigo gozáis de esta honra.
No activéis, por lo tanto, su marcha; a quien tanto precisa
no taséis los presentes, que en vuestros palacios abundan
las riquezas, por gracia que todos los dioses os dieron.

Y habló entonces el muy venerable Equeneós, el héroe,
el varón más anciano de todos los hombres feacios:

—Nada ha dicho la reina prudente, ¡oh amigos!, que esca-
del propósito nuestro y de nuestra intención. Acatadla. [pe
Mas de Alcinoo depende la obra y también la palabra.

Y fue Alcinoo el que entonces habló y, respondiéndole,
[dijo:
—Cumpliré la palabra empeñada, en tanto yo viva
gobernando a los hombres feacios, amantes del remo.
Y que el huésped acepte, por mucho que quiera marcharse,
esperar a mañana, a que pueda reunir los presentes.
A nosotros, a todos, atañe cuidar del viaje,
pero a mí más que a nadie pues tengo el gobierno del pueblo.

Y repúsole entonces así el ingenioso Odiseo:

—Rey Alcinoo, señor, ciudadano el más noble en tu pueblo,
si mandaras que aquí un año entero quedara en tu casa,
preparándome en tanto el viaje y haciéndome dones
excelentes, lo haría, y sería mejor que llegase
a mi patria llevando las manos colmadas de ellos
y veríame así más honrado y querido de todos
los que un día me vieran de vuelta a mi tierra, a Ítaca.

Y fue Alcinoo el que entonces habló y, respondiéndole, dijo:

—Ni un momento siquiera, Odiseo, de ti sospechamos,
que impostor o embustero serías, como otros, muchísimos,
cría la oscura tierra y dispersos se encuentran por ella,.
forjadores de embustes que nadie descubre en la vida.
Tú embelleces las cosas que cuentas y piensas lo noble
y con la habilidad de un aedo contaste el relato
de los grandes trabajos que tú y los argivos pasasteis.
Pero habla y responde con toda franqueza si viste
a cualquiera de los compañeros divinos que fueron
a Ilión junto contigo y hallaron en ella la muerte.
Es muy larga la noche, y aun en palacio no es tiempo
de acostarse. Así, pues, cuéntanos tus prodigios y hazañas;
yo aquí te escucharé hasta que llegue la Aurora divina,
si es que quieres contarme tus males aquí en esta sala.

Y repúsole entonces así el ingenioso Odiseo:

—Rey Alcinoo, señor, ciudadano el más noble en tu pueblo,
horas hay para largos relatos como para el sueño.
Mas si aún escucharme deseas, no puedo negarme
a contarte otros hechos que son mucho más desdichados,
los de mis compañeros que luego de haber escapado
de la guerra fatal de los teucros, hallaron la muerte,
al volver a la patria, por una mujer miserable.

»Cuando, de un lado a otro, la casta Perséfona hizo
disipar a las sombras de todas aquellas mujeres,
presentóse, angustiada, la de Agamenón el Atrida;
congregáronse en torno las sombras de cuantos se hallaron
en la casa de Egisto y murieron cumpliendo su suerte.
Y me reconoció, ya bebida la sangre negruzca,
y lloró sin consuelo, vertiendo muchísimas lágrimas,
y tendía sus manos queriendo en su afán abrazarme,
pero ya no gozaba del firme vigor, ni las fuerzas
que tuvieron en tiempos pasados sus miembros flexibles.

»Y yo, al verlo, lloré y la piedad desbordaba en mi pecho,
y, elevando la voz, pronuncié estas palabras aladas:

»—Gloriosísimo tú, Agamenón, el Atrida y caudillo,
¿qué destino de muerte fatal te ha quitado la vida?
¿Fue quizá Poseidón destruyendo tus naves, dejándolas
a merced del impulso mortal de los vientos terribles,
o enemigos te dieron la muerte en alguna ribera
por llevarte sus bueyes y hermosos rebaños de ovejas,
o asaltando una villa y queriendo un botín de mujeres?

»Dije así, y en seguida repuso con estas palabras:

»—Laertíada, casta de Zeus, ingenioso Odiseo,
no fue el dios Poseidón quien deshizo las naos que eran mías
a merced del impulso mortal de los vientos terribles,
ni enemigos me dieron la muerte en ninguna ribera,
me mató Egisto, quien me dispuso la muerte y el hado
con mi esposa funesta, a su casa invitándome, y luego
del festín, como a un buey al que junto al pesebre se mata.
Fue infamante mi muerte, y mataron conmigo a mis hom-
                                                    [bres
como cerdos de blancos colmillos en casa de un hombre
poderoso y riquísimo para el festín de unas bodas,
para un ágape a escote o tal vez un banquete magnífico.
Presenciaste tú ya una matanza en que muchos guerreros,
uno a uno, en terrible combate, perdieron la vida,

pero tu corazón con la escena se hubiera partido
viendo, en torno a la crátera y mesas colmadas, yacentes
en la sala los cuerpos, y el suelo cubierto de sangre.
Y era horrible escuchar los gemidos de la hija de Príamo,
de Casandra a la que degollaba la cruel Clitemnestra
sobre mí; y al querer con mis brazos cubrirla, de un tajo,
con la espada, arrancaron mi vida, y la cara de perra,
enviándome al Hades, ni aun se dignó tan siquiera
con sus manos cerrarme los ojos y luego la boca.
Nada existe tan perro y terrible como las mujeres
que en su espíritu traman acciones lo mismo que ésta.
He aquí, pues, de qué modo tramó tal acción, dando muerte
al esposo que amó de doncella. Y yo había supuesto
que mis hijos y siervos tendrían contento de verme
regresar, pero ella, muy ducha en arteros manejos,
se ha cubierto a sí misma de infamia, infamando con ello
a mujeres que están por nacer, aunque fueren honestas.

»Dijo así, y en seguida repuse con estas palabras:

»—Desde antiguo Zeus longividente al linaje de Atreo
demostró aborrecer, pues de toda maldad femenina
le hizo víctima, y ya por Helena perdímonos muchos,
y en tu ausencia te armó Clitemnestra una trampa fatídica.

»Dije así, y en seguida él repuso con estas palabras:

»—Por lo tanto, no seas jamás con tu esposa benévolo,
ni confíes a ella las cosas que a ti se te ocurran:
dile sólo una parte, pues debes el resto ocultarle.
Mas tu muerte, Odiseo, no habrá de venir de tu esposa,
puesto que es muy sensata y son muy razonables las cosas
que la hija de Icario medita, la sabia Penélope.
Hubo apenas casado contigo cuando la dejamos
para ir a la guerra y a un hijo nutría en sus pechos,
un chicuelo que hoy debe contarse feliz en el número
de los hombres, y pronto su padre, al volver, ha de verlo,
y él irá, como es justo que sea, a abrazar a su padre.

Mi mujer no dejó que mis ojos pudieran saciarse
contemplando a mi hijo, pues antes quitóme la vida.
Otra cosa te debo decir, y en tu pecho consérvala:
a escondidas, y no abiertamente, regresa a tu patria,
pues hoy ya en las mujeres no debe fiar hombre alguno.
Pero habla y responde con toda franqueza si oíste
decir dónde se encuentra mi hijo, si está, por ventura,
en Orcómeno, o bien en la tierra arenosa de Pilos,
o si está con el rey Menelao en los llanos de Esparta;
pues Orestes divino en la tierra aún conserva la vida.

»Dijo así, y en seguida repuse con estas palabras:

»—¿Por qué, Atrida, estas cosas preguntas? Ignoro si Ores-
[tes
vive o no, y no debemos de hablar de estas cosas superfluas.

»De este modo cambiábamos juntos palabras siniestras,
afligidos de angustia y llorando muchísimas lágrimas.
Y acudieron entonces las sombras de Aquiles Pelida,
de Patroclo, de Antíloco, el hombre sin tacha ninguna,
y de Áyax, el más bello en figura y también en facciones
de los dánaos, empero, después del Pelida famoso.
Y me reconoció allí la sombra del rápido Eácida,
y, llorando, me dijo con estas palabras aladas:

»—Laertíada, raza de Zeus, ingenioso Odiseo,
¡desdichado! ¿Qué empresa mayor que las otras meditas?
¿Cómo al Hades viniste, aquí donde se alojan los muertos
insensibles, imagen de aquellos que ya perecieron?

»Dijo así, y en seguida repuse con estas palabras:

»—¡Oh tú, Aquiles Pelida, el mejor de los hombres de Aca-
Vine aquí a visitar a Tiresias, pidiendo consejo   [ya!
sobre cómo volver a encontrarme en la aspérrima Ítaca.
No he podido acercarme aún a Acaya, ni he entrado siquiera
en mi patria, pues siempre y sin tregua padezco infortunios.

Mas no hay hombre ni habrá tan feliz como tú eres, Aquiles,
puesto que antes, en vida, te honraban los hombres de Argos
como a un dios, y ahora aquí sobre todos los muertos go-
[biernas,
y por esto, ¡oh Aquiles!, no debe apenarte estar muerto.

»Dije así, y en seguida él repuso con estas palabras:

»—No le des tu consuelo a mi muerte, Odiseo magnánimo.
Más quisiera ser un labrador en la tierra de otro,
de quien bienes no tiene y apenas procura a su vida,
que ser rey y mandar sobre todos los que fenecieron.
Pero, vamos, hablemos ahora de mi hijo famoso:
dime si es o no es él el que más se destaca en la guerra.
Y también qué noticias conoces del sabio Peleo,
si entre el pueblo de los mirmidones mantiene su honra,
o si desde la Hélade a Ftía lo tienen a menos,
porque ya la vejez ha trabado sus pies y sus piernas.
¡Si estuviese yo allí, bajo el sol, y pudiera ayudarle
como cuando me hallaba en la anchísima Troya matando
a los más vigorosos guerreros, y junto a los de Argos!
Si tal, por un momento, volviese al hogar de mi padre,
¡cómo haría terrible mi fuerza y mis brazos ilesos
contra quienes violencia le hicieran o su honra quitasen!

»Dijo así, y en seguida repuse con estas palabras:

»—No conozco ninguna noticia del sabio Peleo.
Pero sí te diré de tu hijo, del caro Neptólemo,
la verdad, como quieres y ordenas que yo te la diga,
pues yo mismo de Esciros, a bordo de armónica nave,
lo llevé hasta las huestes aqueas de grebas bellísimas.
Cuando bajo los muros de Ilión un consejo teníamos,
él hablaba primero que nadie y jamás sin acierto;
sólo Néstor divino y yo mismo vencerle podíamos.
Y si bajo los muros de Ilión los aqueos luchábamos
no mezclábase con los guerreros ni aun con la turba;
antes bien, gran distancia avanzaba y a nadie cedía;

cuántos hombres mató cuando en fiero combate luchaba,
y no puedo decir ni nombrar a los que ha dado muerte,
puesto que tantos son cuando por los argivos luchaba.
Él mató con su bronce al Teléfida, a Eurípilo heroico,
junto a quien muchos de sus amigos ceteos murieron
por los dones que a una mujer se habían ofrecido;
no vi a nadie tan bravo, a excepción de Memnón el divino.
Cuando los principales argivos metímonos dentro
del corcel que hizo Epeos, y yo todo el mando tenía,
fuese abrir o cerrar el portón de la sólida trampa,
los caudillos en ese momento y los príncipes dánaos
enjugaban su llanto y sus miembros estaban temblando;
mas no vieron mis ojos jamás que la piel de tu hijo,
tan hermosa, perdiera el color demudada, o que el llanto
por su faz resbalase, antes bien, me rogaba insistiendo
en salir del caballo y su mano apoyaba en la espada
y en la lanza de bronce, pensando en el mal de los teucros.
Devastada que fue la ciudad tan excelsa de Príamo,
se embarcó sano y salvo con un gran botín y un buen pre-
sin haber recibido una herida de bronce agudísimo,   [mío,
o al luchar cuerpo a cuerpo, que suele ocurrir muchas veces
en la guerra, pues Ares su furia la lanza a quien sea.

»Así dije, y la sombra del gran corredor, el Eácida,
se alejó velozmente por el Prado de los Asfódelos[2],
muy feliz por saber que su hijo era un hombre ya insigne.

»De los muertos restantes allí continuaban las sombras,
afligidas, y sus respectivas tristezas contábanme.
Sólo allí la de Áyax, hijo de Telamón, distanciada
me miraba enojada porque lo vencí cuando el juicio
que para adjudicarnos las armas de Aquiles tuvimos
cerca de nuestras naves, propuesto por su angusta madre
y que hubieron fallado los teucros y Palas Atena.
¡Ojalá no le hubiese vencido jamás en el fallo,
pues la tierra no hubiese cubierto cabeza tan noble

Prado de los Asfódelos. Paraje infernal poblado de estas plantas.

cual lo fue la de Áyax que en belleza y valor despuntaba
sobre todos los dánaos, después del Pelida intachable!
Pero entonces le hablé con suaves palabras, diciendo:

»—¿No depones, ¡oh Áyax!, hijo de Telamón intachable,
muerto ya, la ira que por las armas malditas me tienes?
Para mal de los hombres argivos las dieron los dioses,
pues moriste, baluarte de todos. Por ti los aqueos,
como por la cabeza de Aquiles Pelida, a tu muerte,
te lloramos sin tregua, y ninguno ha tenido la culpa,
sólo Zeus, que llevado del odio mortal que sentía
por los dánaos, pesó sobre ti semejante destino.
Ven aquí, pues, señor, a escuchar esta vez mis palabras;
dale calma a tu ira y a tu corazón valeroso.

»Así dije, mas no respondió y dirigióse al Erebo
a reunirse con todas las sombras de todos los muertos.
Y tal vez, desde allí y a pesar de su ira, me hubiera
dicho algo, o yo a él, pero mi corazón en el pecho
me impulsaba a las sombras de todos los muertos restantes.

»Y vi al hijo de Zeus, al magnífico Minos[3], sentado,
empuñando su cetro de oro, imponiendo justicia
a los muertos que al rey rodeaban, de pie o bien sentados,
exponiendo en el Hades de puertas tan anchas sus causas.

»Y vi a Orión[4] el gigante por el Prado de los Asfódelos
persiguiendo y cazando a las fieras que ya en otro tiempo
él había abatido en la gran soledad de los montes
manejando una clava de bronce irrompible y maciza.

»Y vi a Titios[5], el hijo de la augusta Tierra, tumbado
sobre el suelo, ocupando de él nueve yugadas; tenía
a ambos lados dos buitres royéndole el hígado, entrando
en su entraña, y sus manos jamás alejarlos podían,

---

[3] *Minos*. Legendario rey cretense, hijo de Zeus y Europa, en la tercera
generación antes de la guerra de Troya.
[4] *Orión*. Cf. n. 5 al c. V.
[5] *Titios*. Gigante, hijo de Zeus y Elara.

pues forzó a la consorte de Zeus, a la augusta Latona[6]
que iba a Pito[7] por la Panopeo[8] de augustas llanuras.

»Y vi a Tántalo[9] que padecía terribles dolores
en un lago, de pie, y a su barba llegábale el agua,
y, extenuado de sed, no podía llegar a beberla;
cuando el viejo inclinábase a ella en afán de alcanzarla,
por la tierra absorbida escapaba, y la tierra negruzca
se mostraba a sus pies, pues un dios cada vez la secaba.
Los frutales sobre su cabeza inclinaban sus frutos:
los perales, granados, manzanos de pomas de oro,
las higueras dulcísimas y los olivos lozanos;
cuando el viejo elevaba la mano queriendo alcanzarlos,
los llevaba de pronto a las nubes sombrías el viento.

»Y vi a Sísifo[10] que padecía muy duros trabajos
empujando una peña muy grande y a fuerza de brazos.
Con las manos y pies se esforzaba en llevar a una cum-
[bre
el peñasco; y apenas lograba llegar hasta el borde
de la cima, una fuerza potente lanzaba rodando
hasta el llano otra vez el inmenso peñasco insolente;
y volvía a empujarla con grandes esfuerzos; sus miembros
de sudor se cubrían y el polvo nimbaba su frente.

»Y vi a Heracles, después, poseído de toda su fuerza,
o su sombra, y él entre los dioses comparte los ágapes,
y es esposo de Hebe[11], la diosa de pies hermosísimos,
hija del noble Zeus y de Hera, la de áureas sandalias.
Y se oyó en torno suyo el gritar de los muertos que huían

---

[6] *Latona*. Madre de Apolo y Artemis, perteneciente a la primera generación divina. Hija del titán Ceo y la titánida Febe.

[7] *A Pito*. Cf. n. 1 al c. VIII.

[8] *Panopeo*. Ciudad de Fócida, junto a la frontera de Beocia, actualmente
ruinas próximas a Agio Blasi.

[9] *Tántalo*. Hijo de Zeus y Pluto (hija de Cronos), rey de Frigia, sobre
el monte Sipilo. Fue castigado por su perjurio contra Zeus.

[10] *Sísifo*. Hijo de Eolo (cf. n. 2 al c. X), pertenecía a la raza de Decaulión. Fundador de Corinto (entonces llamada Efira) se inmiscuyó, lleno de
astucia y falto de escrúpulos, en los amoríos de Zeus con Egina, hija del
río Asopos, por lo que fue castigado a morir fulminado y a recibir el
castigo que describe nuestro poema.

[11] *Hebe*. Personificación de la juventud.

como pájaros, y él era como una noche sombría
y tenía su arco tendido y había ya puesto
en la cuerda una flecha, tal como si fuera a lanzarla.
Y asustaba el tahalí que ceñíale el pecho, una banda
de oro en la que se habían grabado admirables figuras:
osos y jabalíes, leones de ardientes pupilas,
y combates y duras batallas, matanzas y crímenes.
El artista que obró semejante tahalí nunca habría
de hacer otro, pues todo su arte en aquél había puesto.
Y me reconoció cuando apenas sus ojos me vieron,
y, llorando, me dijo con estas palabras aladas:

»—Laertíada, casta de Zeus, ingenioso Odiseo,
¡desdichado! ¿También tú padeces funesto destino
como el que antes y bajo los rayos del sol yo sufría?
A pesar de ser hijo de Zeus el Cronida, he sufrido
muchos males, pues fui sometido a un mortal muy mezquino
que sin tregua ordenaba que hiciese penosos trabajos.
Una vez me envió por el Perro[12] hasta aquí, y suponía
que no hubiera trabajo ninguno más duro que éste.
Y yo pude agarrarlo y sacarlo del Hades, mas Hermes
me guió y Atenea la diosa de claras pupilas.

»Así dijo , y se fue nuevamente a la casa del Hades.
Y yo allí me quedé sin moverme, esperando que acaso
presentárase aún algún héroe del tiempo pasado.
Y a los que yo quería quizás hubiese visto entre ellos
a Teseo y a Píritoo[13], hijos gloriosos de dioses;
pero antes reunióse un sinfín de difuntos, gritando
con horribles clamores y entonces sentí el verde miedo
de que ahora me envías del Hades la ilustre Perséfona
la cabeza de Gorgo[14], del monstruo que hiela la sangre.

---

[12] *El Perro*. Se trata de Cerbero, el perro guardián de la salida del Hades, de tres cabezas y cola de serpiente. Uno de los trabajos impuestos
por Euristeo a Heracles fue conducirle al mundo de los vivos.
[13] *Teseo*. Piritoo. Teseo es el héroe del Ática, que vivió una generación
antes de la guerra de Troya. Piritoo era un héroe de origen tesalio que
trabó profunda amistad con Teseo.
[14] *Gorgo*. Monstruo que habitaba en el Extremo Occidente, cerca del reino de los muertos. Su cabeza estaba rodeada de serpientes aladas con manos de bronce. Su sola mirada petrificaba.

En seguida volví a mi navío y mandé que mis hombres
al instante embarcaran y raudos soltasen amarras.
Y embarcamos al punto; en los bancos sentáronse en filas,
nos llevó la corriente del agua por el río Océano,
al principio bogando y después una espléndida brisa.

CANTO XII

»Cuando el buque dejó la corriente y dejó el río Océano,
a través de las ondas del mar anchuroso llegamos
a la isla de Eea; la Aurora, la hija del día,
tiene allí su morada y sus danzas, y el sol su levante.
Abordamos allí y encallamos la nave en la arena
y saltamos después a la playa y, rendidos de sueño,
esperamos surgiera de nuevo la Aurora divina.

[*Las Sirenas, Escila y Caribdis*]

»Al mostrarse en el día la Aurora de dedos de rosa,
envié a la morada de Circe a unos cuantos amigos
para que me trajeran los restos mortales de Elpénor.
Unos troncos cortamos en donde se eleva la isla
y, llorando afligidos, allí celebramos las honras.
Y no bien con las armas del muerto el cadáver quemamos,
le erigimos un túmulo; en él colocamos un cipo
y en la parte más alta pusimos su remo manuable.

»Mientras esto dejábamos listo, ya Circe sabía
que del Hades habíamos vuelto, vistióse y al punto
acudió a nuestro encuentro con sus servidoras, llevándonos
pan y carne abundantes y vino rojizo y ardiente.
Y de pie entre nosotros habló la divina entre diosas:

»—¡Desdichados! ¡Bajasteis en vida a la casa del Hades;
habéis muerto dos veces y el hombre se muere una sola!
Mas comed de esta carne y bebed de este vino, y quedaos
todo el día aquí mismo y en cuanto la Aurora despunte
navegad, y yo habré de mostraros la ruta, y de todo
os haré sabedores, no sea que tramas funestas
os alcancen, o alguna desgracia en el mar o en la tierra.

»Dijo, y mi corazón se aprestó a obedecer su mandato.
Todo el día hasta que hubo ya el sol descendido a su ocaso
disfrutamos de carne abundante y de vino dulcísimo;
cuando el sol se ocultó y descendieron a poco las sombras.
mis amigos tendiéronse junto a la amarra del buque.
Ella a mí me tomó de la mano y, distante de aquéllos,
hizo que me sentara y me fue preguntando por todo.
Y yo, punto por punto, conté lo que había ocurrido.
Y me habló la augustísima Circe con estas palabras:

»—Así, pues, se han cumplido estas cosas. Escúchame ahora
lo que voy a decirte, y un dios no querrá que lo olvides.
De primero te encontrarás con las Sirenas[1] que hechizan
a los hombres, cualquiera que sea el que salga a su encuen-
                                                          [tro.
El que por imprudencia se acerca y escucha sus voces,
ya no vuelve a ver nunca a su esposa ni a sus pequeñuelos
rodeándole alegres en cuanto regresa a la casa,
pues con cantos sonoros le encantan así las Sirenas
en su prado, y en torno blanquea un rimero de huesos
de la gente que pudre, y sus pieles se van consumiendo.
No te pares, mas tapa el oído a tus hombres con cera
previamente ablandada, de modo que nadie las oiga;
sin embargo, si tu ánimo quiere escuchar sus canciones
haz que te aten las manos y pies a la rápida nave,
de pie al lado del mástil, y se aten al palo las cuerdas,
y podrás disfrutar a tu gusto del canto que canten.

---

[1] *Sirenas*. Demonios marinos, mitad mujeres y mitad pájaros. Eran hijas del dios-río Aqueloo y la Musa Melpómene, y habitaban una isla des-
conocida del Mediterráneo.

Si a tus hombres suplicas y ordenas que suelten los nudos,
que con muchos más nudos que antes entonces te aten.
Cuando tus compañeros se dejen atrás las Sirenas,
no podré ya indicarte qué senda es aquella que debes
proseguir de las dos, pues tendrás que elegirla tú mismo;
piénsalo, mas te puedo decir cómo son una y otra.
Se levantan a un lado las Rocas Salientes; contra ellas
ruge el golpe de mar de Anfitrita[2], la de ojos azules:
con el nombre de Planktes las llaman los dioses dichosos.
Ningún ave pasó la primera, ni aun las palomas
temblorosas que a Zeus Padre van a llevarle ambrosía;
antes bien, cada vez arrebata una de ellas la roca,
pero el Padre a otra envía y así se completa su número.
De la otra jamás ha escapado la nave de un hombre;
pues las olas y las tempestades de fuego funesto
se llevaban las tablas del buque y los cuerpos humanos.
Solámente una nave ha podido salvar este paso,
Argos, tan celebrada, al volver de las tierras de Eetes;
y las olas la habrían lanzado a las rocas enormes
si Hera, por el amor de Jasón, no la hubiese salvado.
Dos escollos posee la otra ruta, y al cielo anchuroso
llega el pico agudísimo de uno, rodeado de niebla
muy profunda, que no se disipa, y el cielo no brilla
nunca sobre su cima, ya sea verano u otoño.
Ningún hombre mortal lograría llegar a su cumbre,
aun teniendo diez pares de pies y diez pares de manos
ni bajar, pues la roca, por lisa, parece pulida.
En su centro hay un antro sombrío que mira al ocaso,
hacia donde se encuentra el Erebo, y la cóncava nave
deberás dirigir hacia él, ¡oh famoso Odiseo!
Desde el buque jamás el más fuerte mancebo podría,
disparando su arco, llegar al final de la cueva.
Vive Escila[3] en la gruta y aúlla de forma terrible,
y posee ella la voz de una perra recién alumbrada;

---

[2] *Anfitrita.* Reina del mar que rodea el mundo. Como hija de Nereo y
Doris es una de las Nereidas.
[3] *Escila, Caribdis.* Los dos famosos monstruos marinos se hallaban em-
plazados en el estrecho de Mesina; el primero, en la costa italiana, y el
segundo en la gran roca que se alza junto a Mesina.

es un monstruo perverso, y no hay nadie capaz de alegrarse
si la ve, ni aunque fuera éste un dios, si con ella se ha-
[llara;
y posee doce patas su cuerpo y las doce deformes,
y seis cuellos larguísimos con sus horribles cabezas,
y sus bocas poseen tres hileras de múltiples dientes
apretados y firmes y llenos de muerte muy negra.
Medio cuerpo se encuentra sumido en la cueva, proyecta
sus cabezas por fuera de aquel precipicio espantoso;
desde allí y observando el escollo se lanza a la pesca
de delfines y perros marinos y aun monstruos más grandes
que en gran número cría en el mar la gimiente Anfitrita.
Por allí no pasó embarcación cuyos hombres gloriáranse
de pasarla sin daño, pues cada cabeza se lleva
sendos hombres de cada navío de proa azulada.
Ya verás, Odiseo, que es más bajo el escollo segundo;
mas los dos están cerca, se encuentran a un tiro de flecha.
Hay allí un cabrahígo en la cumbre, muy grande y frondoso;
la divina Caribdis, al pie, bebe el agua sombría.
La vomita tres veces al día y la traga tres veces
con un ruido espantoso. No estés allí cuando la trague,
pues ni Aquel que sacude la tierra podría salvarte.
Debes, por el contrario, acercarte al escollo de Escila
y dar rumbo veloz a tu nave, porque es preferible
que lamentes perder a seis hombres y no a todos ellos.

»Dijo así, y a mi vez le repuse con estas palabras:

»—Dime, ¡oh diosa!, con toda franqueza si por algún medio
me concede el destino escapar de la adversa Caribdis,
cómo rechazaré, cuando ataque a mis hombres, a Escila.

»Dije, y acto seguido repuso la diosa entre diosas:

»—¡Infeliz! Sólo piensas en luchas y riesgos de guerra.
¿Es que no has de ceder ni aun delante de dioses eternos?
Ella no tiene muerte; es un mal que morir no podría,
espantable y terrible, es un monstruo al que nadie domina;

no hay defensa posible contra ella; es mejor evitarla.
Si cercano a la roca te paras, tratando de armarte,
temo que contra todos vosotros se lance de nuevo
y con sus seis cabezas se tome a otros seis compañeros.
Pasa aprisa remando e invocando a Cratais, dando gritos,
que es la madre de Escila, parió tal flagelo a los hombres,
y ella la contendrá para que no os ataque de nuevo.
Tuerce el rumbo después a la isla feraz de Trinacia[4]
donde pacen las vacas del Sol y sus gruesas ovejas,
siete hatos de ovejas y siete manadas de vacas,
de cincuenta por grey, y jamás reprodúcese una,
y tampoco se mueren, y son sus pastoras dos diosas
Faetusa y Lampetia, dos ninfas de crespos cabellos,
hijas que la divina Neera dio al Sol de la Altura.
Cuando la madre augusta las hubo criado, a la isla
de Trinacia, a las dos envió, a tan lejanos lugares,
a guardar las ovejas del padre y las vacas robustas.
Si las dejas indemnes y sólo en volver te preocupas,
aún podrás regresar a tu Ítaca pasando trabajos,
mas si daño les causas te anuncio ahora mismo la pérdida
de tu nave y tus hombres, y aun cuando consigas librarte
llegarás tarde y mal, ya que habrás a tus hombres perdido.

»Dijo, y vino al momento la Aurora en su trono de oro.
Y la diosa divina se fue al interior de la isla.
Yo volví junto al buque y di prisa a mis hombres, mandando
que volvieran a bordo y soltaran los cables de popa;
y embarcamos al punto; en los bancos sentáronse en filas
y empezaron después a batir con los remos la espuma.
No tardó, tras la nave de proa azulada, en enviarnos
un leal compañero en la brisa que henchía las velas,
Circe, diosa dotada de voz y de crespos cabellos.
Puesto ya el aparejo en su sitio en la nave, nosotros
nos sentamos, y el viento y piloto llevaron la nave.

»Y yo entonces a mis compañeros hablé tristemente:

---

[4] *Isla del Tridente... Faetusa y Lampetia.* Cf. n. 1 al c. XI.

»—No conviene que sean tan sólo uno o dos los que sepan
los augurios que Circe me ha hecho, la diosa divina;
os los voy a contar para que, conociéndolos, todos
perezcamos o bien evitemos la muerte y la parca.
Me ordenó lo primero que de las Sirenas divinas
rehuyamos la voz y el florido pradal en que cantan.
Solamente yo puedo escucharlas, mas es necesario
que me atéis fuertemente con lazos de nudo difícil,
de pie al lado del mástil y se aten al palo las cuerdas.
Si a vosotros suplico y ordeno soltéis tales nudos
deberéis, todavía, con muchos más nudos atarme.

»Mientras iba aclarando estas cosas a mis compañeros,
nuestra armónica nave, a la cual suave viento empujaba,
velozmente a la isla llegó donde están las Sirenas.
Al instante cesó el viento aquel y reinó la bonanza,
pues sin duda algún numen debió de dormir a las olas.
Levantáronse entonces mis hombres y arriaron la vela
y en la nave guardáronla y luego, en los bancos sentados,
blanquearon el agua con remos de abeto pulido.

»Con el bronce agudísimo entonces corté un pan de cera
en trocitos que fui macerando con manos robustas.
Y ya blanda, obligada a ceder a la fuerza potente
y a los rayos del Sol soberano, Hijo de las Alturas,
con la cera tapé los oídos de todos mis hombres,
y me ataron las manos y pies a la rápida nave,
de pie al lado del mástil y ataron al palo las cuerdas,
se sentaron y el mar blanquearon batiendo los remos.
Pero a una distancia que puede alcanzarse gritando,
velozmente pasamos, mas ella, al ver nuestra nave,
tan cercana, entonaron su canto con voces sonoras:

»—Ven, famoso Odiseo, renombre preclaro de Acaya.
Para aquí tu navío y escucha el cantar que cantamos.
Nunca nadie pasó por aquí con su negro navío
sin que de nuestras bocas oyera las voces suaves,
y después, recreados, se iban sabiendo más cosas.

No ignoramos los males que en Troya la vasta sufrieron
los argivos y teucros por causa de un dios que lo quiso,
y sabemos también lo que ocurre en la tierra fecunda.

»Así hablaron con voces tan bellas que dentro del pecho
sentí afán de escuchar y a mis hombres, moviendo las cejas,
ordené de soltasen, mas ellos, curvados, remaban.
Acudieron entonces a mí Perimedes y Euríloco,
ajustaron los nudos y aun muchos más nudos me hicieron.
Cuando atrás las Sirenas dejamos y ya no se oía
ni su voz ni su canto, mis hombres entonces quitáronse
del oído la cera que yo les había allí puesto
y uno a uno soltaron los nudos que al mástil me ataban.

»Cuando apenas atrás nos hubimos dejado la isla
vimos humo y altísimas olas y oímos gran ruido,
y, asustados, mis hombres lanzaron los remos al aire
que cayeron con ruido en el agua, y allí nuestra nave
se paró porque ya no empuñaban las manos los remos.

»Recorrí mi navío y entonces hablé con mis hombres
y con suaves palabras les fui así diciendo uno a uno:

»—En pasar malandanzas no somos, ¡oh amigos!, novatos
y ésta de hoy no será mayor que cuando el Cíclope, antes,
nos cerró en su caverna valido de su enorme fuerza;
mas de allí os liberó mi valor, mi consejo y prudencia,
e imagino os será esa aventura un recuerdo muy grato.
Pero ahora debemos hacer cuantas cosas os diga:
apoyaos en los bancos, batid hondamente las olas
con los remos y hagamos que Zeus nos conceda la dicha
de poder escapar y librarnos así de la muerte.
Y ahora a ti, timonel, voy a darte una orden concreta,
puesto que tú el timón de la cóncava nave gobiernas:
¿ves el humo y las olas? Aparta de allí nuestra nave
y costea el escollo, no sea que, sin advertirlo,
haga rumbo hacia allá y nos lancemos en una desgracia.

»Dije así, y en seguida mis hombres cumplieron las órdenes.
Y de Escila no hablé, del azar que evitar no podía,
por no darles temor y que entonces soltaran los remos
y, por miedo, ocultáranse bajo los bancos del buque.
Olvidé, sin embargo, la triste advertencia de Circe,
de que de ningún modo debía vestirme las armas,
y, olvidando el consejo, me puse mi bella armadura
y al castillo de proa subí con dos lanzas muy grandes,
desde donde vería primero a la pétrea Escila
que un estrago tan grande debía causar a mis hombres.
Y miraba, mas no la veía, y cansaba mis ojos
de mirar por doquier, observando el oscuro peñasco.

»El estrecho arrumbamos entonces remando angustiados,
pues a un lado encontrábase Escila y al otro Caribdis,
que sorbía con ruido terrible las aguas salobres:
siempre que vomitaba un profundo rumor producía,
revolviéndose igual que un caldero que está sobre el fuego
y la espuma alcanzaba las cumbres de entrambos escollos.
Pero cuando sorbía de nuevo las aguas salobres,
se mostraba agitada por dentro, y en torno la peña
resonaba imponente y la tierra veíase al fondo
con arena azulada y mis hombres sintieron gran miedo.
Mientras, con el temor de morir, a Caribdis mirábamos,
de la cóncava nave llevóse a seis hombres Escila,
los de brazos mejores, los hombres más fuertes de todos.
Al volver a mi gente y al rápido buque los ojos,
vi en el aire los pies y las manos de los que a lo alto
eran ya arrebatados, y así, daban voces, llorando,
y por última vez me llamaban gimiendo mi nombre.
Igual que el pescador desde un alto candil lanza el cebo
a los peces pequeños, usando una caña muy larga,
y en el mar echa el cuerno de un toro criado en el campo,
y pescado ya un pez, palpitante lo deja en la orilla,
palpitantes llevábase al alto peñasco a mis hombres
y me los devoraba a la entrada de aquella caverna
y, gritando, en su lucha feroz me tendían los brazos.

Un horror semejante mis ojos jamás conocieron
entre cuantas desdichas habré por los mares sufrido.

»Ya dejados atrás los escollos, la horrenda Caribdis,
como Escila, llegamos muy pronto a la isla admirable
del dios, donde se encuentran las vacas de grandes testu-
[ces
y las muchas ovejas del Sol, Hijo de las Alturas.
Desde el mar, en mi negro navío, ya oía el mugido
de las vacas que estaban en grandes establos metidas
y el balar de las gruesas ovejas, y al punto mi mente
recordó las palabras del ciego tebano Tiresias
y de Circe de Eea, pues mucho me recomendaron
apartarme de la isla del Sol que a los hombres alumbra.

»Y yo entonces a mis compañeros hablé tristemente:

»—Aunque mucho sufrís, escuchad mis palabras, ¡oh ami-
[gos!,
para que conozcáis los augurios que me hizo Tiresias
y que Circe me hizo, pues mucho me recomendaron
apartarme de la isla del Sol que a los hombres alumbra,
porque allí, me dijeron, un grave pesar nos aguarda.
Así, pues, de la isla alejemos el negro navío.

»Dije, y sus corazones sintieron partirse en sus pechos,
mas Euríloco dijo con estas odiosas palabras:

»—Eres cruel, pues te sobra la fuerza, Odiseo, y tus miem-
[bros
no se cansan, pues se hizo, sin duda, de hierro tu cuerpo.
De fatiga y de sueño se encuentran rendidos tus hombres
y a ninguno permites que pise esa isla azotada
por las olas, en donde una cena agradable tendríamos.
Nos ordenas, en cambio, partir a ventura en la noche
que se acerca veloz, y bogar por las ondas sombrías.
Por la noche levántase el viento que pierde a las naves;
¿dónde ir que evitarnos podamos tan trágica muerte

si de pronto en el mar un feroz temporal nos provoca,
bien el Noto o el Céfiro cruel, que son los que devastan
una nave, aunque así no lo quieran los dioses que mandan?
Acatemos ahora a la noche sombría, y la cena
preparemos reunidos en torno a la rápida nave,
y al albor nos podremos partir por el mar anchuroso.

»Así Euríloco habló, y los demás aprobaron lo dicho,
y así fue como supe que un dios meditaba mis males.
Y, elevando la voz, pronuncié estas palabras aladas:

»—Solo estoy y me fuerzas, Euríloco, a hacer lo que dices.
Ahora bien, os obligo a jurar con el gran juramento
que si damos con una vacada o un hato de ovejas
numerosas, ninguno, cediendo a funesta locura,
matará ni una vaca u oveja, sino que, tranquilos,
comeréis los manjares que Circe inmortal nos ha dado.

»Dije, y acto seguido juraron tal como ordenaba.
Y una vez todos ellos prestaron el gran juramento,
fondeamos la armónica nave en el Puerto Profundo
cerca del Agua Dulce, y mis hombres saltaron a tierra,
y hábilmente empezaron allí a prepararse la cena.

»Cuando ya de comer y beber estuvieron saciados,
a llorar se pusieron entonces por los compañeros
que del cóncavo buque tomó y devoró luego Escila;
y dejaron las lágrimas paso a un dulcísimo sueño.

[*Las vacas del Sol*]

»Cuando a su último tercio la noche llegó, y las estrellas
declinaron ya, Zeus, el que nubes reúne, un gran viento
levantó con un bronco bramido, envolviendo entre nubes
mar y tierra a la vez, y del cielo cayeron las sombras.
Al mostrarse en el día la Aurora de dedos de rosa,
resguardamos la nave en un antro en el cual sus asientos

y sus bellos lugares de danza las Ninfas tenían.
Y reuní en asamblea a mis hombres y hablé de este modo:

»—Hay, ¡oh amigos!, comida y bebida en la rápida nave;
respetad, pues, las vacas; podrían ser causa de males.
Son de un dios espantoso estas vacas y gordas ovejas;
son del Sol, el que todo lo ve y el que todo lo oye.

»Dije, y los corazones de todos mi ruego acataron.
Todo un mes, sin cesar, sopló el Noto, y ningún otro viento
levantóse en las ondas distinto del Euro y del Noto.
Mientras pan poseyeron y vino rojizo, mis hombres
olvidaron las vacas, queriendo salvarse la vida.
Pero cuando en la nao se agotaron los víveres todos,
comenzaron a andar errabundos en busca de presas,
bien un ave o un pez, lo que fuera y cayese en sus manos,
con anzuelos ganchudos, que el hambre roía sus vientres;

»Una vez me interné por la isla a rezar a los dioses
por ver si me mostraban la ruta de vuelta a mi patria.
Cuando me hube en la isla alejado de mis compañeros,
al abrigo del viento me puse a lavarme las manos
y oré a todos los dioses que habitan las salas olímpicas
y en mis ojos los dioses posaron dulcísimo sueño.
Y a mis hombres dio Euríloco entonces funesto consejo:

»—Aunque mucho sufrís, escuchad mis palabras, ¡oh ami-
toda clase de muerte es odiosa al mortal desdichado,   [gos!,
mas ninguna es tan mísera como la muerte por hambre.
Ved las vacas del Sol; elijamos las más excelentes,
y a los dioses que el cielo anchuroso poseen, ofrendémoslas.
Y si un día llegamos a Ítaca, a la tierra paterna,
al Sol, hijo de lo Alto, un buen templo erijamos entonces
y llevemos a él numerosas y bellas ofrendas;
y si aírase por esas vacas de cuernos erguidos
y destruye la nave y los dioses así lo consienten,
más prefiero morir de una vez por las ondas tragado
que acabar poco a poco mi vida en una isla desierta.

»Así Euríloco habló, y los demás aprobaron lo dicho
y de todas las vacas del Sol las más bellas tomaron;
que allí cerca, no lejos del buque de proa azulada,
se encontraban paciendo las vacas de grandes testuces,
y reuniéronse en torno y rezaron a todos los dioses;
tiernas hojas cogieron de un roble de altísima copa,
pues ya blanca cebada no había en la nave bancada,
y, hecha ya la oración, degollaron y despellejaron
a las reses, cortaron sus muslos, con grasa cubriéronlos
por un lado y por otro, y pusieron pedazos encima;
como no disponían de vino que echar sobre el fuego,
con el agua libaron en tanto se asaban las vísceras.
Ya quemados los muslos, probaron después las entrañas
y en pequeños pedazos cortaron el resto, espetándolos.

»De mis ojos entonces huyó aquel dulcísimo sueño
y emprendí mi regreso a la rápida nave y la orilla.
Y ya cerca me hallaba del buque de extremos curvados
cuando a mí llegó el dulce perfume de grasa quemada.
Y, gimiendo, clamé de este modo a los dioses eternos:

»—Padre Zeus, y vosotras dichosas deidades eternas,
por mi mal, con un sueño implacable me habéis adormido,
y entretanto mis hombres llevan a cabo un gran crimen.

»Mensajera veloz, la de peplo divino, Lampetia,
fue a contar al Sol, hijo de lo Alto, el fin de sus vacas.
Y él habló a los eternos, con el corazón airadísimo:

»—Padre Zeus, y vosotras dichosas deidades eternas,
castigad a los hombres de Odiseo, hijo de Laertes,
que de impía manera han matado a mis vacas, y en ellas
yo tenía alegría al subir hasta el cielo y los astros
y lo mismo al bajar de los cielos, de vuelta a la tierra.
Y si no se me da a cambio de ellas un digno desquite,
bajaré al Hades para ofrecerles la luz a los muertos.

»Y repúsole Zeus, el que nubes reúne, diciendo:

»—Sol, prosigue ofreciendo la luz a los dioses eternos
y a los hombres mortales que están en la tierra fecunda,
pues yo sobre su nave veloz lanzaré el rayo ardiente
y haré que sobre el ponto vinoso se rompa en pedazos.

»La de crespos cabellos, Calipso, me dijo estas cosas
que por Hermes, el buen mensajero, ella había sabido.

»Luego que hube llegado a la rápida nave y la orilla,
reproché, uno a uno, a mis hombres, la acción cometida.
Mas no había remedio, las vacas estaban ya muertas,
y muy pronto los dioses mostraron distintos prodigios:
serpeaban las pieles y en los espetones la carne,
cruda o no, remudiaba, y oíanse voces de vacas.

»Por seis días mis hombres leales allí celebraron
con las vacas más bellas robadas al Sol sus festines.
Pero cuando, por fin, Zeus Cronión trajo el séptimo día,
la violencia del viento cesó y su ulular de tormenta;
y embarcamos lanzando al anchísimo ponto la nave,
ya arbolada e izadas después las blanquísimas velas.

»Cuando atrás nos dejamos la isla y ya no se advertía
tierra alguna, sino solamente los cielos y el agua,
una nube oscurísima Zeus puso entonces encima
de la cóncava nave y el mar se llenó de tinieblas.
Poco ya navegamos, pues pronto sopló el estridente
Céfiro y en el mar levantó una espantosa tormenta
y la fuerza del viento rompió los dos cables del mástil
que se vino hacia atrás y arrastró el aparejo a la cala
y al caer sobre popa este mástil hirió en la cabeza
al piloto, y al golpe quedaron partidos sus huesos;
como quien se sumerge en el mar, se cayó del tablado
y su espíritu tan animoso escapó de sus huesos.
Provocó Zeus un trueno y lanzó en el navío su rayo,
y la chispa de Zeus hizo que nuestra nave escorase
apestosa de azufre, y mis hombres cayeron al agua
e iban como cornejas en torno del negro navío,

por las ondas movidos, y un dios los privó del regreso.
Me mantuve en la nave hasta que el oleaje deshizo
las cuadernas y sola la quilla flotó sobre el agua;
arrancado ya, el mástil flotaba cercano a la quilla,
arrastrando una driza de cuero de buey, muy bien hecha;
até mástil y quilla con ella y, sentándome en ambos,
a merced de los vientos dañosos dejé que flotasen.

»Cesó el soplo del Céfiro que la tormenta impulsaba,
y de pronto llegó el Noto, el cual me afligía en el ánimo,
pues de nuevo llevábase a la perniciosa Caribdis.
Transcurrió así la noche, y al alba me hallé otra vez ante
el Escollo de Escila, y me vi ante la horrenda Caribdis.
Absorbía las aguas saladas del mar, y yo entonces
me lancé al cabrahigo de un salto y en él me mantuve
agarrado con todas mis fuerzas, igual que un murciélago,
sin poder afirmar ni un momento los pies ni subirme
por él, pues las raíces estaban muy lejos, y en lo alto
gruesas ramas muy largas le daban su sombra a Caribdis.
Así estuve agarrado, esperando que le devolviese
palo y quilla a la mar, y por fin vomitó los maderos.
A la hora en que el juez se levanta en el ágora, luego
de fallar muchas causas de los que pleitean, dejáronse
ver allí los maderos por fin, fuera ya de Caribdis.
Desprendíme del árbol soltando los pies y las manos
y caí con gran ruido en el agua y di alcance a los leños;
me senté encima y luego me puse a remar con los brazos.
El que es padre de dioses y de hombres no quiso que Escila
me advirtiese; una muerte terrible me hubiera alcanzado.
Nueve días pasé así y al fin en la noche del décimo
me llevaron los dioses a la isla en que vive Calipso,
la de crespos cabellos, deidad poderosa que habla,
quien me dio acogimiento... Y ¿por qué continuar mi rela-
En la sala en que estamos ayer os conté lo que sigue, [to?
ante ti y ante tu noble esposa, y me causa fastidio
repetir una historia que está claramente explicada.

CANTO XIII

[Partida de Odiseo del país de los feacios]

Dijo así, y todos ellos guardaron profundo silencio,
y en la sala sombría arrobados estaban de oírle.
Pero entonces fue Alcinoo el que habló y, respondiéndole,
[dijo:

¡ llegaste, Odiseo, a mi casa de umbrales de bronce
y de techos tan altos, no creo que vagues más tiempo,
aunque sea tantísimo el daño que hasta hoy padeciste.
Y yo os digo y encargo a cada uno de todos vosotros,
los que aquí, en mi palacio, estáis siempre y el vino ardentí-
[simo
de los hombres ancianos bebéis y escucháis al aedo:
nuestro huésped ya tiene guardados en su arca pulida
los vestidos y el oro labrado y los otros presentes
que a mi casa trajéronle los consejeros feacios.
Cada uno a estas cosas sumemos un trípode grande
y un caldero, y mañana en el ágora hagamos que el pueblo
nos ayude: a uno solo es difícil hacer tales dones.

Dijo Alcinoo, y a todos gustó la propuesta que hizo,
y marcháronse todos después a acostarse en sus casas.

Al mostrarse en el día la Aurora de dedos de rosa,
a la nave en seguida partieron con bronces viriles.

Y también fue la Sacra Potencia de Alcinoo, y él mismo
bajo cada bancada dispuso los dones, de modo
que estorbar o dañar no pudieran allí a los remeros.
Y al palacio volvieron después a ocuparse del ágape.

E inmoló un buey a Zeus la Sagrada Potencia de Alcinoo,
al Cronión de las nubes sombrías que a todo gobierna,
y quemaron los muslos e hicieron un grave banquete
y escucharon en él al aedo divino Demódoco,
venerado por toda la gente. Y, en tanto, Odiseo
con frecuencia volvía los ojos al sol esplendente,
anhelando su ocaso, en la espera mortal de partirse.
Como anhela cenar el labriego que el día ha pasado
roturando una tierra noval con el sólido arado
y su yunta de bueyes oscuros y goza el ocaso
y al marcharse a cenar se le ponen temblonas las piernas,
Odiseo con júbilo igual vio que el sol se ponía.
Y al momento a los hombres feacios, los buenos remeros.
y especialmente a Alcinoo, les dijo con estas palabras:

—Rey Alcinoo, señor, ciudadano el más noble en tu pueblo,
hechas ya las ofrendas, sin daño despídeme, y todos
quedad con alegría. Se cumple lo que deseaba:
mi viaje y regalos, y quieran los dioses celestes
que me sean muy prósperos y halle en mi casa a mi esposa
y a los seres que quiero, y que todos a salvo se encuentren.
Y los que aquí quedáis sed el gozo de vuestras esposas
y también de los hijos, y os den mil venturas los dioses
y que nunca a este pueblo le ocurra desgracia ninguna.

Dijo así, y aplaudiéronlo todos y se aconsejaron
dar al huésped un guía, pues era juicioso en sus cosas.
Y al heraldo le dijo la Sacra Potencia de Alcinoo:

—Mezcla vino, Pontonoo, en la crátera y sírvelo a todos
los que están en la sala, y después de rezar a Zeus Padre
enviemos por fin a su tierra paterna a este huésped.

Así dijo, y Pontonoo mezcló y sirvió a todos un vino
como miel, ofreciéndolo a uno tras otro, y libaron,
desde el sitio en que estaban, a todos los dioses dichosos,
los señores del cielo sin fin y Odiseo divino
levantóse y la copa gemela dio a Arete en las manos
y, elevando la voz, pronunció estas palabras aladas:

—Sé tú siempre feliz, reina mía, entretanto a ti llegan
la vejez y la muerte, pues de ellas no hay nadie que escape.
Yo me voy; tú prosigue gozando de todo en tu casa
con tus hijos, tu pueblo y al lado del buen rey Alcinoo.

Dijo así, y Odiseo divino salió por la puerta,
y delante un heraldo que envió la Potencia de Alcinoo
para que lo guiase a la rápida nao y a la orilla.
Y, además, le envió Arete tres de sus siervas, llevando
una de ellas un manto muy bello y también una túnica,
otra un cofre precioso al que había de darle custodia;
pan y vino rojizo llevaba la sierva tercera.

Y una vez en la nao se encontraron y junto a la orilla,
de las cosas hiciéronse cargo los guías ilustres
y en el cóncavo buque embarcaron el vino y los víveres;
una manta y un lienzo tendieron a popa, de modo
que con ellos durmiera Odiseo con sueño profundo;
y él, guardando silencio, se puso a dormir en el lecho.

En los bancos, en orden, se fueron sentando los otros;
de la piedra horadada soltaron la amarra del buque
e, inclinándose, el mar azotaron moviendo los remos,
y en los párpados de él se posó un dulce sueño suave
y profundo que se parecía a una muerte tranquila.
Como en una cuadriga los cuatro caballos se lanzan
a correr por el campo azotados a golpes de látigo
y a galope tendido terminan así la carrera,
así el buque se alzaba de proa, y tras él levantábanse
agitadas las olas purpúreas del mar estruendoso.
Y no hubiera alcanzado la nave, tan recta y segura

navegaba, el veloz gavilán que es el ave más rápida.
Y las olas cortaba con gran rapidez navegando,
pues llevaba a un varón que en consejos a un dios parecíase,
que hasta entonces en su corazón padeció muchas penas,
ya luchando con héroes o sobre las ondas terribles,
mas ahora dormía tranquilo olvidando sus males.

Al salir la más fúlgida estrella, el lucero que anuncia,
al llegar el albor de la Aurora, la hija del día,
tocó entonces la nao surcadora del ponto la isla.
En las tierras de Ítaca se encuentra el puerto de Forcis,
el Anciano del Mar, y lo forman dos puntas abruptas
que convergen en medio del agua y protegen el puerto
de las olas que vientos de soplo funesto levantan;
dentro de él los bancados navíos de extremos curvados,
una vez fondeados, no emplean ningunas amarras.
Un olivo sus ramas extiende en el cabo del puerto
y muy cerca se encuentra una gruta agradable y oscura
consagrada a las Ninfas que tienen el nombre de Náyades[1].
Dentro encuéntranse cráteras y ánforas hechas de piedra,
en las que las abejas fabrican sus bellos panales.
Hay telares de piedra, muy largos, en los que las Ninfas
tejen mantos purpúreos que encantan con sólo mirarlos;
hay también manantiales. Y se entra a través de dos puer-
[tas:
una mira hacia el Bóreas y pueden cruzarla los hombres;
la otra mira hacia el Noto y es más divinal, pues por ella
los humanos no pasan, que está dedicada a los dioses.

A este puerto, que ya conocían, llegaron, y el buque
fue varado en la arena y el mar llegó a línea de agua,
¡tales eran los buenos remeros que la conducían!

Cuando hubieron saltado del buque bancado a la orilla
de la cóncava nave a Odiseo sacaron entonces
con la espléndida manta y la tela de lino en que estaba
y en la areja dejáronlo aún entregado a su sueño;

---

[1] *Náyades.* Estas ninfas marinas son, según Homero, hijas de Zeus.

y sacaron después los presentes que habíanle dado,
por la pródiga diosa Atenea, los nobles feacios,
y en montón los dejaron al pie del olivo frondoso,
del camino apartados, no fuera que algún caminante
cuando hallase a Odiseo durmiendo se hiciera con ellos.
Y se fueron después. Pero Aquel que sacude la Tierra
no olvidó la amenaza que desde un pricipio le hizo
a Odiseo divino, y a Zeus preguntó qué pensaba:

—¡Padre Zeus! No seré nunca honrado entre todos los dio-
inmortales, pues nadie me honra, ni aun los mortales, [ses
los feacios, que son de mi propio linaje y mi raza.
No dejé de saber que Odiseo, tras muchos trabajos,
llegaría a su patria, pues nunca he querido negarle
el regreso, pues lo prometiste con tu asentimiento.
Por el mar y dormido trajéronlo en rápida nave
y en Ítaca ya está y trae consigo regalos innúmeros:
bronce y oro abundantes y muchos vestidos tejidos
como nunca trajera de Troya si indemne volviera
junto con el botín que le hubiese allí correspondido.

Y repúsole Zeus, el que nubes reúne, diciendo:

—¡Oh Señor que sacudes la Tierra! ¿Qué cosa dijiste?
No hay desprecio en los dioses por ti, pues sería difícil
despreciar al más viejo y más noble de todos los dioses.
Pues si deja de honrarte un mortal que en sus fuerzas confía
y en su audacia, en tu mano está toda venganza posible.
Obra, pues, como quieras y como le agrade a tu ánimo.

Y repúsole así Poseidón, que la tierra sacude:

—¡Oh señor de las nubes sombrías! Ya hubiese hecho esto.
Mas me asusta tu enojo y procuro evitármelo siempre.
Pero al ver la magnífica nave feacia que parte
por las ondas sombrías, de vuelta, quisiera yo hundirla
para que en adelante no quieran llevar a los hombres,
y cubrir la ciudad con un monte que impida su vista.

Y repúsole Zeus, el que nubes reúne, diciendo:

—¡Oh amadísimo! Creo mejor lo que voy a decirte.
Cuando, desde el calcés a la quilla, en la villa se vea
cómo avanza el navío, muy cerca conviértelo en peña
que parezca una rápida nave y que a todos admire;
cubre así la ciudad con un monte que impida su vista.

Cuando oyó Poseidón, que sacude la Tierra, estas cosas,
se fue a Esqueria, a la tierra feacia, y allí se detuvo.

El navío que el ponto surcaba acercábase rápido,
y a su encuentro allí mismo salió el que sacude la Tierra,
lo cambió en un peñasco y le dio con la mano un gran golpe
para hacerlo arraigar en el suelo. Y se fue a otros lugares.

Mientras tanto, los hombres feacios de remos muy largos,
navegantes insignes, hablaban aladas palabras,
y entre sí se decían, mirándose unos a otros:

—¿Quién clavó sobre el mar a la rápida nave a su vuelta,
cuando ya del calcés a la quilla veíase toda?

Así hablaban, mas nadie sabía qué había ocurrido,
pero Alcinoo habló entonces a todos diciendo estas cosas:

—Ya se cumplen los viejos augurios que me hizo mi padre,
que solía decirme que el dios Poseidón nos odiaba
porque sanos y salvos a todos los hombres llevábamos,
y que un día, volviendo de cierto viaje, una bella
nao feacia hundiría en el ponto sombrío, y haría
ocultar la ciudad con un monte que impida su vista.
Esto hablaba el anciano, y el dios ya cumplió su designio,
mas ahora acatad las palabras que voy a deciros.
No llevemos a nadie mortal, sea el hombre que sea
el que llegue a esta tierra, y al dios Poseidón inmolemos
doce toros, los más excelentes, a ver si se apiada
y no da a la ciudad ese monte que impida su vista.

Dijo así, y se asustaron, y allí prepararon los toros.

[*Llegada a Ítaca*]

Mientras a Poseidón soberano elevaban sus preces
los caudillos y príncipes todos del pueblo feacio,
de pie en torno a su altar, Odiseo salió de su sueño
en su tierra paterna, y no supo que hallábase en ella
pues su ausencia duró mucho tiempo y velábalo Palas
Atenea, la hija de Zeus, con la niebla; quería
ocultarlo a la gente, y que todo por ella supiera:
que ni esposa, ni pueblo, ni amigos lo reconociesen,
sin que los pretendientes pagaran primero sus males.
Y por este motivo a los ojos del rey todo era
diferente: caminos y puertos de fácil fondeo
y la roca escarpada y el árbol cubierto de hojas.

Levantóse, y la tierra paterna sus ojos miraron
y se puso a llorar tristemente, golpeando sus muslos
con las manos abiertas, y dijo exhalando gemidos:

—¡Ay de mí! ¿En qué país de mortales me encuentro yo
                                              [ahora?
¿Será gente arrogante tal vez, o salvajes e injustos,
o quizá hospitalarios y tienen temor de los dioses?
¿Dónde tanta riqueza llevar? ¿Dónde ir, tan perdido?
¡Ojalá no me hubiese movido jamás de Feacia,
donde hubiera encontrado tal vez a otro rey generoso
que me hubiese acogido cordial y enviado a mi patria!
Y no sé dónde puedo guardar estas cosas, ni quiero
aquí mismo dejarlas, no sea que alguno las robe.
Así, pues, ni sensatos ni justos, ¡oh dioses!, han sido
los caudillos y nobles feacios, pues me han transportado
a un extraño país, y dijeron que a Ítaca enviaríanme,
al país que de lejos se ve, y no han cumplido lo dicho.
Zeus me vengue, el dios del que suplica, el que a todos vi-
y castigos impone a los hombres que faltas cometen. [gila

Pero quiero contar y mirar las riquezas que tengo,
que no sea lleváranse algo en la cóncava nave.

Esto dicho se puso a contar los bellísimos trípodes,
los calderos de oro y los bellos vestidos tejidos.
No echó nada de menos; no obstante, lloró por su patria,
arrastrándose por la ribera del mar estruendoso
y gimiendo. Y entonces, de pronto, acercóse Atenea
en figura de un joven pastor conductor de rebaños,
delicado, tal como los hijos de un rey suelen serlo.
Doble manto bellísimo sobre los hombros llevaba,
y sandalias sus nítidos pies y azagaya en la mano.
Y Odiseo sintió gozo al ver que a su encuentro acudía
y, elevando la voz, pronunció estas aladas palabras:

—Ya que tú, antes que nadie, apareces por estos lugares,
sé dichoso, ¡oh amigo! Ojalá tú me seas benévolo
y me salves los bienes y a mí, que te imploro lo mismo
que si fueras un dios y me postro a abrazar tus rodillas.
Mas contesta con sinceridad para que yo me entere:
¿qué país y qué pueblos son éstos, y qué hombres lo habitan?
¿Es acaso una isla que puede advertirse de lejos,
o la costa, que inclínase al mar, de un feraz continente?

Y repuso Atenea, la diosa de claras pupilas:

—Forastero, eres necio o procedes de tierras lejanas,
ya que por esta tierra preguntas; el nombre que tiene
no es oscuro por cierto, pues muchos su nombre conocen,
tanto los que se encuentran allí donde apunta la Aurora,
como los que se encuentran allí donde está el negro ocaso.
Es fragoso y no sirve el país para andar a caballo;
no es estéril del todo; no obstante, tampoco es muy grande,
mas produce abundancia de trigo y muchísimo vino,
no le falta la lluvia y tampoco el rocío fecundo;
para cabras y bueyes hay pastos muy buenos, y cría
toda clase de bosques y tiene aguaderos perennes.

Así el nombre de Ítaca, extranjero, ha llegado hasta Troya
que, según dicen, lejos está de las costas aqueas.

Dijo así, y el paciente y divino Odiseo alegróse,
y se holgó de tu tierra paterna, nombrada por Palas
Atenea, la hija de Zeus el que lleva la égida;
y, elevando la voz, pronunció estas palabras aladas,
ocultándole toda verdad con relatos fingidos,
pues tenía en su pecho el temor de cualquier asechanza.

—Ciertamente me hablaron de Ítaca en la anchísima Creta;
de allí lejos, allende el mar, vengo con estas riquezas;
a mis hijos dejé tantas otras y huyendo he llegado,
pues maté a Orsíloco, el hijo que tanto amó Idomeneo[2],
el de pies ligerísimos, quien, en la anchísima Creta,
no fue nunca, corriendo, vencido por hombre ninguno;
deseó arrebatarme el botín que traía de Troya,
cuando tantas fatigas había por él arrostrado
combatiendo con héroes, surcando las ondas terribles,
por no haber, según él, complacido a su padre, sirviéndole
en las tierras de Troya, pues yo acaudillaba a otros hombres.
Lo maté con la lanza broncínea y aguda una noche
que volvía del campo, emboscado con un compañero;
y la noche oscurísima el cielo cubría y ninguno
pudo vernos, y así, a escondidillas, logré darle muerte.
Cuando le hube quitado la vida con bronce agudísimo
me marché velozmente a una nave de ilustres fenicios
y, ofreciéndoles mucho botín, yo les hice una súplica.
Les pedí que lleváranme a Pilos[3] y allí me dejaran
o a la divina Élide[4] donde gobierna el epeo.
Pero, mal de su grado, logró la potencia del viento
distraerlos de ruta, pues no pretendían burlarme.
Errabundos pudimos llegar por la noche a esta orilla;
con fatiga estuvimos bogando hasta el puerto, y ninguno
en la cena pensó aun cuando todos teníamos hambre,

[2] *Idomeneo*. Cf. n. 16 al c. III.
[3] *Pilos*. Cf. n. 5 al c. II.
[4] *Élide*. Región N. O. del Peloponeso.

y, dejando la nave, en la playa a dormir nos tumbamos.
Mas, de estar tan cansado, me vino un dulcísimo sueño.
De la cóncava nao mis riquezas sacaron entonces
y dejáronlas luego en la arena en que estaba durmiendo;
para la populosa Sidón[5] nuevamente embarcaron
y con el corazón angustiado quedé en esta tierra.

Dijo así, y Atenea, la diosa de claras pupilas,
rió y lo acarició con la mano, y tomó la figura
de una hermosa mujer alta y diestra en excelsas labores,
y, elevando la voz, pronunció estas palabras aladas:

—Muy astuto y falaz ha de ser quien te lleve ventaja
en ardides, aun cuando dios sea el que salga a tu encuentro.
Temerario y artero, incansable en ardides, ¿no puedes
ni siquiera en tu patria dar fin a tamañas mentiras
ni a los falsos relatos que siempre han sido tu gozo?
Mas no se hable más de ello, pues somos los dos muy versa-
[dos
en astucias, pues si tú entre todos los hombres despuntas,
ya en consejos o hablando, yo, entre los dioses, destaco
en prudencia y astucia. Mas no conociste en mí a Palas
Atenea, la hija de Zeus, la que siempre a tu lado
está en todas las penas que pasas, y en ellas te asisto,
y yo hice que todas las gentes feacias te amasen.
He venido hasta aquí a darle forma contigo a un designio,
a esconder cuantos dones te hicieron los nobles feacios,
ya de vuelta a tu patria y por mi voluntad y consejo.
Te diré que tendrás que cumplir fatalmente trabajos
en tu excelsa morada, y preciso es que tú los soportes,
y ni a hombre o mujer, a ninguno, reveles que vienes
de regreso de tanta aventura; antes bien, en silencio
sufrirás muchos males; soporta la injuria del hombre.

Y repúsole entonces así el ingenioso Odiseo:

---

[5] *Sidón.* Famosa ciudad de la costa fenicia.

—Diosa, no te podrá conocer el mortal que te encuentre,
por muy sabio, que adoptas al fin la figura que quieres.
Yo bien sé que tú en todo momento me fuiste propicia
cuando a Troya los hombres aqueos la guerra llevamos.
Mas después que arruinamos la excelsa ciudad del rey
                                           [Príamo
y en las naves partimos y un dios dispersó a los aqueos,
no volví a verte, ¡oh hija de Zeus!, ni he advertido siquiera
que en mi nave estuvieses ahorrándome algún sufrimiento.
Siempre anduve, con el corazón destrozado en el pecho,
errabundo, hasta que algún consuelo los dioses me daban;
pero tú en la riquísima tierra feacia me diste,
al hablarme, consuelo, y allí a la ciudad me llevaste.
Por tu padre te ruego —pues dudo encontrarme en Ítaca
el país que de lejos se ve, sino en tierra distinta
al hablar de este modo, queriendo engañarme en mi áni-
de la mía, perdido, y supongo que quieres burlarte [mo—,
que me digas si es cierto que estoy en mi patria amadísima.

Y repuso Atenea, la diosa de claras pupilas:

—Se conserva en tu pecho un idéntico espíritu siempre.
Y yo nunca podré abandonarte en ninguna desgracia
puesto que eres afable y también perspicaz y sensato.
Otro que hubiese vuelto después de vagar tanto tiempo
volaría a su casa a buscar a sus hijos y esposa,
pero de ellos no quieres saber ni me haces preguntas
hasta que hayas probado a tu esposa, la cual todavía
permanece en tu casa, y para ella se van consumiendo
tristemente las noches y días, llorando sin tregua.
Yo jamás puse en duda, pues bien lo sabía, que un día
volverías habiendo, no obstante, perdido a tus hombres.
Pero con Poseidón, que es mi tío paterno, no quise
pelear, porque en su corazón te tenía coraje
por haberle cegado a su hijo amadísimo el ojo.
Mas te voy a mostrar, para que te convenzas, a Ítaca.
Mira, es éste el Anciano del Mar, es el puerto de Forcis;
aquel es el olivo frondoso del cabo del puerto

y muy cerca se encuentra la gruta agradable y amena
consagrada a las Ninfas que tienen el nombre de Náyades.
Allí está abovedada la gruta en la que tantas veces
a las Ninfas honraste con una hecatombe perfecta.
Esa cumbre es el Nérito, el monte cubierto de bosques.

Dijo así, y disipó la neblina y mostróse la tierra.
Y Odiseo paciente y divino sintió gran contento
y se holgó de su tierra y besó la campiña fecunda
y a las Ninfas se puso a invocar, levantando las manos.

—Ninfas, Náyades, hijas de Zeus, nunca hubiese creído
veros más. Pero ahora os saludo con tiernas plegarias,
y os haremos ofrendas lo mismo que hicimos ya antes
si propicia la hija de Zeus, la que impera en la guerra,
me permite vivir y ver cómo se forma mi hijo.

Y repuso Atenea, la diosa de claras pupilas:

—Ten valor, y esto no dé cuidado ninguno a tu ánimo.
Pero en una caverna divina ahora mismo guardemos
todas estas riquezas de modo que a salvo las tengas,
y estudiemos los dos de qué forma es mejor que procedas.

Dijo así, y penetró en la sombría caverna la diosa
y fue en busca de los escondrijos, y aprisa Odiseo
llevó todas las cosas, el oro y el bronce inmutable
y la ropa bien hecha que a él los feacios le dieron.
Y, ordenado ya todo, una piedra dispuso a la entrada
Atenea, la hija de Zeus portador de la égida.

Y sentáronse entrambos al pie del olivo sagrado
meditando la muerte de los pretendientes soberbios.
Y Atenea, la diosa de claras pupilas, le dijo:

—Laertíada, raza de Zeus, ingenioso Odiseo,
piensa en cómo asentarles la mano a esos hombres impúdicos
que desde hace tres años gobiernan tu casa, aspirando

a tu esposa divina y le ofrecen presentes de boda.
Pero ella, que en su ánimo anhela que vuelvas a casa,
da esperanzas a todos y a todos les hace promesas
enviando mensajes, mas piensa otras cosas su espíritu.

Y repúsole entonces así el ingenioso Odiseo:

—¡Ay! Sin duda iba yo a perecer en mi casa lo mismo
que con hado fatal pereció Agamenón el Atrida,
si tú, ¡oh diosa!, me hubieras callado las cosas que ocurren.
Mas tracemos un plan para que pueda de ellos vengarme,
y tú estáte a mi lado e infúndeme aliento y audacia
como cuando arrasamos las brillantes almenas de Troya.
Si con el mismo ardor, ¡oh deidad de pupilas clarísimas!,
me asistieras, aun con trescientos guerreros luchara,
mas contigo, ¡oh mi diosa!, si tú me apoyaras benévola.

Y repuso Atenea, la diosa de claras pupilas:

—A tu lado estaré y al alcance estarás de mi vista
cuando en ello actuemos, y espero que algunos de esos
pretendientes que están consumiendo tu hacienda y tus bie-
[nes
manchará con su sangre y sus sesos los suelos tan grandes.
Voy a hacerte de modo que nadie conozca quién eres,
haré que se marchite tu piel en tus miembros flexibles,
raeré en tu cabeza los blondos cabellos que tiene,
te pondré unos harapos que a quien te contemple horro-
[ricen;
pondré sarna en tus ojos que han sido hasta hoy tan her-
[mosos
de tal modo que a los pretendientes repugnes con ello,
para que tu mujer ni tu hijo adivinen quién eres.
Al porquero, al guardián de tus cerdos visita primero,
porque es hombre que en todo momento te fue muy adicto
y que adora a tu hijo y también a la sabia Penélope.
Lo hallarás vigilando a los cerdos que hocican muy cerca
de la Roca del Cuervo y del gran manantial de Aretusa,

belloteando sin darse descanso y bebiendo aguas turbias,
cosas que hacen crecer en los cerdos grosura lozana.
Quédate junto a él y, esperando, pregúntale cosas
mientras yo voy a Esparta, ciudad de mujeres bellísimas,
a llamar a Telémaco, tu hijo querido, Odiseo,
que fue a Lacedemonia a ver a Menelao, a enterarse
por la fama si estabas aún respirando en la tierra.

Y repúsole entonces así el ingenioso Odiseo:

—¿Por qué se lo callaste si tu corazón lo sabía?
¿Para que también él padeciera trabajos vagando
por la mar infecunda, y los otros comieran sus bienes?

Y repuso Atenea, la diosa de claras pupilas:

—No te debe causar inquietud lo que pueda ocurrirle.
Lo he guiado yo misma, pues quise que con el viaje
alcanzara la fama; no pasa trabajo ninguno;
bien está en la mansión del Atrida y le sobra de todo.
Es verdad que en un negro navío unos hombres lo acechan
para darle la muerte antes que esté de vuelta en su patria;
pero así no será; antes la tierra· caerá sobre algunos
pretendientes de los que devoran sin tasa tu hacienda.

Dijo así, y lo tocó con la vara la diosa Atenea.
Hizo que se secara su piel en sus miembros flexibles,
y después suprimió en su cabeza los blondos cabellos,
y los miembros del cuerpo cubrió con la piel del anciano,
puso sarna en sus ojos que fueron tan bellos entonces;
a los hombros le echó unos andrajos y luego una túnica
destrozada, mugrienta y perdida de manchas de humo,
y la piel de una cierva veloz, ya sin pelo y muy grande,
y un cayado le dio y un astroso zurrón lleno todo
de agujeros, que por bandolera tenía una cuerda.

Separáronse puestos de acuerdo, y a Lacedemonia,
la divina, fue donde el hijo de Odiseo se hallaba.

CANTO XIV

[Conversación de Odiseo con Eumeo]

Desde el puerto, por sitios selvosos, tomó áspera ruta,
entre algunas colinas, adonde le dijo Atenea
que hallaría al porquero, el cual era de todos los siervos
de Odiseo divino el que más por sus bienes miraba.
Y sentado lo halló ante la puerta de un bello chiquero
grande y bien construido, en un sitio de vista apacible,
alto y que rodearse podía; y el mismo porquero
lo hizo para los cerdos del rey que encontrábase ausente,
sin que de ello supieran el ama ni el viejo Laertes,
con molones, cercándolo todo de un seto espinoso;
puso fuera, de un lado a otro lado, una serie de estacas
muy espesas y juntas, cortadas del alma de un roble;
construyó luego doce pocilgas adentro, muy juntas,
dormideros de cerdas de cría, y en cada uno de ellos,
sobre el suelo, se echaban cincuenta marranas, y todas
parideras, y afuera los machos pasaban la noche,
y eran menos, pues los pretendientes divinos, su número,
al comerlos, menguaban, pues siempre el porquero enviába-
el mejor y más gordo de todos los cerdos que había;   [les
y trescientos sesenta era entonces el número de ellos.
Siempre hallábanse allí cuatro perros lo mismo que fieras
que el porquero crió, el mayoral de los mozos pastores.

A sus pies ajustábase entonces un par de sandalias
que cortaba del cuero de un buey, de color muy hermoso;
de los otros, tres fuéronse con las piaras errantes,
y él al cuarto lo había enviado a llevar a la villa
ese cerdo obligado que los pretendientes soberbios
inmolaban y luego con él su apetito saciaban.

Y de pronto a Odiseo advirtieron los perros ladrantes,
y, ladrando, lanzáronse a él, mas sentóse Odiseo
con astucia, y dejó que el cayado en el suelo cayera.
Tal vez junto a su establo un azar vergonzoso pasara
si no hubiese acudido veloz el porquero, apartándolos,
tan de prisa que el cuero teñido escapó de sus manos.
Dando voces y echándoles piedras logró que los perros
dispersáranse por la zahúrda y habló así a su amo:

—Por muy poco, ¡oh anciano!, mis perros te hubiesen al
[punto
destrozado, ¡y menuda vergüenza me hubiera causado!
Ya los dioses me dan ocasión de que sufra y suspire.
¡Mi divino señor! Yo por él me apesaro y me duelo
aquí, junto a estos cerdos cebados, y al fin para que otros
se los coman, y en tanto él quién sabe las hambres que pasa
por ciudades y pueblos de gentes de lengua extranjera,
y si vive y si miran sus ojos la luz que contenta.
Ven, no obstante, buen viejo y entremos en mi cabañuela
y cuando hayas con pan y con vino saciado tu ánimo,
me dirás en qué sitio naciste y qué penas te agobian.

Así dijo el divino porquero, y llevólo a su choza
y le hizo que entrara y después se sentase en el suelo
que cubrió con la piel de una cabra salvaje, muy grande,
muy vellosa y tupida, que hacía las veces de lecho.
Y contento Odiseo de ser acogido así, dijo:

—Zeus te dé, huésped mío, y todos los dioses eternos
todo lo que más quieras, ya que me acogiste benévolo.

Y tú entonces, Eumeo, el porquero, así respondiste:

—Huésped, yo, por muy pobre que sea quien venga, no
[suelo
despreciar a ninguno, pues todos, mendigos y huéspedes,
son de Zeus y no hay don tan pequeño que no se agradezca,
que así son nuestros dones, pues tienen los siervos el miedo
en el cuerpo metido, si el amo que manda es muy joven,
porque al mío los dioses le impiden volver a su casa,
y él, pues mucho me quiso, me hubiese ofrecido unos bie-
una casa, un pedazo de campo y esposa estimable,   [nes,
todo cuanto da un amo benévolo al siervo que tiene
cuando mucho por él trabajó y un dios hace que medre
la obra suya, tal como ha medrado el trabajo que llevo.
Me valiera de mucho mi dueño si aquí envejeciese,
mas murió ya. ¡Ojalá pereciera la estirpe de Helena,
totalmente, pues a tantos hombres quebró las rodillas!
También él se fue a Ilión, la ciudad de los bellos corceles,
y allí, por el honor del Atrida, luchó con los teucros.

Dijo, y presto con el ceñidor ajustóse la túnica,
y se fue a la pocilga en que estaba encerrada la piara
y volvió con dos cerdos a los que inmoló prestamente,
chamuscó, cuarteó y espetó en los espiches al punto.
Cuando estuvo ya asada la carne ofrecióla a Odiseo,
aún en los espetones, con polvo de harina blanquísima.
En su cuerno mezcló un vino dulce que miel parecía,
se sentó frente a él e, invitándolo, habló de este modo:

—Come, huésped, lechón del que está permitido a los siervos
porque los pretendientes devoran los cerdos cebados
sin piedad ni temor de que puedan vengarse los dioses.
A los dioses dichosos no agradan las obras perversas,
premian lo que es más justo y los actos sensatos del hombre.
Aun aquellos que invaden ajeno país, enemigos
y varones malvados, y Zeus el botín les permite,
y, repletas las naves, embarcan y a casa regresan,
también sienten temor de que en ellos se venguen los dioses.

Mas aquéllos, por boca de un dios han sabido qué muerte
lamentable ha tenido mi amo, y de justa manera
no hacen la petición ni se van a sus casas: tranquilos,
los bandidos nos van devorando sin tasa la hacienda.
Así todos los días y noches que Zeus nos envía,
y no una ni dos, sacrifican las reses que quieren
y bebiendo sin tino consumen el vino y lo agotan.
Era inmensa la hacienda del amo y no había en el negro
continente un señor que tuviera lo que él poseía,
ni en la isla siquiera, pues veinte señores reunidos
no tendrían sus bienes. Y voy a decírtelos todos.
Doce greyes de vacas en el continente; otras tantas
de corderos y doce piaras y doce cabriadas
que apacientan allí sus pastores y sus jornaleros.
Aquí tiene también once hatos de innúmeras cabras,
al extremo del campo, guardadas por buenos cabreros;
cada uno de ellos envía una res a diario,
la que a él le parece mejor, de sus cabras gordísimas.
Y yo guardo y protejo a estas cerdas de cría, y envío,
a diario también, el mejor de los cerdos que tengo.

Dijo así y Odiseo comía y bebía incansable,
silencioso y pensando en los males de los pretendientes.

Terminada la cena y repuesto con ella su ánimo,
el porquero llenóle de vino el tazón que él usaba.
Y él tomó con el ánimo alegre el tazón que ofrecíale,
y, elevando la voz, pronunció estas palabras aladas:

—¿Quién ha sido, ¡oh amigo!, aquel que te compró con sus
y era tan opulento y de tanto poder como cuentas? [bienes
Me dijiste que por el honor del Atrida había muerto.
Dime el nombre, quizá he conocido yo a un rey tan ilustre.
Pero Zeus y los dioses eternos sabrán si lo he visto,
y tal vez pueda darte noticias, que anduve muchísimo.

Y el porquero le habló, el mayoral de los mozos pastores:

—A ningún vagabundo, ¡oh anciano!, que traiga noticias
de mi amo, la esposa o su hijo darán ningún crédito,
pues aquellos que van errabundos y ayuda precisan,
trapalean a gusto y no suelen hablar francamente.
Vagabundo que al pueblo de Ítaca consigue acercarse,
en seguida va a ver a mi ama y le cuenta patrañas,
y ella, en cambio, lo acoge y regala y preguntas le hace
y se pone a llorar y su rostro se llena de lágrimas,
como llora la esposa al marido que ha muerto muy lejos.
También tú inventarías, ¡oh anciano!, un embuste, si un
y una túnica para cambiar tus vestidos te dieran.   [manto
Mas los perros y rápidas aves ya habrán separado
de sus huesos la piel, y su aliento vital habrá huido,
o en el mar lo han comido los peces, y yacen sus huesos
en la playa, y profundas arenas los cubren ahora.
Muerto está aquí o allí, y sus amigos muy tristes se quedan,
y yo más todavía porque tan benévolo dueño
no podré nunca más encontrar dondequiera que vaya,
aunque junto a mi padre y mi madre, a su casa, volviera,
allí donde nací y donde fueron criándome ellos.
Y no tanto por ellos suspiro, a pesar de lo mucho
que mis ojos quisieran hallarlos de nuevo en mi patria,
como ver a Odiseo romper una ausencia tan larga.
Ya ves, huésped, que, aun cuando no esté, yo respeto su
pues amábame mucho y en su corazón me tenía,   [nombre,
y le llamo mi hermano del alma por más que esté ausente.

Y Odiseo paciente y divino repúsole entonces:

—Veo, amigo, que todo lo niegas y estás muy seguro
de que no ha de volver y te sientes incrédulo el ánimo.
Mas te juro, y no es una invención lo que voy a decirte,
que Odiseo vendrá, y no me des las albricias en tanto
él no se halle de vuelta y se encuentre de nuevo en su casa;
sólo así habrás de darme tú el manto precioso y la túnica;
que antes no los tomara, a pesar de que los necesito,
porque igual que las puertas del Hades, me inspira un gran
aquel que, a su miseria cediendo, refiere patrañas.   [odio

Sea Zeus, el primer dios, testigo, y tu mesa que acoge,
y también la mansión de Odiseo a la que he llegado,
de que todas las cosas que digo tendrán que cumplirse:
en el año en que estamos tendréis a Odiseo aquí mismo;
cuando mengüe esta luna y veáis que la nueva comienza,
se hallará en su palacio tomando venganza de aquellos
que a ultrajar a su esposa y a su hijo preclaro se atreven.

Y tú entonces, Eumeo, el porquero, así respondiste:

—No soy yo quien habrá de pagar las albricias, ¡oh an-
y no creo que vuelva Odiseo. Mas bebe tranquilo   [ciano!,
y charlemos los dos y no quieras que piense estas cosas,
porque mi corazón se me llena de pena en el pcho
cada vez que alguien nombra ante mí a tan benévolo dueño.
Prescindamos de tal juramento y que vuelva Odiseo
como yo así lo quiero y también lo desea Penélope
y el anciano Laertes y el joven deiforme Telémaco.
Lloro por este niño, Telémaco, a quien mi amo Odiseo
engendró. Como un joven retoño los dioses criáronlo,
y pensé que jamás, y ya un hombre, entre todos sería
inferior a su padre, admirable en figura y belleza,
mas ignoro qué dios o qué hombre torció su buen juicio
y hacia Pilos divina se fue por noticias del padre
y ya los pretendientes altivos están al acecho
esperando que vuelva y hacer que en Ítaca y sin gloria
el linaje de Arcesio el deiforme se extinga del todo.
Mas dejémoslo, y ya capturado o a salvo se vea,
que sobre él tenga el hijo de Cronos su brazo extendido.
Mas veamos, anciano, refiéreme todas tus cuitas.
Cuéntame la verdad, pues deseo saber estas cosas.
Di quién eres, cuál es tu país, tu ciudad y tus padres.
¿En qué nave has venido? ¿De qué forma a Ítaca las gentes
de la mar te trajeron? ¿De qué tierra se vanaglorian?
Imagino que a pie no pudiste llegar a nosotros.

Y repúsole entonces así el ingenioso Odiseo:

—Sí, yo quiero contarte estas cosas con toda franqueza.
Si comida y dulcísimo vino tuviéramos para
mucho tiempo y en esta cabaña festines hiciéramos
y los otros cuidasen afuera de nuestros quehaceres,
fácilmente pasárase entonces el curso de un año
sin poder referir las angustias que en mi ánimo ha habido
porque, por voluntad de los dioses, sufrí graves penas.

«Por mi raza me precio de ser de la anchísima Creta,
hijo de un poderoso varón. Muchos más hijos tuvo
que crió en su palacio, legítimos todos, nacidos
de su esposa; mas una mujer que él compró fue mi madre;
pero Cástor Hilácida, el hombre de quien me glorío
de ser hijo, queríame igual que quería a los otros;
los cretenses le honraban lo mismo que a un dios por su di-
por sus grandes riquezas y sus meritísimos hijos.   [cha,
Pero cuando las Parcas funestas lleváronlo al Hades,
entre sí repartiéronse entonces sus hijos altivos
sus riquezas y echaron a suertes las partes que hicieron.
Poco fue lo que a mí me tocó al asignarme una casa.
Pero pude tomar una esposa de gentes muy ricas,
por mis méritos sólo, pues yo no era un ser despreciable
ni cobarde en la guerra. Mas, ¡ay!, qué lejano está todo.
Observando la paja sabrás cómo ha sido la espiga,
aunque por un inmenso infortunio me encuentre abrumado.
Ares me concedió y Atenea el valor y la audacia;
cuando, para tender emboscadas, había elegido
a mis hombres más bravos, pensando en el mal del contrario,
nunca mi corazón generoso pensaba en la muerte;
antes bien, era siempre el primero y mataba a lanzazos
al contrario que no me venciera en tener pies ligeros.
En la guerra era así. Y si no tenía afición por el campo
ni interés por la casa que cría ilustrísimos hijos,
sino sólo tener buenas naves dotadas de remos,
y batallas y dardos pulidos y flechas agudas,
cosas tristes que para los otros siniestras parezcan,
pero no para mí, que algún dios de este modo me hizo;
pues no todos le hallamos el gusto a los mismos trabajos.

Antes que los aqueos pisaran las tierras de Troya,
nueve veces conduje a mis hombres y naves aladas
contra gente extranjera, y ganaba muchísimo en ello;
yo tomaba primero las cosas mejores, y luego
las que a mí me tocaban, y pronto creció así mi casa,
y poder y respeto alcancé entre los hombres de Creta.
Cuando el longividente Zeus quiso el odioso viaje
que rompió las rodillas de tantos varones, entonces
a mí y a Idomeneo el glorioso nos dieron la orden
de llevar nuestras naves a Ilión, y no había manera
de negarse, por miedo a adquirir mala fama entre el pueblo.
Nueve años pasamos allí los aqueos luchando,
pero al décimo, y ya saqueada la villa de Príamo,
en las naves volvimos y un dios dispersó a los aqueos.
¡Ay! El próvido Zeus meditó contra mí grandes males.
De la esposa de mi juventud, de mis hijos y todas
mis riquezas gocé sólo un mes, porque luego mi ánimo
me incitó a navegar hacia Egipto, una vez preparados
mis navíos, llevando a mis hombres divinos en ellos.
Equipé nueve naves y pronto enrolé a mis marinos.
Con banquetes mis fieles amigos pasaron seis días,
y les proporcioné muchas víctimas para inmolarlas
a los dioses eternos y para sus propios banquetes.
Embarcamos al séptimo día y, partiendo de Creta,
navegamos al soplo potente de un próspero Bóreas,
al igual que por una corriente, y ni un solo navío
recibió daño alguno, y nosotros tranquilos estábamos,
pues el viento y pilotos hacían la ruta segura.
Cinco días después arribamos al río de Egipto,
el de bella corriente, y las naves curvadas varamos.
Y yo entonces a mis compañeros leales di orden
de que junto a las naves quedáranse y las custodiaran,
y envié a unos vigías a los altozanos cercanos.
Mas cediendo esta vez a su orgullo e impulso, mis hombres
devastaron al punto las bellas campiñas egipcias,
capturando a mujeres y niños, matando a los hombres.
Mas muy pronto llegó a la ciudad el clamor de los gritos.
Al oírlo, acudieron los hombres al filo del alba;

de soldados y carros de guerra y de bronce fulgente
se llenaron los campos, y Zeus, que con rayos deléitase,
envióles el miedo a mis hombres, y entonces ninguno
se atrevió a resistir, pues estaban cercados de males.
Con el bronce agudísimo a muchos allí nos mataron
y a los otros lleváronlos para ejercer sus quehaceres.
Pero a mí el propio Zeus una idea me puso en las mientes,
y ojalá hubiese muerto y cumplido mi suerte aquel día
en Egipto, pues muchas desgracias vinieron más tarde.
Despojé a mi cabeza del yelmo labrado, a mis hombros
del escudo, arrojé la azagaya y, vacías mis manos,
me lancé a los caballos del rey y ante él, posternándome,
le abracé las rodillas, y él tuvo piedad de mi suerte;
me hizo al carro subir y llevóme al palacio, llorando.
Cierto es que con lanzas de fresno atacáronme muchos
con afán de matarme, pues todos estaban furiosos,
pero el rey apartábalos siempre temiendo la cólera
de Zeus hospitalario, al que indignan las malas acciones.
Siete años allí me quedé acumulando riquezas
entre aquellos egipcios, pues todos me daban alguna.
Pero cuando el octavo año estaba empezando su curso,
presentóse un fenicio muy hábil en trapacerías,
que ya había causado a otros hombres muchísimos daños.
Se ingenió para que, convencido, con él me marchara
a Fenicia, allí donde tenía su casa y sus bienes.
Y allí estuve con él todo el ciclo completo de un año.
Cuando hubieron pasado los meses y días, y el ciclo
se cerró de este año y de nuevo volvió primavera,
con engaños llevóme a su nave con rumbo hacia Libia,
simulando que le ayudaría a llevar sus efectos,
pero allí por un precio cuantioso quería venderme.
Lo seguí con disgusto a su nave, aunque ya recelaba.
Navegamos al soplo potente de un próspero Bóreas
a la altura de Creta, y Zeus iba pensando perdernos.
Cuando atrás nos dejamos a Creta y ya no se advertía
tierra alguna, sino solamente los cielos y el agua,
una nube oscurísima Zeus puso entonces encima
de la cóncava nave, y el mar se llenó de tinieblas.

Desató Zeus un trueno y lanzó en el navío su rayo
y la chispa de Zeus hizo que nuestra nave escorase
apestosa de azufre, y los hombres cayeron al agua
e iban como cornejas en torno del negro navío,
por las ondas movidos, y un dios los privó del regreso.
Pero a mí el propio Zeus, a pesar del dolor de mi ánimo,
hizo que me viniera a las manos el mástil enorme
de la nave de proa azulada, queriendo salvarme,
y, abrazándome a él, fui juguete de pérfidos vientos.
Nueve días pasaron, y al décimo, en noche oscurísima,
un gran golpe de mar me lanzó sobre tierra tesprota.
Allí el héroe Fidón, que era el rey de los hombres tesprotos,
me acogió sin rescate, pues su hijo me había encontrado
cansadísimo y muerto de frío, y llevado a su casa;
me tomó de la mano y llevó a la mansión de su padre,
donde, para vestirme, me dieron el manto y la túnica.
Allí supe que el rey dio a Odiseo cordial acogida
cuando el héroe ya estaba dispuesto a partir a su patria;
me mostró las riquezas que había reunido Odiseo,
y eran todas de bronce y de oro y de hierro labrado;
y diez generaciones podrían vivir de todo ello,
ital tesoro me dijo que había partido a Dodona[1],
pues quería pedirle consejo al gran roble divino
de Zeus, sobre si franca o bien tácitamente debía
regresar a su Ítaca de donde faltó tanto tiempo.
Y juró en mi presencia, al libar como adiós en su casa,
que ya habían lanzado la nave a la mar y se hallaban
preparados los que deberían llevarlo a su patria.
Mas a mí despidióme el primero, pues, rumbo a Duliquio[2],
la triguera, partía ese día una nave tesprota.
Dijo que al rey Acasto, y velando por mí, me llevaran,
para ellos tomaron entonces perversos acuerdos
para que nuevamente cayera en terribles desgracias.
Cuando estuvo alejada de tierra la rápida nave,
me otorgaron el día en que había de ser un esclavo:

---

[1] *Dodona.* Ciudad del Epiro, célebre por su oráculo de Zeus Tonante, que
habita en el *roble.*
[2] *Duliquio.* Cf. n. 12 al c. I.

me privaron de todo vestido, del manto y la túniça,
me vistieron con estos harapos y túnica, llenos
de agujeros, que ahora tus ojos contemplan, y a Ítaca,
la que desde muy lejos se ve, por la tarde llegamos.
En la nave bancada me ataron entonces con sogas
retorcidas y nudos muy fuertes y a tierra saltaron
presurosos y al borde del mar prepararon la cena.
Mas de fácil manera los dioses soltaron mis nudos;
me lié a la cabeza estos pingos y fui deslizándome
por el liso timón y en el mar me tendí sobre el pecho
y me puse a nadar velozmente moviendo las manos
y muy pronto me hallé lejos, donde no ser alcanzado.
De las olas salí y me encontré entre floridas algaidas
y en el suelo me eché, y los veía moverse gritando,
mas la búsqueda no les debió parecer ventajosa,
puesto que regresaron al punto a la cóncava nave,
y los dioses que tan fácilmente me habían celado
a la choza de un justo varón como tú me han traído
porque el hado pretende que sea más larga mi vida.

Y tú entonces, Eumeo, el porquero, así respondiste:

—¡Ah, infeliz forastero! Hondamente conmueves mi ánimo
relatándome tan dolorosa y tan larga aventura.
Mas no creo que hablaste como debías de Odiseo,
ni podrás convencerme. ¿Por qué, siendo tú lo que eres,
te obligaste a mentir? Sé muy bien a qué debo atenerme
en cuanto a su vuelta. Debió ser tan odioso a los dioses,
que no desearon muriese en los campos de Troya,
rodeado de amigos y ya terminada la guerra.
y una gloria infinita le hubiera legado a su hijo.
Ahora, por las Harpías[3] llevado, descansa sin gloria.
Con mis cerdos yo vivo apartado y no voy a la villa
nunca, excepto si me hace llamar la prudente Penélope
cuando envíanle alguna noticia de un sitio cualquiera.
Junto al recién llegado se sientan y le hacen preguntas,
sean los que se duelen de aquel que hace tanto está ausente,

[3] *Harpías.* Cf. n. 11 al c. II.

sean los que deléitanse al ir devorando sus bienes.
A mí ya no me gusta indagar ni ir haciendo preguntas
desde que me engañó un hombre etolio contando patrañas.
Acusado de un crimen anduvo por muchos lugares
y llegó a mi morada y aquí lo traté amablemente.
Dijo que en Creta habíalo visto con Idomeneo,
carenando las naves que las tempestades dañaron.
Dijo que llegaría durante el estío u otoño
con muy grandes tesoros y con sus guerreros divinos.
Y tú, anciano, que tanto sufriste, si un dios te ha traído,
no desees congraciarte halagándome con falsedades,
pues ni amor ni respeto de mí alcanzarás de este modo,
sino por el temor de Zeus y la piedad que me causas.

Y repúsole entonces así el ingenioso Odiseo:

—Ciertamente es incrédulo el ánimo que hay en tu pecho;
ni jurando logré convencerte ni que me creyeras.
Mas hagamos un pacto y pongamos a todos los dioses
que el Olimpo poseen por testigos de nuestro convenio.
Si tu dueño regresa a esta casa, tú habrás de entregarme
una túnica y manto y tendrás que enviarme a Duliquio,
el lugar donde mi corazón encontrarse desea,
mas si no regresara, tal como su vuelta te anuncio,
di a tus hombres que desde la Roca Elevada me lancen
para que los demás mendicantes no vengan con trápalas.

Y el divino porquero repuso con estas palabras:

—¡Buena fama obtendría, extranjero, y un mérito grande
entre todas las gentes, hoy mismo y los días que vengan,
si después de traerte a mi choza, y habiéndote dado
los presentes del huésped, ordeno quitarte la vida!
¿Cómo a Zeus el Cronida podría elevar mis plegarias?
Hora es ya de cenar. Desearía que pronto mis hombres
regresaran para preparar una cena sabrosa.

Mientras ellos seguían charlando de cosas como éstas,
los porqueros llegaron trayendo a los cerdos consigo,
y a las cerdas de cría metieron en las cochiqueras,
y un inmenso gruñido surgió de las grandes pocilgas.

[*En el campo*]

Y el divino porquero llamó a sus gañanes entonces:

—En honor de este huésped que viene de lejos matemos
el mejor de los cerdos, y todos con él regalémonos;
hace tiempo bregamos con cerdos de blancos colmillos
mientras otros se comen el fruto de nuestros afanes.

Así dijo, y con bronce implacable se puso a hacer leña
mientras los porquerizos llevaban un cerdo grandísimo
cincoañal, que dejaron al lado del lar, y el porquero
no olvidó a los Eternos, pues era de buenos sentires;
ofreció las primicias echando en el fuego unas cerdas
de la frente del puerco de blancos colmillos, rogando
a los dioses la vuelta al hogar del prudente Odiseo.
Levantó luego el brazo e hirió, con un tronco de encina
que apartó de la leña, al verraco y cayó éste sin vida.
Degolláronlo y lo chamuscaron e hicieron pedazos,
y el porquero, con grasa abundante, envolvió trozos crudos
y los puso en el fuego, rociados con polvo de harina.
En pedazos pequeños clavaron el resto en espiches,
y, ya asados con sumo cuidado, apartaron del fuego
y en la mesa dejaron. Y al fin, levantándose, Eumeo
hizo partes de todo, pues era de mente muy justa.
Preparó luego siete porciones reuniendo los trozos.
Ofreció una invocando a las Ninfas y al hijo de Maya,
Hermes, y repartió a cada uno las otras porciones,
y del cerdo de blancos colmillos dio el lomo a Odiseo
y el honor de este obsequio alegró el corazón de su amo.

Y, elevando la voz, le habló así el ingenioso Odiseo:

—Que Zeus Padre te tenga, oh Eumeo, el amor que te
[tengo,
pues, no obstante mi estado, me honras con dones como éste.

Y tú entonces, Eumeo, el porquero, así respondiste:

—Come, huésped cuitado, y disfruta de cuanto aquí tienes,
puesto que dan o niegan los dioses según les complace
en el ánimo hacerlo, pues pueden lograr toda cosa.

Dijo así, y ofreció las primicias a los inmortales,
y cuando hubo libado con vino de fuego, la copa
a Odiseo, azote de Troya, le dio y sentóse a su lado.
Y Mesaulio sirvióles el pan; era un hombre que había
adquirido el porquero durante la ausencia del amo,
sin que de ello supieran el ama, ni el viejo Laertes,
y lo pudo pagar con sus bienes comprándolo a un tafio.
Y ellos fueron tendiendo la mano a las cosas servidas.

Cuando todos hubieron el hambre y la sed satisfecho
retiró el pan Mesaulio, y ya ahítos de carne y de vino,
a acostarse por fin presurosos se fueron los hombres.

Sobrevino una noche cerrada, sin luna, y sin tregua
Zeus hacía llover, y sopló, portador de agua, el Céfiro.
Y Odiseo habló para probar esta vez al porquero,
por ver si, para dárselo a él, quitaríase el manto,
o, pensando en sí mismo, a un pastor pediríale el suyo:

—Escuchadme ahora todos vosotros, Eumeo y gañanes.
Os diré unas palabras gloriándome: el vino me incita,
ese loco, que induce, por gran sensatez que se tenga,
a cantar, a bailar y a reír a mandíbula abierta
y decir muchas cosas que más conviniera callarlas.
Pero ya que empecé por hablar hablaré sin rebozo.
¡Ojalá yo gozara de mi juventud y mi fuerza
como cuando a los muros de Ilión la emboscada llevamos!
Era un jefe Odiseo, y también Menelao el Atrida,

y era yo el tercer jefe, que así dispusieron las cosas.
Cerca de la ciudad, y ya al pie del altísimo muro,
nos tendimos en medio de unos espesos matojos
entre el cañaveral y el pantano, y, encima, las armas.
Sobrevino una noche cerrada y glacial, pues el Bóreas
levantóse, y caía una nieve menuda y muy fría,
como escarcha, que helábase encima de nuestros escudos.
Los demás, todos ellos, tenían su manto y su túnica
y dormían tranquilos cubriéndose con los escudos;
como un tonto, yo había entregado mi manto a mis hom-
                                                    [bres,
pues no había supuesto que hubiese de hacer tanto frío,
y eché a andar con, tan sólo, el escudo y la cota brillante.
Al llegar a su tercio la noche, al menguar de los astros,
di un codazo a Odiseo, que estaba durmiendo a mi lado,
y le hablé y me prestó su atención cordialmente escuchán-
                                                    [dome:

«—Laertíada, casta de Zeus, ingenioso Odiseo,
poco habré de vivir, pues no puedo aguantar este frío
y carezco de manto; algún dios me engañó de manera
que viniese con túnica sólo, y no veo el remedio.

»Dije así, y en seguida acertó con la idea: escuchadla.
¡Qué hombre aquel para dar un consejo y batirse en la
                                                    [guerra!
Quedamente me habló y pronunció las siguientes palabras:

»—¡Cállate, algún aqueo podría escuchar lo que dices!

»Se apoyó sobre el codo y alzó la cabeza, y nos dijo:

»—Compañeros, un sueño divino he tenido durmiendo.
De las naves estamos muy lejos; debiera ir alguno
a ver a Agamenón el Atrida, el pastor de los hombres,
y pedirle que envíe guerreros de junto a las naves.

»Dijo, y Toas, el hijo de Andremón, con gran diligencia,
levantóse, tiró sobre el suelo su manto purpúreo

y corrió hacia las naves, y yo me arropé con su manto,
muy contento, y al punto la Aurora salió en su áureo trono.
¡Ojalá yo gozara de mi juventud y mi fuerza!,
porque alguno de los porquerizos su manto daríame,
tanto por amistad como por reverencia a un valiente.
Mas les causo desprecio con estos harapos que visto.»

Y tú entonces, Eumeo, el porquero, así respondiste:

—Ingenioso es, ¡oh anciano!, el relato que acabas de ha-
[cerme;
nada has dicho que nos pareciera ya torpe o ya inútil.
No podrás carecer de vestidos ni de cosa alguna
de las que el infeliz suplicante que acude precisa,
pero al alba, otra vez, tendrás que sacudir tus harapos,
pues aquí no tenemos ni mantos ni túnicas, ropas
como para cambiarnos; la nuestra llevamos encima.
Pero aguarda a que venga el amado hijo de Odiseo;
te dará manto y túnica para que puedas vestirte
y te hará conducir donde quiera tu gusto y tu ánimo.

Dijo, y se levantó y puso cerca del fuego un buen lecho
que arregló amontonando unas pieles de ovejas y cabras.
Se acostó allí Odiseo, y un manto le echó el porquerizo,
muy cumplido y tupido que para sí mismo guardaba,
para el día en que le sorprendía una fuerte tormenta.

Odiseo se puso a dormir, y también a su lado
los gañanes se echaron; no obstante, el porquero no quiso
prepararse allí el lecho y dormir con los cerdos tan lejos,
y para irse se armó, y Odiseo estuvo contento
de que así le cuidara la hacienda, encontrándose ausente.

Y él colgó de sus hombros robustos la espada agudísima,
envolvióse en un manto de abrigo de tela muy gruesa,
y, cogiendo la piel de una cabra muy grande y nutrida
y el agudo venablo, en defensa de perros y de hombres,
fue a acostarse allí donde yacían los cerdos de blancos
dientes, bajo la Roca Vacía, al abrigo del Bóreas.

CANTO XV

[El retorno de Telémaco]

Entretanto, Atenea, a los valles de Lacedemonia,
fue a buscar al ilustre hijo del muy magnánimo Ulises,
para hacerle pensar en la vuelta y hacer que partiese.
Y a Telémaco halló junto al hijo preclaro de Néstor
en la casa del rey Menelao, y durmiendo en el porche.
Entregado a un suavísimo sueño dormía el Nestórida,
mas Telémaco en claro pasaba las horas y estaba
desvelado en la noche inmortal sin saber de su padre.
Y habló junto a su lecho Atenea la de claros ojos:

—Mucho tiempo alejado de casa estuviste, Telémaco,
descuidando tu hacienda y dejando a unos hombres sober-
en tu casa; ¡que no se repartan tus bienes y todos   [bios
se los coman y en vano resulte el viaje que has hecho!
Del audaz Menelao solicita que, lo antes posible,
te permita marchar a reunirse en tu hogar con tu madre.
Hace tiempo su padre y su hermano desean casarla
con Eurímaco, el cual ha vencido, pujando, a los otros
pretendientes, con todos sus dones que aumenta a diario.
¡Que algún bien, contra tu voluntad, no te saquen de casa!
Sabes qué corazón la mujer guarda dentro del pecho:
lo que quiere es servir al hogar del que casa con ella,
y no hay hijos primeros ni esposo que tuvo de virgen
si él murió; ni se acuerda o pregunta siquiera por ellos.

Vuelve, pues, y pon todo lo tuyo en las manos de una
servidora, la que mayor celo demuestre en servirte,
hasta que las deidades te den una ilustre consorte.
Y otra cosa te voy a decir y en tu pecho consérvala:
entre los pretendientes, los más principales te acechan
entre Ítaca y la aspérrima Samos, espiando el estrecho,
porque quieren matarte antes de que a tu patria regreses,
mas supongo que no será así, sin que caiga la tierra
sobre alguno de los pretendientes que agotan tu hacienda.
Así, pues, de las islas aleja tu armónica nave
y navega de noche y tendrás una próspera brisa
que enviará el dios que vela por ti y te defiende de todo.
Cuando arribes por fin al primer promontorio de Ítaca
enviarás a la villa a la nave y a todos tus hombres,
pero tú deberás visitar en seguida al porquero
que tus cerdos vigila y por ti siente afecto entrañable.
Quédate allí la noche y envíalo al punto a la villa
para que a la discreta Penélope dé la noticia
de que estás sano y salvo y que al fin regresaste de Pilos.

Así dijo, y la diosa partió a las olímpicas cumbres.

De su sueño suave después despertó él al Nestórida,
dándole con el pie, y pronunció las siguientes palabras:

—¡Oh Pisístrato, hijo de Néstor! Engancha a tu carro
los corceles de cascos potentes y al punto partamos.

Y, mirándolo, el hijo de Néstor, Pisístrato, dijo:

—Imposible es, Telémaco, aun cuando te apremie el viaje,
conducir los caballos de noche. La Aurora está próxima.
Pero aguarda a que traiga sus dones y al carro los lleve
Menelao el Atrida, el señor de la lanza famosa,
y de ti se despida diciendo benignas palabras.
Porque un huésped, en todo momento, recuerda al que, un
lo acogió hospitalario y le dio su amistad recibiéndolo.   [día,

Dijo, y vino al momento la Aurora en su trono de oro.
Y el audaz Menelao a su encuentro acudió, pues se había
levantado del lecho de Helena de crespos cabellos.

Cuando el hijo amado de Odiseo vio allí al soberano,
velozmente su cuerpo cubrió con la espléndida túnica,
echó sobre sus hombros fornidos su manto magnífico
y acudió a recibirlo en el patio, y Telémaco, el hijo
del noble Odiseo, le habló de este modo, diciendo:

—Menelao, el Atrida, ¡oh alumno de Zeus y caudillo!,
déjame que ahora mismo me vaya a mi tierra paterna,
pues ya siento deseos de estar otra vez en mi casa.

Y repúsole así Menelao, el de grito potente:

—No seré yo, Telémaco, quien te retenga más tiempo,
si deseas marcharte; lo mismo aborrezco al que acoge
con exceso de amor a su huésped, como el que lo trata
con frialdad excesiva; prefiero los términos justos,
y procede tan mal el que apremia a partir a su huésped,
si se quiere quedar, como el que lo retiene a la fuerza.
Acogerlo es de ley si se queda, y si no, despedirlo.
Pero aguarda a que todos mis dones coloque en el carro
—unos bellos presentes tus ojos verán— y que ordene
que, de cuanto hay en casa, las siervas preparen comida.
Honra, gloria y provecho a la vez es que coman los huéspe-
antes de que a través de la tierra infinita caminen.   [des
Dime si quieres ir por la Hélade y centro de Argos
para que te acompañe yo mismo; unciré los corceles,
te guiaré de ciudad en ciudad y no habrá quien pretenda
que partamos sin nada; antes bien, nos irán dando cosas,
ya un broncíneo y magnífico trípode, acaso un caldero,
o quizá un par de mulos o aun una copa de oro.

Y, prudente, repuso Telémaco de esta manera:

—Menelao el Atrida, ¡oh alumno de Zeus y caudillo!,
quiero irme en seguida a mi casa, que a nadie he dejado
la custodia de todos los bienes que en ella poseo,
que al buscar a mi padre divino no arriesgue mi pérdida
o me arriesgue a perder en mi casa algún rico tesoro.

Al oír Menelao, el de grito potente, estas cosas,
en seguida ordenó a su mujer y asimismo a sus siervas
preparasen comida con cuanto en la casa tuviesen.
Eteoneo Beotida acudió en ese instante; acababa
de saltar de su lecho y muy cerca su casa tenía.
Menelao, el de grito potente, ordenóle que el fuego
encendiera y asara la carne, y al punto lo hizo.
Menelao descendió al perfumado salón del tesoro,
mas no solo: con él iba Helena, y también Megapentes.

Cuando hubieron llegado al lugar donde estaban las joyas,
el Atrida tomó allí una copa con asas gemelas
y ordenó a Megapentes, su hijo, que al punto trajese
una crátera argéntea, y Helena acercóse a las cajas
en que estaban los peplos que habían bordado sus manos.
La divina entre todas, Helena, eligió el más cumplido
y de más delicados bordados, y todo él brillaba
como un astro, y estaba debajo de todos los peplos.

Por la casa anduvieron de nuevo y reuniéronse al cabo
con Telémaco; habló Menelao, el de rubios cabellos:

—¡Ojalá Zeus tonante, el esposo de Hera, oh Telémaco,
te conceda el viaje tal como desea tu ánimo!
De las cosas que yo en mi palacio conservo guardadas
te dará la más bella de todas y más estimable,
pues deseo ofrecerte una crátera toda labrada;
es de plata y adorna sus bordes un vivo de oro.
Obra es del artífice Hefestos y me la dio Fédimo,
héroe y rey de sidonios, el día que estuve en su casa
al volver a la mía. Y es éste el presente que te hago.

Dijo, y puso en sus manos la copa con asas gemelas
el atrida, y llevóle la espléndida crátera el fuerte
Megapentes, y ante él la dejó y era toda de plata.
Y hacia él avanzó la de hermosas mejillas, Helena,
sosteniendo en las manos el peplo y le habló de este modo:

—Yo también, hijo mío, un regalo quisiera ofrecerte
y con él un recuerdo tendrás de las manos de Helena,
que tu esposa lo lleve en sus nupcias, y en tanto, tu madre
lo conserve en tu casa. Y ahora de ti me despido:
vuelve alegre a tu bien construido palacio y tu patria.

Y lo puso en sus manos, y él tuvo alegría al tomarlo.
Y Pisístrato, el héroe, tomó los presentes y púsolos
en la cesta del carro y sintió admiración en su ánimo.

Los llevó a su mansión Menelao, el de rubios cabellos,
y, ya en ella, en sitiales y sillas sentáronse todos.
Con un áureo y bellísimo jarro una joven doncella
les vertió el aguamanos en una jofaina de plata
y ante ellos dispuso una mesa pulida, y la grave
despensera llevóles el pan y sirvió los manjares
y sirvióles, contenta, de cuanto tenía guardado.
El Boetoida cortaba la carne y servía los trozos
y el copero era el hijo del gran Menelao el glorioso.
Y ellos fueron tendiendo la mano a las cosas servidas.

Cuando ya de comer y beber estuvieron saciados,
con Telémaco el hijo preclaro de Néstor fue entonces
a enganchar los caballos, y al carro pintado subieron
y a través del vestíbulo y porche sonoro guiáronlo.
Y, detrás, Menelao el Atrida, el de rubios cabellos,
en la diestra llevaba una copa de oro, con vino
como miel, para que, como adiós, antes de irse libaran.
Y ante el carro, de pie, les habló presentando la copa:

—Salud, jóvenes, y mis saludos llevadlos a Néstor,
el caudillo que fue para mí como un padre benigno
siempre que los aqueos en Troya estuvimos luchando.

Y, prudente, repuso Telémaco de esta manera:

—Descendiente de Zeus, todo cuanto a nosotros nos dices,
cuando hayamos llegado, en seguida diremos a Néstor.
¡Y ojalá que al estar nuevamente de vuelta, en Ítaca
pueda hallar a Odiseo esta vez en su casa y contarle
con qué amor me acogiste y qué grandes regalos me has
[hecho!

Así dijo, y voló a su derecha, sobre ellos, un águila
que llevaba prendido en sus garras un ánsar doméstico,
blanco y grande, de alguna avería, y gritaban siguiéndola
las mujeres y hombres, y estando muy cerca de ellos
trasvoló a la derecha y pasó por delante del carro.

Alegráronse todos, sintiendo gozosos los ánimos,
y Pisístrato, el hijo de Néstor, habló de esta forma:

—Piensa tú, Menelao, ¡oh criatura de Zeus y caudillo!,
si este signo a nosotros o a ti nos envían los cielos.

Así dijo, y pensó Menelao, el valiente guerrero,
qué respuesta sería quizá conveniente que diese,
pero se adelantó la de peplo holgadísimo, Helena:

—Escuchadme, pues voy a deciros a todos mi augurio
como dentro de mi corazón me lo inspiran los dioses.
Como el águila desde la cumbre en la cual ha nacido
y anidado, ha venido a robarnos un ánsar doméstico,
Odiseo, después de sufrir y vagar mucho tiempo,
volverá a su palacio a vengarse, y tal vez a estas horas
ya esté en él y entre los pretendientes desdichas reparta.

Y, prudente, repuso Telémaco de esta manera:

—¡Ojalá Zeus tonante, el esposo de Hera, lo cumpla,
y allí, como a una diosa, a diario te haré mis plegarias!

Dijo así, y fustigó a los corceles, los cuales, fogosos,
arrancaron y por la ciudad se lanzaron al campo.
Todo el día agitaron el yugo que el cuello ceñíales.
Y ocultóse ya el sol y la sombra veló los caminos.
Y llegaron a Feres[1], al fin, a la casa de Diocles,
que era el hijo de Orsíloco, el niño al que Alfeo dio origen.
Noche hicieron allí porque Diocles les dio acogimiento.

Al mostrarse en el día la Aurora de dedos de rosa,
otra vez los corceles uncieron al carro pintado,
y volvieron a éste, y el atrio y el porche sonoro
con el carro y caballos cruzaron que, alegres, voláronse.
Prontamente al alcázar abrupto de Pilos llegaron,
y Telémaco al hijo de Néstor, entonces le dijo:

—¿Me prometes, ¡oh hijo de Néstor!, seguir mis consejos?
Nos gloriamos de ser para siempre los dos mutuos huéspe-
son amigos tu padre y el mío, y mi edad es la tuya,   [des;
y será este viaje razón de estrechar nuestros lazos.
Llévame, descendiente de Zeus, a mi nao, a la playa;
contra mi voluntad no deseo que, por acogerme,
me demore en su casa el anciano, pues ando con prisa.

Así dijo, y en su ánimo estuvo pensando el Nestórida
de qué modo mejor lograría cumplir su promesa.
Y, después de pensarlo, creyó conveniente hacer esto:
los caballos guió hasta la rápida nave y la playa
y al castillo de popa llevó los hermosos presentes,
todo cuanto les dio Menelao, los vestidos y el oro,
y a Telémaco dijo con estas aladas palabras:

—Corre, pues, a embarcarte y ordena que lo hagan tus hom-
antes de que a mi casa regrese y lo sepa el anciano.   [bres,
Pues mi espíritu sabe y presiente asimismo mi ánimo
que con su corazón tan vehemente querrá que te quedes
y aquí mismo a invitarte vendrá, y te aseguro que entonces
de vacío no regresará. ¡Cómo vas a irritarlo!

[1] *Feres, Diocles, Orsíloco.* Cf. n. 22 al c. III.

Dijo así, y dirigió los caballos de crines espléndidas
a la villa de Pilos y pronto se halló en su palacio.

Y, apremiando a su gente, Telémaco entonces dio órdenes:

—Poned los aparejos al negro navío, ¡oh amigos!;
embarquemos en él y el viaje emprendamos al punto.

Así dijo, y sus hombres cumplieron las órdenes dadas,
embarcaron al punto y tomaron asiento en los bancos.

Mientras él se encontraba en la parte de popa ofreciendo
y rogando a Atenea, hasta ellos llegó un extranjero
de muy lejos, huido de Argos por un homicidio;
era augur y, además, del linaje del propio Melampo[2].
Éste estuvo ya en Pilos, la tierra criadora de ovejas,
y allí fue un hombre rico y vivió en una casa magnífica.
Mas se fue a otro país porque tuvo que huir de su patria
y del noble Neleo[3], el más bueno de todos los hombres,
que, a la fuerza, retuvo durante el transcurso de un año
sus riquezas. Hallábase entonces en casa de Fílaco[4]
arrastrando cadenas, sufriendo terribles tormentos
por la grave locura que, para lograr a la hija
de Neleo, en él puso una diosa terrible, la Erinias[5].
Pero al fin se libró de la Parca, y de Fílace a Pilos
con las vacas mugientes se fue y se vengó del abuso
del divino Neleo, y después de llevar a su casa
la mujer destinada al hermano, marchóse a otro pueblo,
a Argos la yegüeriza, allí donde dispúsole el hado

[2] *Melampo.* Lit. el nombre significa «hombre de pies negros» porque
cuando nació, el Sol tostó sus pies; era hijo de Amitaón e Idomene, de la
raza de Cretea y Tiro.
[3] *Neleo.* Cf. n. 2 al c. III.
[4] *Fílaco, Fílace.* Es Fílaco héroe tesalio descendiente de Eolo, hijo de
Deión y Diómede, ésta de la raza de Decaulión. Es fundador y epónimo
de la ciudad de Fílace, a orillas del Otris.
[5] *Erinias.* Se cuentan entre las más antiguas divinidades (generalmente
son tres, Alecto, Tisífone y Megera) del Panteón griego (Las Erinias) nacidas de las gotas de sangre de Urano al ser mutilado. Son fuerzas primitivas que no reconocen la autoridad de los dioses más jóvenes; vengan los
crímenes contra el orden social.

que viviera, reinando esta vez sobre muchos argivos.
Tomó esposa y labróse una casa de altísimos techos.

De dos hijos valientes fue padre: Antifates y Mantio.
El primero a su vez engendró al magnánimo Oícles,
y engendró éste a Anfiarao, el que daba valor a las huestes,
tan amado de Zeus, el que la égida lleva, y de Apolo,
y, no obstante, no pudo llegar al umbral de ser viejo;
murió en Tebas porque su mujer aceptó unos presentes.
De él nacieron dos hijos llamados Alcmeon y Anfíloco.
También Mantio a otros dos engendró, a Polifides y a Clitos,
pero a Clitos la Aurora de trono de oro llevóselo
por su gran hermosura, pues quiso hacer de él un eterno;
e hizo Apolo del gran Polifides, el más excelente
adivino entre todos los hombres, ya muerto Anfiarao.
Pero contra su padre se airó y trasladóse a Hiperesia[6],
donde estuvo viviendo augurando a los hombres mortales.

Era un hijo de éste, llamado Teoclímeno, el hombre
que detúvose junto a Telémaco mientras estaba
ante el negro navío rezando y haciendo la ofrenda.
Y, elevando la voz, pronunció estas palabras aladas:

—Puesto que haciendo ofrendas, ahora, ¡oh amigo!, te en-
te suplico por ellas y el dios que de ti las recibe, [cuentro,
tu cabeza y las de los amigos que siguen tus pasos,
me respondas con toda franqueza a lo que te pregunto.
Di quién eres, cuál es tu país, tu ciudad y tus padres.

Y, prudente, repuso Telémaco de esta manera:

—Forastéro, te voy a informar francamente de todo.
Por linaje he nacido en Ítaca, Odiseo es mi padre...,
si no fue todo un sueño, que ha muerto de horrible manera.
He tomado, por esto, a unos hombres y un negro navío
y he partido a saber de mi padre, pues larga es su ausencia.

---

[6] *Hiperesia*. Localidad perteneciente, según Ilíada II, 573, al dominio de Agamenón.

Y a su vez respondió de este modo el deiforme Teoclímeno:

—Yo también de mi patria me fui: cometí un homicidio.
Y tenía él hermanos y muchos parientes en Argos
la de bellos corceles, y son en Acaya influyentes.
Evitando en sus manos morir y la parca funesta,
me evadí, y es mi suerte ir errante entre todos los hombres.
Pero acógeme aquí en tu navío, pues huyo y te imploro;
sálvame, que no sea me maten, pues vienen siguiéndome.

Y, prudente, repuso Telémaco de esta manera:

—Pues lo quieres, no te hago alejar de mi armónica nave.
Sígueme y te daré acogimiento según nuestros medios.

Dijo así, y recibió de sus manos la lanza de bronce,
que, tendida, dejó en el combés del curvado navío;
embarcó para hacerse a la mar en seguida, y a popa
se sentó e hizo que se sentara a su lado Teoclímeno,
y sus hombres entonces al punto soltaron la amarra.
Apremiando Telémaco a sus compañeros dio orden
de arbolar el navío, y su gente al instante lo hizo.
Colocaron el mástil de abeto, encajáronlo dentro
de la fogonadura, y después lo amarraron con sogas
y se izó la blanquísima vela con drizas de cuero.
Y Atenea de claras pupilas un próspero viento
le envió, y con gran fuerza soplaba en el aire, de modo
que la nao, velocísima, hendía las ondas saladas.
Y pasaron por Crunos y Calcis[7] la de bellas aguas.

Ocultóse ya el sol y la sombra veló los caminos;
con la próspera brisa de Zeus costearon a Fea[8]
y el divino país de los reyes epeos, la Élide[9].

---

[7] *Crunos-Calcis*. Pequeñas corrientes del agua al S. de la desembocadura del Alfeo.
[8] *Fea*. Ciudad de la Élida, en el istmo que une a Ichthys (hoy cabo de Catákolo) con el continente.
[9] *País de los reyes epeos, la Élida*. Los epeos son un pueblo de la Élida, sobre la cual cf. n. 4 al c. XIII.

Desde allí navegó hacia las islas Agudas[10], pensando
si podría escapar de la muerte o caer prisionero.

[*En el campo*]

Entretanto, cenaban los dos en la choza, Odiseo
y el divino porquero, y con ellos cenaban los otros.
Cuando ya de comer y beber estuvieron saciados,
Odiseo empezó a hablar queriendo probar si el porquero
le daría aún amable acogida y le haría quedarse
a su lado, o bien lo incitaría a que fuese a la villa:

—Escuchadme vosotros, Eumeo y demás compañeros:
cuando apunte la aurora me iré a mendigar a la villa
por no seros gravoso más tiempo, ni a ti ni a tus hombres.
Pero infórmame bien y concédeme un guía muy bueno;
cuando esté en la ciudad hambrearé de miseria obligado,
por si alguno me da, o una taza de vino o un mendrugo.
Si puedo llegar al palacio de Odiseo divino
podré entonces contar lo que sé a la prudente Penélope
y mezclarme con los pretendientes soberbios, que acaso
me darán de comer, ya que tienen sobrados manjares.
Yo podría servirlos muy bien en lo que me ordenaran.
Una cosa te voy a decir, y tú atiende y escucha:
puesto que Hermes así lo ordenó, el mensajero que a todas
las tareas del hombre concede la gracia y la fama,
ningún otro mortal en servir lograría emularme,
ya apilando la leña y prendiéndole fuego o cortándola,
ya trinchando o asando la carne o llenando las copas,
todo cuanto hace un hombre villano en la casa de un noble.

Y tú, Eumeo, el porquero, tristísimo, entonces dijiste:

—¿Cómo, ¡ay, huésped mío!, una idea como ésta has te-
[nido?

---

[10] *Islas Agudas.* Tal vez las actuales Cuzolari, frente a la desembocadura del actual del Aqueloo (Aspropótamo).

Morir quieres cuando te decides sin duda a mezclarte
con la multitud de pretendientes. Tú no sabes cómo
claman al férreo cielo tan grande insolencia y orgullo.
No imagines que son como tú los criados que tienen,
porque jóvenes son y se visten con mantos y túnicas,
y luciente es su pelo, y son bellas las caras de todos.
Ya ves, pues, cómo son los criados de que ellos se sirven,
y están llenas las mesas de pan y de carne y de vino.
Quédate con nosotros, que a nadie le enoja tenerte;
a mí no, ni tampoco a ninguno de mis compañeros.
Cuando el hijo amado de Odiseo esté de regreso,
una túnica y manto tendrás con los cuales vestirte
y hará que puedas irte al lugar que prefiera tu ánimo.

Y el divino y paciente Odiseo entonces repuso:

—Que Zeus padre te tenga, ¡oh Eumeo!, el amor que te
puesto que has dado fin a mi triste vagar y miseria. [tengo,
Para el hombre no hay nada tan cruel como hacer de men-
Por el vientre funesto el mortal pasa muchas fatigas [digo.
cuando tiene que errar y sufrir infortunios y penas.
Mas ya que me retienes y ordenas que espere a tu amo,
háblame de la madre y del padre del divino Odiseo,
a los que hubo dejado pisando el umbral de ser viejos,
si están vivos aún y del sol y sus rayos se gozan,
o murieron y ya han descendido a la casa del Hades.

Y repúsole así el mayoral del aprisco, el porquero:

—Forastero, te voy a informar francamente de todo.
Todavía Laertes conserva la vida; a diario
pide a Zeus que en su casa la vida se extinga en sus miem-
                                                        [bros;
de tal modo le duele la ausencia del hijo, y la muerte
de la que fue su esposa en los jóvenes años le ha dado
tal pesar, que esto le ha hecho llegar a ser viejo a destiempo.
Murió ella de pena por causa de su hijo glorioso;
fue éste un fin lamentable que yo para nadie deseo

de los que, bienhechores y amigos, aquí me rodean.
Mientras ella vivió, con ser grande su pena, sentíame
muy feliz consultándole cosas y haciendo preguntas,
pues con Ctímene me hubo criado, la de holgado peplo,
su hija ilustre, la que hubo alumbrado en su parto postrero;
a los dos nos crió y poco menos que a ella me honraba.
Cuando la juventud deseable los dos alcanzamos,
la casaron en Same[11] y le hicieron regalos innúmeros.
A mí entonces el ama me dio unos vestidos espléndidos,
manto y túnica, y para los pies me dio un par de sandalias;
me envió luego al campo y me amó mucho más cada día.
Lo he perdido ahora todo; no obstante, los dioses dichosos
hacen que la labor que me ocupa prospere, de forma
que hasta hoy como y bebo de ella, y aun doy a los pobres.
Ya hoy no puedo escuchar las palabras tan dulces del ama,
ni obtener su merced, pues entró el infortunio en palacio
con tan cínicos hombres; no obstante, el criado precisa
ver al ama y hablarle y contarle las cosas que ocurren
y comer y beber y llevarse a los campos alguno
de los dones que a los servidores alegran el ánimo.

Y repúsole entonces así el ingenioso Odiseo:

—¡Ay, Eumeo, porquero! ¿Por qué cuando aún eras niño
tanto erraste y tan lejos de todo, tu patria y tus padres?
Pero aclárame esto y responde con toda franqueza:
¿fue quizá destruida la villa de calles tan anchas
en la cual habitaba tu padre y tu madre augustísima,
o al quedarte tú solo con vacas y ovejas, algunos
enemigos lograron llevarte a sus naos y venderte
en la casa de este hombre que, a cambio, pagó un alto pre-
[cio?

Y repúsole así el mayoral del aprisco, el porquero:

—Pues saberlo deseas, ¡oh huésped!, y así me preguntas,
calla, escucha y, sentado, disfruta bebiendo este vino.

[11] *Same*. Cf. n. 12 al c. I.

Ya las noches se han hecho más largas y hay tiempo sobrado
tanto para dormir como para gozar con relatos;
tú no debes dormirte temprano: dormir mucho cansa.
Los demás, si su ánimo y su corazón se lo exigen,
que se vayan y duerman, y en cuanto la Aurora despunte,
desayunen y váyanse con las piaras del amo.
En la choza los dos, mientrastanto, comiendo y bebiendo,
deleitémonos con el recuerdo de nuestras tristezas,
pues incluso disfruta, después, con sus penas el hombre
que pasó por muchísimos males viajando muy lejos.
Y ahora contestaré a cuanto quieres saber y preguntas.
Quizá tú ya conoces la isla que llámase Siria[12];
hállase bajo Ortigia, en el punto en que el sol da la vuelta;
no es país muy poblado y, no obstante, su tierra es muy
hay muchísimas vacas y ovejas y vino y trigales.   [rica:
Allí nunca jamás conocieron el hambre sus gentes,
ni las crueles dolencias que sufren los hombres mortales.
Cuando en esta ciudad envejecen los hombres, Apolo,
el del arco de plata, al que Artemis no deja un instante,
con sus flechas suaves les va arrebatando la vida.
Dos ciudades en ella se encuentran, que se han repartido
toda tierra, y en ambas entonces reinaba mi padre,
Ctesio Orménida, un hombre que un dios inmortal parecía.

»Arribaron allí unos fenicios, marinos ilustres,
mas falaces, llevando en su negro navío embelecos.
Una joven fenicia tenía mi padre en su casa;
era alta y muy bella y experta en labores magníficas,
mas los zorros fenicios lograron un día embaucarla.
Cuando estaba lavando, uno de ellos, al lado del buque,
se unió a ella en amor, lo que a todas las pobres mujeres
turba siempre la mente, por más que honestísimas sean.
Preguntóle quién era y de dónde ella había venido,
y ella, al punto, la altísima casa mostró de mi padre:

»—He nacido en Sidón, la ciudad del mercado del bronce;
y me honra ser hija de un hombre opulento, Aribante;

---

[12] *Siria... Ortigia.*

marineros piratas de Tafos[13] robáronme un día
de regreso del campo y trajéronme aquí y me vendieron
en la casa del amo, obteniendo por mí un alto precio.

»Y repuso el varón que la había gozado en secreto:

»—¿Desearías volver a tu patria con todos nosotros
y ver la alta morada que habitan tus padres y a ellos?
Pues aun viven y dicen que son una gente muy rica.

»Y a su vez la mujer respondió de este modo, diciendo:

»—Bien lo haría yo así, marineros, si os comprometierais
y jurarais llevarme sin daño ninguno a mi patria.

»Así dijo, y juraron al punto tal como pedía.
Y tan pronto le hubieron prestado su gran juramento,
otra vez la mujer les habló y, en respuesta, les dijo:

»—Guardad ahora silencio, y que ni uno de vuestros amigos,
si me encuentra en la calle o la fuente, me pare o me hable,
que no sea que vayan a casa del viejo a decírselo
y éste sienta sospechas y me ate con sólidas cuerdas
y maquine la forma de daros a todos la muerte.
Conservad el secreto y daos prisa estibando la carga
y una vez esté el buque cargado con todos los víveres,
enviadme a palacio a quien pueda en seguida avisarme,
pues también llevaré todo el oro que caiga en mis manos.
Y os daré todavía otra cosa por este pasaje:
yo en la casa me cuido de un niño que es hijo del amo,
tan despierto que se echa a correr tras de mí cuando salgo;
me lo llevaré a bordo también y os valdrá buena suma
en cualquier extranjero país en que hayáis de venderlo.

»Dijo así, y regresó la mujer al hermoso palacio.
Y quedáronse allí con nosotros el ciclo de un año
estibando en la nave las muchas vituallas compradas.

---

[13] *Tafos*. Cf. n. 9 al c. I.

Mas en cuanto ya estuvo cargada la nave y a punto
de partir, enviaron a un hombre a enterar a la joven.
Al hogar de mi padre, en efecto, llegó un hombre astuto
a mostrar un collar que era de oro con cuentas de ámbar.
Mientrastanto en la sala las siervas y mi augusta madre
de una mano a otra mano pasábanselo para verlo
y ofrecían un precio; y él hizo una seña callada
y, hecha ya la señal, regresó nuevamente al navío.

»De la mano ella al fin me tomó y me sacó del palacio.
Y, al pasar por el atrio, encontró en él las copas y cestas
del festín que mi padre aquel día ofreció a sus colegas.
Al consejo y las justas del pueblo él se había marchado.
Y tomó ella tres copas que al punto escondióse en el seno,
y yo fui caminando a su lado con toda inocencia.

»Y se puso ya el sol y la sombra veló los caminos.
A buen paso ella y yo al fin llegamos al puerto famoso
Y embarcaron al punto y cruzaron las húmedas rutas
con nosotros a bordo, y mandó Zeus un próspero viento.
Sin cesar navegamos seis días, de día y de noche.
Pero Zeus el Cronida, llegado ya el séptimo día,
mandó a Artemis flechera, que hirió bruscamente a la joven
que, como una gaviota, cayó con gran ruido en la cala;
y arrojáronla al mar para pasto de focas y peces,
y yo entonces a solas quedé con mi inmensa tristeza.
Y las olas y el viento los fueron trayendo hasta Ítaca
y Laertes aquí me compró utilizando sus bienes.
De esta forma mis ojos llegaron a ver estos campos.»

Y Odiseo, el retoño de Zeus, respondió de este modo:

—Conmoviste hondamente mi ánimo, Eumeo, al contarme
una a una las penas tan grandes que tú padeciste.
Mas ya Zeus para ti puso un bien muy cercano a tu pena,
pues si mucho sufriste has llegado a la casa de un hombre
bondadoso, y te da de comer y beber diligente

y disfrutas así de una vida agradable, y, en cambio,
yo llegué aquí después de rodar por ciudades sin cuento.

De estas cosas los dos continuaron charlando entre tanto
y pusiéronse luego a dormir, mas duró poco el sueño,
pues mostróse la Aurora en su bello sitial, y los hombres
de Telémaco, ya en la ribera, amainaron las velas
y abatieron el mástil, y a fuerza de remos llegaron
a la cala y anclaron el buque y ataron la amarra.
Y saltaron a tierra a la orilla del mar, en la playa,
la comida arreglaron, mezclaron el vino encendido.

Cuando ya de comer y beber estuvieron saciados,
el prudente Telémaco entonces tomó la palabra:

—Ahora habéis de llevar vuestro negro navío a la villa;
mientras tanto me iré yo a los campos y a ver los pastores;
volveré a la ciudad por la tarde, ya vistas mis tierras.
Y mañana os daré como premio por este viaje
un banquete de carne y el vino más dulce que tenga.

Y el deiforme Teoclímeno, entonces repuso diciendo:

—Y yo, hijo amadísimo, ¿a dónde me iré? ¿A qué palacio
de qué hombre que mande en la tierra fragosa de Ítaca?
¿Debo ir al lugar en que se halle tu madre, a tu casa?

Y, prudente, repuso Telémaco de esta manera:

—En distinta ocasión te diría que fueras a casa,
porque en ella no faltan las cosas que un huésped precisa,
pero allí no estaré ni mi madre podrá verte en ella.
Porque los pretendientes están, no desea mostrarse
en palacio; está lejos de ellos, tejiendo en su alcoba.
Pero voy a indicarte un varón a quien puedes llegarte,
es Eurímaco, el ínclito hijo de Pólibo el sabio,
en quien los itacenses ya admiran a un dios, y lo honran,
pues, con mucho, es de todos el hombre mejor, y desea

desposar a mi madre y la dignidad real de Odiseo.
Mas Zeus sabe, el Olímpico, aquel que en el éter habita,
si antes de tales bodas tendrá su fatídico día.

Dijo, y un gavilán al instante voló a su derecha,
el veloz mensajero de Apolo, con una paloma
en sus garras, y la desplumaba y caían las plumas
por el suelo entre el negro navío y los pies de Telémaco.

Y, llamándolo aparte de sus compañeros, Teoclímeno
lo tomó de la mano y le habló de este modo, diciendo:

—Un dios hizo, Telémaco, que a tu derecha volara
esa ave, y al verla de frente he sabido su augurio:
más real que la vuestra no existe en el pueblo de Ítaca
otra sangre, y aquí reinaréis para siempre vosotros.

Y, prudente, repuso Telémaco de esta manera:

—¡Ojalá, forastero, estas cosas que dices se cumplan!
Que amistad yo te diera en seguida y muchísimos dones,
tales que te creyeran dichoso los que te encontraran.

Así dijo, y hablóle a Pireo, su fiel compañero:

—Tú, Pireo Clitida, que en todo me fuiste obediente,
más que cualquier amigo de los que siguiéronme a Pilos,
lleva ahora a tu casa a mi huésped y trátalo en ella
con cordial amistad y hónralo en tanto esperas que llegue.

Y Pireo, el lancero famoso, repuso, mirándolo:

—Permanece, Telémaco, aquí todo el tiempo que quieras;
yo me haré cargo de él y tendrá los presentes del huésped.

Dijo así, y embarcó en el navío, ordenando a la gente
que embarcara también en seguida y soltasen la amarra.
Y embarcaron al punto y después en los bancos sentáronse.

Y Telémaco atóse a los pies unas bellas sandalias
y tomó la fortísima lanza de punta de bronce
del combés del navío, y los hombres soltaron la amarra,
a la orden del hijo de Odiseo divino, Telémaco.

Se hizo el buque a la mar, navegando con rumbo a la villa,
y a buen paso él entonces se fue hacia el lugar de la corte
de los cerdos innúmeros, junto a los cuales la noche
el porquero pasaba, aquel hombre tan fiel a sus amos.

CANTO XVI

Desde el alba, en la choza, Odiseo y Eumeo divino
preparaban su almuerzo, una vez encendido ya el fuego,
cuando con sus piaras de cerdos se fueron los hombres.
Y Telémaco se iba acercando y los perros ladrantes
sin ladrar colearon, y el divino Odiseo al momento
vio a los perros moverse y oyó resonar unos pasos.
Y en seguida al porquero le habló con aladas palabras:

—Viene a verte, sin duda, ¡oh Eumeo!, algún compañero,
o quizá un conocido; tus perros no ladran ahora
y menean la cola y he oído el rumor de unos pasos.

Hubo apenas hablado así cuando su hijo amadísimo
se paró en el umbral y al alzarse asombrado el porquero
le cayeron las tazas que entonces tenía en las manos
en las que un vino ardiente mezclaba, y fue al punto al en-
de su amo, y besó su cabeza y sus ojos brillantes   [cuentro
y sus manos, vertiendo al besarlo muchísimas lágrimas.
Como un padre amantísimo abraza a su hijo que vuelve
de países lejanos, después de diez años de ausencia
ese único hijo por quien padeció tantas penas,
de este modo el divino porquero abrazaba a Telémaco
y besaba su rostro, al saber que escapó de la muerte,
y con ojos de llanto le habló con aladas palabras:

—¡Mi dulcísima luz, ya volviste, Telémaco! ¡Nunca
pensé verte otra vez desde que con tu nao fuiste a Pilos!
¡Entra, amado hijo mío! Que mi corazón, al mirarte,
sienta el gozo de que estés aquí, de regreso, en mi choza.
Poco sueles venir a los campos y a ver los pastores;
siempre estás en la villa; diría que tu ánimo goza
contemplando ese grupo funesto de los pretendientes.

Y, prudente, repuso Telémaco de esta manera:

—Como dices, ¡oh anciano!, se hará; por ti vine al campo,
para verte por fin con mis ojos y oír tus palabras
y saber si mi madre aún está en el palacio, o alguno
se ha casado con ella, o el lecho de Odiseo, no habiendo
quien en él duerma ya, se ha cubierto con las telarañas.

Y el porquero habló así, el mayoral de los mozos pastores:

—Todavía ella está en tu palacio y en él permanece
con su fiel corazón incansable, y para ella muy tristes
se consumen las noches y días llorando sin tregua.

Dijo así, y recibió de sus manos la lanza de bronce,
penetró en la cabaña y cruzó los umbrales de piedra,
y, al entrar, Odiseo, su padre, cedióle el asiento,
mas con un ademán lo detuvo Telémaco, y dijo:

—Siéntate, forastero, que ya encontraremos asientos
aquí en esta majada; está cerca quien ha de arreglarlos.

Esto dijo, y su padre sentóse de nuevo, y Eumeo
esparció ramas verdes y encima dispuso un pellico,
y allí se acomodó el amado hijo de Odiseo.
Y el porquero, un instante después, les sirvió en unos platos
carne asada de la que le había sobrado la víspera;
y, con gran diligencia, después puso el pan en los cestos
e hizo luego en un cuenco la mezcla de un vino dulcísimo;

y, cuando terminó, se sentó ante el divino Odiseo.
Y ellos fueron tendiendo la mano a las cosas servidas.

Cuando ya de comer y beber estuvieron saciados,
al divino porquero habló entonces Telémaco, y dijo:

—¿Desde dónde a ti, abuelo, este huésped llegó? ¿Cómo a
                                                    [Ítaca
lo trajeron las gentes del mar? ¿De qué tierra gloriábanse?
Imagino que a pie no ha podido llegar a nosotros.

Y tú entonces, Eumeo, el porquero, así respondiste:

—¡Oh, hijo mío! Te voy a decir la verdad de todo ello.
De tener su linaje en la Creta espaciosa se precia.
Dice haber ido errante por muchas ciudades del hombre
porque un numen así para él lo tenía dispuesto.
Finalmente ha podido escapar de un navío tesproto,
y logrado llegar a mi choza, y a ti te lo entrego.
Haz por él lo que quieras pues se honra en venir suplicán-
                                                    [dote.

Y, prudente, repuso Telémaco de esta manera:

—En verdad que me causa gran pena lo que has dicho,
                                                    [Eumeo.
¿Cómo crees que yo pueda acoger en mi casa a este hués-
                                                    [ped?
Soy muy joven y aún confianza no tengo en mis manos
para que lo protejan de aquel que primero lo injurie.
Dos deseos comparten así el corazón de mi madre:
continuar a mi lado y seguir al cuidado de casa,
por respeto a su lecho de esposa y la estima del pueblo,
o irse con un aqueo elegido entre los que en palacio
la pretenden, el hombre mejor y el que más dé por ella.
Pero ya que a tu casa ha logrado llegar este huésped,
te prometo vestirlo con manto y con túnica nuevos,
darle espada que tenga dos filos y un par de sandalias

y enviarlo allí donde su gusto y su ánimo quieran.
Mas, si quieres, procura por él y que esté en la majada;
yo haré que se te envíen las ropas y víveres para
que él los coma, y no os sea gravoso ni a ti ni a tus hombres.
Mas no puedo admitir que esté junto con los pretendientes,
pues bien sé cuán malvada es la gran insolencia que mues-
Burlaríanse de él y esto habría de serme penoso.   [tran.
Es difícil que un hombre, por bravo que sea, consiga
nada contra otros muchos, que al fin ellos son los más fuer-
                                                        [tes.

Y el paciente y divino Odiseo entonces repuso:

—Puesto que, amigo mío, es muy justo que yo te responda,
digo que el corazón me desgarras cuando hablas contando
los abusos que dices que los pretendientes cometen
contra tu voluntad, siendo tú tan ilustre, en tu casa.
Dime si te sometes a ellos gustoso, o te odia
en el pueblo la gente, que oyó la palabra de un numen.
O te quejas porque no encontraste quizá en tus hermanos
el apoyo en que el hombre confía si es grande la lucha.
¡Ojalá con el ánimo mío tuviese tus años,
o bien fuese el hijo de Odiseo, o bien fuera él mismo,
que volviera errabundo, pues hay todavía esperanzas,
y cualquier mercenario pudiese cortar mi cabeza
si en azote de toda esa gente no me convertía
al entrar en la casa de Odiseo, el hijo de Laertes!
Y si estando yo solo, al ser tantos, lograran vencerme,
mucho más desearía perder en mi casa la vida
que asistir de continuo a unos actos que son tan indignos:
ver que son maltratados mis huéspedes, que en las estancias
tan hermosas, impúdicamente se fuerza a mis siervas,
que se agota mi vino y sin tasa se comen mis víveres,
todo por una empresa que nunca a su término llega.

Y, prudente, repuso Telémaco de esta manera:

—Forastero, te voy a decir la verdad de todo ello.
No, jamás por ninguna razón me hice odiar de mi pueblo,
ni me quejo por no haber hallado quizá en mis hermanos
el apoyo en que el hombre confía si es grande la lucha.
El Cronión hizo que fuera siempre mi raza unigénita:
sólo un hijo, Laertes, Arcesio engendró como padre,
y engendró él sólo un hijo, Odiseo, y como hijo único
me ha dejado mi padre en su casa, y gozó poco de ello;
y por esto en mi casa hay tan gran cantidad de enemigos;
así, pues, cuantos próceres hoy nuestras islas gobiernan
en Duliquio y en Same y en la nemorosa Zacinto[1],
y, además, todo aquel que gobierna en la Ítaca fragosa,
todos, pues, a mi madre pretenden y arruinan mi casa.
Pero ella ni sabe negarse a estas bodas odiosas
ni poner fin a todo, y en tanto consumen mi hacienda
y muy pronto también los verás acabando conmigo.
Mas todo esto ya está en las rodillas de los inmortales.
Ve tú, abuelo, a informar en seguida a la sabia Penélope;
dile que me hallo a salvo y estoy de regreso de Pilos.
Yo me quedaré aquí. Vuelve en cuanto hayas dicho estas
                                                    [cosas
a ella sola, y que ni un solo aqueo se entere de nada
porque son demasiados los hombres que quieren perderme.

Y tú entonces, Eumeo, el porquero, así respondiste:

—Comprendido. Te entiendo. Ya había previsto tu orden.
Mas, veamos, responde con toda franqueza a estas cosas:
¿debo darle también la noticia al cuitado Laertes,
quien, a pesar del dolor de la ausencia de Odiseo,
vigilaba los campos y junto a los siervos comía
y bebía en su casa, si así lo ordenaba su ánimo?
Pero dicen que desde el momento en que a Pilos te fuiste
ya no quiere comer ni beber como antaño solía,
ni vigila los campos y está por la pena abatido,
sollozando y gimiendo, y la piel se le seca en los huesos.

---

[1] *Zacinto.* Cf. n. 12 al c. I.

Y, prudente, repuso Telémaco de esta manera:

—¡Qué le vamos a hacer!... Nada digas por más que nos
                                                    [duela,
pues si todas las cosas se hicieran a gusto del hombre
eligiéramos antes el día en que vuelva mi padre.
Vete, pues, a llevar el mensaje y regresa y no vagues
por los campos buscándole a él, pero encarga a mi madre
que le envíe en secreto en seguida a su sierva intendenta
para que ella le pueda contar la noticia al anciano.

Dijo así, y al porquero apremió, que cogió las sandalias,
a sus pies las ató y se marchó a la ciudad. Y Atenea
supo al punto que Eumeo el porquero dejaba el aprisco
y acudió al majadal, convertida en mujer muy hermosa,
bien plantada y con gran experiencia en labores espléndidas.

Se paró en el umbral de la choza, y mostróse a Odiseo,
sin que, aun cuando ante sí la tenía, la viese Telémaco,
pues los dioses no se hacen visibles a todos los hombres.
Pero la vio Odiseo y los perros, que no la ladraron,
sino que se apartaron, gruñendo, a un rincón de la choza.
Movió entonces las cejas la diosa, y Odiseo divino
comprendió y, arrimándose a la alta muralla del patio,
de la choza salió y se paró ante la diosa, que dijo:

—Laertíada, casta de Zeus, ingenioso Odiseo,
hora es ya de que le hables a tu hijo, mas nada le ocultes,
y, tramada la muerte y la parca de los pretendientes,
os vayáis a la ilustre ciudad; no estaré de vosotros
mucho tiempo alejada, pues siento el afán del combate.

Dijo así, y lo tocó con la vara de oro Atenea.
Y su pecho cubrió con la túnica y manto muy limpios
y su talla le dio y el vigor juvenil que antes tuvo,
dio a su tez la morena color y llenó sus mejillas
y, rodeándole el rostro, volvió a azulearle la barba.

Hizo así, y se marchó la deidad, y Odiseo de nuevo
a la choza volvió y se llenó de temor su hijo amado
y, temblando, apartó de él los ojos, creyéndolo un numen;
y, elevando la voz, pronunció estas palabras aladas:

—¡Cuán distinto de antes te muestras a mí, forastero!
Tus vestidos cambiaste, y tu piel ahora ya no es la misma:
debes ser algún dios de los que el ancho cielo poseen.
Sénos leve y te haremos ofrendas de víctimas gratas
y presentes de oro labrado, mas sénos benigno.

Y el paciente y divino Odiseo entonces repuso:

—Yo no soy ningún dios. ¿Por qué, pues, a un eterno me
[igualas?
Soy tu padre, por quien tanto gimes y tanto padeces
y por quien de los hombres sufriste tan grandes afrentas.

Así dijo, y al hijo besó, y una lágrima al suelo
resbaló por su rostro, que fue contenida hasta entonces.
Mas Telémaco aún no creía que fuera su padre,
y le habló nuevamente, diciendo con estas palabras:

—No, tú no eres mi padre, Odiseo, sino un dios eterno
que me engaña queriendo que luego más que antes suspire.
Un mortal, con su ingenio, jamás tales cosas haría,
de no ser que llegase algún dios hasta él, y a su antojo
fácilmente en un joven o un viejo quisiera cambiarlo.
Hace poco eras viejo y vestías mugrientos andrajos,
y eres ya como un dios de los que el ancho cielo poseen.

Y repúsole entonces así el ingenioso Odiseo:

—No conviene que de esta manera te admires, Telémaco,
ni te asombres tampoco de ver a tu padre aquí dentro.
Aquí nunca podrás ver de vuelta a un nuevo Odiseo,
pues soy yo, que, después de sufrir y vagar tantas veces,
veinte años tardé en regresar a mi tierra paterna.

Lo hizo todo Atenea, la diosa que impera en la guerra,
que a su gusto cambió mi figura, pues puede ella hacerlo,
unas veces cambiándome en viejo mendigo, otras veces
en un joven que lleva en su cuerpo vestidos espléndidos.
Porque a todos los dioses que el cielo anchuroso poseen
les es fácil dar gloria a un mortal u otorgarle vileza.

Dijo así, y se sentó, y abrazaba a su padre Telémaco
y lloraba y gemía vertiendo muchísimas lágrimas,
y a los dos un afán de llorar les subía del pecho,
y lloraban con ruido, plañendo lo mismo que osífragas
o alimoches de garras agudas, a los que unos rústicos
se llevaron los hijos del nido cuando aún no volaban:
era tan lastimoso en los dos el llorar de sus ojos.

Y, entregados al llanto, se hubiera ya el sol ocultado
si Telémaco no hubiese dicho a su padre de pronto:

—¿En qué nao, padre mío, las gentes del mar te trajeron
hasta Ítaca por fin? ¿De qué tierra se vanagloriaban?
Imagino que a pie no has podido llegar a nosotros.

Y el paciente y divino Odiseo entonces repuso:

—¡Oh, hijo mío! Te voy a decir la verdad de todo ello.
Los feacios trajéronme; son navegantes famosos
que en sus naves conducen a todo el que llega a su tierra.
Por la mar, en su rápida nao, me trajeron dormido
hasta Ítaca, y conmigo también los hermosos presentes
que me hicieron: de oro y de bronce y vestidos tejidos,
que los dioses me hicieron dejar escondidos en cuevas.
He venido hasta aquí porque así lo quería Atenea
para que preparemos la muerte de los enemigos.
Mas dime antes el número y nombre de los pretendientes
para que sepa yo cuántos son y qué vale cada uno,
de manera que en mi corazón generoso medite
si los dos, sin ayuda de nadie, podemos bastarnos
a luchar contra ellos, o bien precisamos ayuda.

Y, prudente, repuso Telémaco de esta manera:

—Siempre oí, padre mío, contar que eras hombre famoso,
valeroso en la guerra y prudente ofreciendo consejos.
Pero lo que me has dicho es muy grande y estoy asombrado;
no podemos luchar contra tantos y todos son fuertes.
Porque los pretendientes no son, en verdad, diez o el doble,
sino aun muchos más, y sabrás cuántos son en seguida.
De Duliquio han venido cincuenta y dos jóvenes; todos
ellos son escogidos, y seis servidores les siguen;
veinticuatro mancebos ilustres vinieron de Same,
veinte más de Zacinto, y los veinte son hijos de Acaya,
y de Ítaca otros doce que son los más nobles de todos,
sin contar a Medonte, el heraldo, a un aedo divino
y a dos siervos que son muy expertos trinchando en los ága-
Si atacamos a todos los que hay en la sala, sospecho   [pes.
pagarás tu venganza de forma terrible y amarga.
Sin embargo, debieras ahora pensar si es posible
que alguien pueda prestarnos su ayuda solícitamente.

Y el paciente y divino Odiseo entonces repuso:

—Una cosa te voy a decir y en tu pecho consérvala.
Reflexiona si nos bastaremos los dos, Atenea
y Zeus padre, o debemos buscar una ayuda de alguien.

Y, prudente, repuso Telémaco de esta manera:

—Buenos son, ciertamente, los dos aliados que nombras,
aunque aun más allá de las nubes, más altos, residan.
Ellos sobre los hombres y dioses eternos imperan.

Y el paciente y divino Odiseo entonces repuso:

—En verdad no estarán mucho tiempo los dos alejados
de la lucha feroz, cuando esté en mi palacio y nos juzgue
a nosotros y a los pretendientes la fuerza de Ares
Cuando el alba despunte te irás en seguida a palacio

y allí habrás de mezclarte con los pretendientes soberbios.
El porquero, más tarde, me irá a acompañar a la villa
convertido esta vez en un viejo y anciano mendigo.
Si en palacio me ultrajan, en tu corazón te lo sufres
con paciencia, mas déjame a mí soportar el maltrato.
Si ves que, por los pies, a la puerta me llevan a rastras,
o me hieren a golpes, prescinde también de estas cosas.
Con suaves palabras tan sólo amonéstalos para
que terminen con tanta locura, y no creo que puedas
convencerlos, pues ya el fatal día llegó para ellos.
Y otra cosa te voy a decir y en tu pecho consérvala:
en seguida que así me lo inspire la sabia Atenea,
mi cabeza te hará una señal, y así que tú la notes,
llévate cuantas armas de guerra en la sala te encuentres
y en mi alcoba de altísimos techos colócalas todas,
y si los pretendientes las echan de menos e indagan,
con suaves palabras a todos engaña, diciendo:
«He apartado del humo las armas, pues ya no parecen
ser las que al embarcar para Troya dejóse Odiseo,
puesto que se afearon allí donde el fuego alcanzábalas.
Y una cosa mejor me ha inspirado el Cronida en la mente:
tuve miedo de que con el vino entablarais disputas
y os hirieseis un día y cubrierais de oprobio la mesa
y el noviazgo, que el hierro a los hombres atrae por sí solo.»
Para ti y para mí dejarás dos espadas, dos lanzas
y dos peltas de cuero de buey, que tengamos a mano
y podamos tomar en el mismo momento en que Palas
Atenea y el próvido Zeus les ofusquen la mente.
Y otra cosa te voy a decir y en tu pecho consérvala.
Si es verdad que tú eres mi hijo y tu sangre es la mía,
que no te oiga ninguno decir que Odiseo está en casa,
ni Laertes lo sepa, ni el buen porquerizo, ni nadie
de la casa siquiera, y tampoco la propia Penélope.
Solamente tú y yo procuremos saber a qué parte
las mujeres se inclinan, y a prueba a las siervas pongamos
y veremos quién es quien nos honra y nos tiene en su ánimo,
quién no cuida de ti y te desprecia en la pena que pasas.

Y su hijo preclaro repúsole entonces diciendo:

—Padre mío, imagino que irás conociendo mi ánimo,
y muy pronto, pues no es la flaqueza lo que me domina.
Mas no creo que cuanto propones será ventajoso
para ti y para mí, y te suplico que pienses en ello.
Andarás mucho tiempo y en vano corriendo los campos
si deseas probarlos a todos, y en tanto en la casa
gastarán muy tranquilos la hacienda pues nada escatiman.
Averigua lo más, esto sí, qué mujeres te hacen
poco honor y qué otras están desprovistas de culpa;
pero yo no quisiera que fueras por los majadales
a probar a los hombres; después tiempo habrá para hacerlo,
si es verdad que te dio una señal Zeus que lleva la égida.

Mientras ellos seguían charlando de cosas como éstas,
aportaba en el puerto de Ítaca la armónica nave
que de Pilos, con sus compañeros, condujo a Telémaco.

Cuando hubieron llegado ya al fondo de aquella ensenada
en la arena vararon entonces el negro navío.
Diligentes criados se fueron con el aparejo
y los bellos presentes llevaron a casa de Clitio.
Al palacio de Odiseo enviaron también un heraldo
para que a la prudente Penélope viera y dijese
que Telémaco había quedado en el campo, ordenando
que llevasen la nao a la villa, a evitar que la reina
se alarmara en su pecho y vertiera ternísimas lágrimas.

El divino porquero encontró de camino al heraldo
cuando entrambos la nueva le iban a dar a la reina.
Una vez en la casa del rey semejante a los dioses,
en seguida el heraldo clamó, rodeado de siervas:
«¡Ha llegado de Pilos tu hijo amadísimo, oh reina!»
Mientras tanto el porquero se había acercado a Penélope
y decíale cuanto su hijo encargó que dijera.
Y tan pronto el mensaje le dio que le habían mandado,
se marchó a ver sus cerdos, dejando el recinto y la sala.

Luego los pretendientes, con ánimo triste y confuso,
del palacio salieron, cruzaron el muro del patio
y, sentándose frente al portal, celebraron consejo.
Y el primero en hablarles fue el hijo de Pólibo, Eurímaco:

—¡Gran hazaña, oh amigos, ha obrado de forma insolente
con su viaje Telémaco! ¡Y nunca creímos lo hiciese!
Mas lancemos ahora a la mar la mejor nave negra
y busquemos expertos remeros que vayan al punto
a decir a los nuestros que vuelvan a grandes jornadas.

Dijo apenas, y Anfínomo, habiéndose vuelto en su sitio,
pudo ver que metían la nave en el puerto profundo,
que amainaban la vela y tomaban entonces los remos.
Y con una sonrisa suave habló así a sus amigos:

—¡No enviemos mensaje ninguno, que están ya en el puer-
                                                    [to!
Tal vez pudo decírselo un dios, o es posible que viesen
que pasaba ante ellos la nao sin poder abordarla.

Dijo así, levantáronse y a la ribera se fueron;
en seguida llevaron el negro navío a la orilla;
diligentes criados se fueron con el aparejo,
y marcháronse al ágora juntos, y no permitieron
que allí nadie, ni joven ni anciano, estuviera con ellos.
Y el primero en hablarles fue el hijo de Eupites, Antinoo:

—¡De qué modo, ay, los dioses libraron del mal a ese hom-
Todo el día en las cumbres ventosas había avizores, [bre!
relevándose unos a otros, y ya el sol oculto,
nunca en tierra estuvimos, pues siempre la nave lanzábamos
a la mar, y en el mar a la Aurora divina esperábamos,
acechando a Telémaco para quitarle la vida
allí donde se hallase. ¡Y un dios lo ha llevado a su casa!
Mas pensemos aquí la manera de darle a Telémaco
dura muerte; que ya no se escape esta vez, pues sospecho
que, si vive, jamás nuestro intento podrá realizarse.

Es un hombre de juicio, de buenos consejos y es diestro,
y nosotros no somos ya gratos al pueblo; al contrario.
Vamos antes de que a los aqueos reúna Telémaco
en el ágora; opino que no ha de mostrarse remiso.
Ya veréis su furor, levantándose en medio de todos
para hablar de esta muerte que urdimos y no le hemos dado.
Y no habrán de alabar estas malas acciones oyéndolo.
Nos harán mucho daño y tal vez de esta tierra nos echen
y tengamos que irnos entonces a un pueblo extranjero.
Por la mano ganémosle: hagamos que muera en el campo,
lejos de la ciudad, o ya en pleno camino, y sus bienes
y su hacienda entre todos partamos, y demos su casa
a su madre: que sea su dueña con quien la despose.
Y si cuanto os he dicho os disgusta y queréis que no muera
y conserve sin mengua ninguna la herencia paterna,
no comamos, reunidos aquí, cuantos bienes le alegran,
sino que, cada uno en su casa, desde ella pretenda
y le envíe presentes de boda, y que al fin ella case
con aquel que más dones le haga, o que quiera el destino.

Así dijo, y quedáronse todos guardando silencio.
Y fue entonces Anfínomo aquel que tomó la palabra,
hijo ilustre de Nisos y nieto del príncipe Areto,
el que a los pretendientes venidos de la isla del trigo
y los prados, Duliquio, mandaba; el más grato a Penélope,
por ser hombre sensato y tener sentimientos muy nobles.
Así, pues, para el bien de ellos todos tomó la palabra:

—No quisiera, ¡oh amigos!, tener que matar a Telémaco;
grave cosa es querer destruir un linaje de reyes.
Consultemos primero qué cosa desean los dioses.
Si el gran Zeus nos lo aprueba expresándonos este designio,
seré yo quien le quite la vida, exhortándoos a todos;
y si así no lo quieren los dioses, debéis absteneros.

Así Anfínomo habló, y la propuesta aceptáronla todos.
Levantáronse y entraron en la mansión de Odiseo,
y, en llegando, tomaron asiento en pulidos sitiales.

Y otra cosa pensó la prudente Penélope entonces:
a pesar de la gran insolencia de los pretendientes,
quiso a ellos mostrarse; le dijo Medonte, el heraldo,
que oyó cómo en palacio tramaban la muerte del hijo.
A la sala se fue acompañada por todas sus siervas.
Y una vez ante los pretendientes se halló, la divina
se paró ante el montante que el techo macizo aguantaba,
y dejó resbalar por su cara el espléndido velo.
Y después, dirigiéndose a Antinoo, le dijo, increpándolo:

—¡Corazón sin piedad, urdidor de maldades, Antinoo!;
en el pueblo de Ítaca se dice que tú entre los jóvenes
en consejos y hablando despuntas, mas tú no eres ése.
¡Loco! ¿Y tú maquinaste dar muerte y la parca a Teléma-
y de los suplicantes que tienen a Zeus por testigo   [co,
no te cuidas? No es justo tramar la desdicha de nadie.
¿No has sabido que vino tu padre hasta aquí cuando huía
por temor a su pueblo? Que todos lo odiaban muchísimo,
pues, siguiendo a unos tafios piratas, causó a los tesprotos,
que eran nuestros amigos, un número ingente de daños.
Y matarle quisieron y su corazón arrancarle
y comerse sus tan codiciados e innúmeros bienes.
Mas, no obstante su afán, los contuvo Odiseo, impidiéndolo.
Y hoy sus bienes te comes de guagua, a su esposa pretendes
y deseas matar a su hijo y me llenas de pena.
Mas te ordeno que ceses y mandes lo mismo a los otros.

Y, mirándola, Eurímaco, el hijo de Pólibo, dijo:

—¡Ten valor, oh tú, hija de Icario, discreta Penélope!
No te den estas cosas motivo de pena ninguna.
No hay mortal ni lo habrá, ni siquiera es posible que nazca,
que a tu hijo Telémaco pueda asentarle la mano,
mientras yo viva y vea la luz alumbrando en la tierra.
Lo que voy a decir te aseguro que habrá de cumplirse:
pronto habrá negra sangre escurriéndose en torno a mi lan-
No olvido que Odiseo, el gran destructor de ciudades,   [za.
me tomó en sus rodillas muchísimas veces, y puso

carne asada en mis manos y vino rojizo me daba.
Y por esto a Telémaco quiero yo más que a ninguno,
y no temas su muerte venida de los pretendientes,
pero la que los dioses envían no puede evitarse.

Dijo para calmarla, y pensaba en matar a Telémaco.
Y a la alcoba magnífica ella subió, y a Odiseo,
a su esposo querido, lloró, hasta que puso en sus párpados
dulce sueño Atenea, la diosa de claras pupilas.

Al caer de la tarde de nuevo el divino porquero
se reunió con Odiseo y su hijo que asaban, turnándose,
un gurriato de un año que habían los dos inmolado.

Atenea llegóse a Odiseo, el hijo de Laertes,
lo tocó con su vara y lo hizo otra vez un anciano,
y le puso unos tristes vestidos, de modo que Eumeo,
al tenerlo delante, ignorase quién era, y no fuese
a dar cuenta a la sabia Penélope y no lo callara.

Y el primero que entonces habló fue Telémaco, y dijo:

—¡Oh, divino porquero, eres tú! ¿Qué se dice en la villa?
¿Regresaron ya de la emboscada los bravos galanes,
o me acechan aún, esperando que vuelva a mi casa?

Y tú entonces, Eumeo, el porquero, así respondiste:

—No he cuidado de hablar de estas cosas, ni aun de ente-
[rarme,
al pasar por la villa, pues cuando hube dado el mensaje,
me ordenó el corazón que volviera de prisa a mi casa.
Encontré en el camino a un heraldo, veloz mensajero
de tus hombres, que ha sido el primero en hablar a tu ma-
[dre.
Mas también he sabido una cosa y la han visto mis ojos.
Ya pasada la villa, al volver, desde el cerro de Hermes,
vi entrar en nuestro puerto una rápida nave, y a bordo

numerosos guerreros había cargados de escudos,
que empuñaban las lanzas provistas de filo a ambos lados.
He supuesto que acaso ellos fueran, mas no estoy seguro.

Así habló el porquerizo, y el Sacro Vigor de Telémaco
sonrió contemplando a su padre, y a Eumeo evitando.

Terminada ya aquella tarea y dispuesto el banquete,
a comer se pusieron y todos tuvieron su parte.
Cuando ya de comer y beber estuvieron saciados,
desearon dormir y obtuvieron los dones del sueño.

CANTO XVII

[*En la ciudad*]

Al mostrarse en el día la Aurora de dedos de rosa,
a los pies las hermosas sandalias atóse Telémaco,
amadísimo hijo de Odiseo divino, y asiendo
la fortísima lanza que tanto a su mano adaptábase,
se dispuso a partir a la villa, y le dijo al porquero:

—Voy, abuelo, a la villa, a que ahora me vea mi madre;
la conozco muy bien y jamás dará fin a sus gritos
lamentables, y no cesará en su gemir y su llanto
hasta que me haya visto. No obstante, te encargo una cosa:
a este huésped cuitado acompaña a la villa, de modo
que por ella mendigue, y que aquel que lo quiera le ofrezca
un mendrugo y un cuenco, pues yo tengo el ánimo triste
y no puedo cargar sobre mí a todo el género humano.
Y si el huésped a mal me lo toma, por él lo lamento,
pues a mí me complace decir la verdad cuando hablo.

Y repúsole entonces así el ingenioso Odiseo:

—También yo, amigo mío, prefiero que no me detengan.
Más le vale al mendigo pedir de comer por la villa
que andar limosneando en el campo, y que dé quien lo
[quiera.
Por mi edad, ya lo ves, no me puedo quedar en las cortes

y prestar obediencia a un deseo que un amo me indique.
Vete, pues; me guiará bien el hombre a quien tú se lo
                                                [mandas;
déjame, calentándome al fuego, hasta que el sol se muestre,
pues la ropa que llevo es muy mala, y el frío del alba
me heriría, y, según me decís, la ciudad está lejos.

Dijo, y de la majada Telémaco fuese, alejándose
a buen paso, sembrando los males de los pretendientes.

Cuando pudo encontrarse por fin en la cómoda casa,
apoyó contra una columna muy alta la lanza
y pasó al interior a través de la entrada de piedra.

Y primero que nadie le vio su nodriza Euriclea
que los grandes sitiales labrados cubría con pieles,
y a su encuentro corrió sollozando, y las otras esclavas
del magnánimo Odiseo en torno de ellos reuniéronse,
y, abrazándole, todas besaron su frente y sus hombros.

Y por fin de su alcoba salió la discreta Penélope
y era en todo lo mismo que Artemis o la áurea Afrodita,
y, llorando, abrazábase al cuello de su hijo amadísimo
y besaba su frente y sus dos hermosísimos ojos,
y, a través de su llanto, le habló con aladas palabras:

—¡Mi dulcísima luz! ¡Ya volviste, Telémaco! Nunca
pensé verte ya más desde que con tu nao fuiste a Pilos
a escondidas y contra mi gusto a buscar a tu padre.
Vamos, pues, y las cosas que has visto o hallado relátame.

Y, prudente, repuso Telémaco de esta manera:

—Madre mía, no me hagas llorar ni en mi pecho conmuevas
tanto mi corazón, que escapé de una muerte terrible.
Lávate y cambia ahora tus ropas por otras sin mancha,
ve a tus altas estancias seguida de todas tus siervas
y promete a los dioses hacer hecatombes perfectas

para el día en que Zeus me permita cumplir la venganza.
Y yo, en tanto, iré al ágora para poder encontrarme
con un huésped que traje conmigo hasta aquí desde Pilos.
Lo envié por delante siguiendo a mis hombres divinos
con la orden de que lo llevase Pireo a su casa
y que allí lo atendiera y honrase hasta tanto yo fuese.

Dijo, y ni una palabra voló de los labios de ella.
Y después de aclararse la cara y vestir ropa limpia
prometió a los eternos hacer hecatombes perfectas
para el día en que Zeus permitiera cumplir la venganza.

Y, empuñando la lanza, salió de la sala Telémaco,
y tras él le siguieron dos perros de pies ligerísimos,
y tal gracia divina en él puso la diosa Atenea
que, al pasar, admirado de verle quedábase el pueblo.
Pero los pretendientes soberbios rodeáronlo pronto
y le hablaron amables tramando en sus mentes desgracias.

Pero él pronto se pudo evadir del inmenso gentío.
Y sentóse allí donde encontrábanse Méntor, Antifos
y Haliterses, antiguos amigos que tuvo su padre,
quienes sobre muchísimas cosas le hicieron preguntas.
Y Pireo, el famoso lancero, acercóse; llevaba
por la villa a su huésped al ágora; entonces Telémaco
no quedó distanciado del huésped: se puso a su lado.

Y el primero que entonces habló fue Pireo, y le dijo:

—En seguida, Telémaco, envía a mi casa mujeres
para darte los dones que el rey Menelao te ha entregado.

Y, prudente, repuso Telémaco de esta manera:

—No, Pireo. ¡Quién sabe el final que tendrán estas cosas!
Pues si los pretendientes soberbios me matan en casa
a traición, y entre todos después se reparten mi hacienda,
más prefiero que tú los disfrutes que no algunos de ellos.

Y si yo soy quien siembra para ellos la muerte y la parca,
muy contento estaré de tomarlos y tú de entregármelos.

Así dijo, y llevóse a su huésped muy triste a su casa.
Y una vez en la cómoda casa los dos se encontraron,
en sitiales y sillas dejaron entonces sus mantos
y bañáronse luego después en las pilas pulidas.
Y una vez por las siervas lavados y ungidos con óleo
y ya puestas las túnicas limpias y mantos de lana,
de las pilas salieron y en sillas después se sentaron.
Con un áureo y bellísimo jarro una joven doncella
les vertió el aguamanos en una jofaina de plata
y ante ellos dispuso una mesa pulida, y la grave
despensera llevóles el pan y sirvióles manjares
y obsequiólos contenta con cuanto tenía guardado,
mientras, en el alféizar sentada la madre, ante ellos,
reclinada en su asiento, movía la rueca ligera.
Y ellos iban tendiendo la mano a las cosas servidas.

Cuando ya de comer y beber estuvieron saciados,
la discreta Penélope entonces tomó la palabra:

—¡Ay, Telémaco! Habré de subir en seguida a mi alcoba
a acostarme en un lecho que llenan eternos sollozos
y humedecen mis lágrimas desde el día en que Odiseo
con los hijos de Atreo partió para Ilión, y aun no quieres,
cuando los pretendientes soberbios están ya viniendo,
anunciarme si viene tu padre o qué nuevas conoces.

Y, prudente, repuso Telémaco de esta manera:

—Te diré la verdad, madre mía, de cuanto conozco.
He ido a Pilos y allí he visto a Néstor, pastor de los hombres.
Después de recibirme en su casa tan bien construida,
me acogió como acoge un buen padre a su hijo que vuelve
de otras tierras, después de una ausencia muy larga; así mis-
me acogió cariñoso e igualmente sus hijos gloriosos. [mo
Mas ninguna noticia me dio el paciente Odiseo;

por ningún ser humano ha sabido si vive o ha muerto;
sin embargo, me dio unos corceles y un carro muy sólido
y me envió a Menelao el Atrida, el glorioso lancero;
y vi a Helena la argiva, por quien tantas pruebas pasaron
los argivos y teucros por la voluntad de los dioses.
Menelao, el guerrero de grito potente, al instante
preguntó qué intención me llevaba a su Esparta divina,
y yo, punto por punto, le hablé con entera franqueza;
y él entonces con estas palabras repuso diciendo:
«¡Dioses! ¡Cierto es que quieren dormir en el lecho de un
                                                    [hombre
valeroso esos hombres que ignoran lo que es la bravura!
Así como en la cueva de un león poderoso una cierva
a sus hijos apenas nacidos acuesta y se marcha
a pacer por la falda boscosa del monte y cañadas
verdeantes, y entonces el león a su cueva regresa
y a la madre y los hijos les da una muerte infamante,
asimismo Odiseo una muerte infamante ha de darles.
Padre Zeus, Atenea y Apolo, si ahora os pluguiera
que, lo mismo que el día en que en Lesbos la bien construi-
por el Filomelida retado a luchar levantóse   [da,
y dio en tierra con él y los hombres de Acaya alegráronse,
regresara y se hallase Odiseo con los pretendientes,
fueran cortas sus vidas y amargas les fuesen las bodas.
En lo que me preguntas y ruegas te cuente, no quiero
apartarme de toda verdad ni engañarte tampoco,
y de cuanto un Anciano del Mar, de palabra profética,
me contó, ni callar ni ocultar nada quiero de ello.
Él lo vio en una isla, llorando sin tregua, en la casa
de la ninfa Calipso que allí lo retiene a la fuerza
y no puede pensar en volver a la tierra paterna
porque no tiene naves provistas de remos, ni amigos
que, a través de la espalda anchurosa del ponto, lo guíen.»

«Así habló Menelao el Atrida, el glorioso lancero.
Y, hecho esto, emprendí mi regreso, y los dioses me dieron
una próspera brisa, y veloz he venido a mi patria.»

Dijo, y se conmovió el corazón en el pecho de ella.
Y el divino Teoclímeno entonces habló de este modo:

—¡Veneranda mujer de Odiseo, el hijo de Laertes!
Nada él sabe seguro, mas oye también mis palabras
porque voy a decirte un augurio sin nada ocultarte.
Antes que ningún dios, sea Zeus el testigo y tu mesa
que da asilo, y la casa de Odiseo a la que he llegado,
de que se halla de nuevo Odiseo en su tierra paterna,
ya sentado o moviéndose y sabe estos actos indignos;
siembra ya todo el mal que ha de darles a los pretendientes.
Éste ha sido el augurio que desde la nave bancada
he podido observar, y esto mismo le dije a Telémaco.

Y repúsole entonces así la discreta Penélope:

—¡Ojalá, forastero, las cosas que dices cumpliéranse!
Que obtendrías de mí la amistad y muchísimos dones,
tantos que te creería feliz todo aquel que encontraras.

Mientras ellos seguían charlando de cosas como éstas,
divertíanse los pretendientes lanzando delante
de la casa de Odiseo el disco y el dardo en la bella
explanada, allí donde insolentes mostrábanse siempre.
Pero cuando la hora llegó de la cena, y llegaron
de los campos los hombres de siempre llevando las reses,
habló entonces Medonte, el heraldo más grato que había
para los pretendientes en cuyos festines se hallaba:

—Puesto que al corazón con los juegos, ¡oh jóvenes!, disteis
ocio, entrar en palacio y allí dispóndremos la cena,
pues conviene que todos cenemos en tiempo oportuno.

Dijo así, y levantáronse todos y le obedecieron,
y una vez en la cómoda casa encontráronse todos,
en sitiales y sillas dejaron entonces sus mantos
e inmolaron carneros muy gruesos y cabras robustas,
una vaca gregal y unos cerdos cebones, aviando

el festín. Aprestábanse en tanto, en el campo, Odiseo
y el divino porquero a partir juntamente a la villa.

Y el porquero habló así, el mayoral de los mozos pastores:

—Puesto que a la ciudad hoy deseas marcharte, ¡oh mi hués-
[ped!,
como así lo ordenó mi señor —bien quisiera, no obstante,
que quedaras aquí convertido en guardián del aprisco,
mas respeto a mi amo y lo temo, y no quiero que tenga
que reñirme, pues son muy molestas las riñas del amo—,
vámonos, pues, ahora; una parte del día ha pasado
y muy pronto la noche vendrá y sentirás más el frío.

Y repúsole entonces así el ingenioso Odiseo:

—Comprendido. Te entiendo. Ya había previsto tu ruego.
Vamos, pues, y durante el trayecto tú mismo condúceme.
Y si tienes cortado un bastón, dámelo, de manera
que en él pueda apoyarme: decís que la senda resbala.

Dijo, y púsose al hombro el astroso zurrón, lleno todo
de agujeros, que por bandolera tenía una cuerda.
Y el porquero entrególe el bastón que le había pedido.

Se marcharon los dos, y quedaron pastores y perros
custodiando el chiquero; él llevaba a la villa a su amo
convertido en un viejo mendigo de mísero aspecto,
apoyado en su tranca y vestido de harapos horribles.

Pero cuando se hallaban en pleno camino fragoso,
cerca de la ciudad, junto a un bello venero labrado
al que todos los de la ciudad acudían por agua
construido por Ítaco[1] y Nérito, y a más por Políctor,

---

[1] *Ítaco, Nérito, Políctor.* Ítaco es el héroe epónimo de la isla de Itaca;
era hijo de Pterelas y Anfímede y pertenecía al linaje de Zeus. Nérito y
Políctor eran sus dos hermanos. Todos unidos marcharon de Corfú (patria de los feacios; cf. n. 3 al c. I) y fundaron la ciudad de Itaca.

rodeada de un bosque de chopos que el agua alimenta
y que vierte el frescor de sus linfas desde una alta roca,
y labrado sobre ella se encuentra el altar de las Ninfas,
en el cual hacen los caminantes sagradas ofrendas,
encontróse con ellos el hijo de Dolio, Melantio,
con las cabras mejores del hato, que a los pretendientes
como cena llevábales, e iban detrás dos cabreros.
Cuando vio a los dos hombres les dijo insultantes palabras,
tan grosero que se conmovió el corazón de Odiseo:

—Mirad cómo es bien cierto que un ruin a otro ruin
                                          [acompaña
porque siempre apareja algún dios a los que se parecen.
¿Dónde llevas tú a ese glotón, no envidiable porquero,
a ese odioso mendigo, esa peste de todo banquete?
¡Cuántas jambas sostiene frotando su espalda contra ellas,
suplicando un mendrugo, mas nunca calderos o espadas!
Si tú, para guardar la majada y barrer el establo,
y llevar el forraje a las cabras, a mí me lo dieras,
bebería un buen suero y se haría muy gordo su muslo.
Pero como ya es ducho en hacer malas obras, sin duda
no querrá trabajar, sino, antes, ir dando barzones,
hambreando en la villa y llenando su vientre sin fondo.
Mas te voy a decir una cosa y habrá de cumplirse:
si al palacio de Odiseo divino va, a su cabeza
y costados irán a parar más de cuatro escabeles
que las manos de aquellos varones habrán de lanzarle.

Dijo así, y al pasar, aquel loco le dio en la cadera
un feroz talonazo, mas no lo apartó del camino,
antes bien, continuó inconmovible. Y al punto Odiseo
deseó acometerlo y a palos quitarle la vida,
o cogerlo y alzarlo y después contra el suelo estrellarlo.
Mas sufrió y se contuvo, y mirando el porquero a aquel
                                          [hombre
lo afeó, y elevando las manos clamó esta plegaria:

—Ninfas de este venero, retoños de Zeus, si Odiseo
ós quemó un día muslos de ovejas y cabras, cubiertos
con muchísima grasa, otorgadme el deseo que os pido:
que regrese mi amo, que un dios a nosotros lo envíe.
Bien te haría perder la jactancia con que nos insultas,
yendo por la ciudad vagueando sin de ella salirte,
mientras unos pastores perversos malogran los hatos.

Y con estas palabras repuso Melantio, el cabrero:

—¡Dioses! ¿Qué es lo que dice este perro en infamias tan
[hábil?
Bajo el banco de un negro navío, muy lejos de Ítaca,
me lo habré de llevar a vender por un buen beneficio.
¡Ojalá con sus flechas Apolo a Telémaco hoy mate
en palacio, o sucumba en las manos de los pretendientes,
como ha muerto muy lejos el día de vuelta del padre!

Así dijo, y atrás los dejó porque andaban despacio
y tardó poco tiempo en llegar al palacio del príncipe.

Una vez en la sala sentóse entre los pretendientes,
ante Eurímaco que era quien más lo apreciaba de todos.
Una parte de carne ante él los criados pusieron,
y una parte de pan le sirvió una prudente intendenta.

Mientrastanto, Odiseo y Eumeo divino paráronse
frente al bello palacio, y en torno una cóncava lira
susurraba un rumor, porque dentro empezaba su cántico
Fenio. Y él al porquero tomó de la mano y le dijo:

—Mira, es éste el hermoso palacio de Odiseo, ¡oh Eumeo!
Fácil es distinguirlo entre todos los otros palacios.
Tiene un cuerpo saliendo del otro y el patio ceñido
por un muro almenado; el portal de dos puertas ofrece
una buena defensa: no sé quién podría forzarlo.
Dentro deben servir un banquete a un sinfín de invitados

porque advierto el olor del asado y la lira se oye,
la que, por compañera, al banquete entregaron los dioses.

Y tú entonces, Eumeo, el porquero, así respondiste:

—No te ha sido difícil saberlo, pues no eres un tonto.
Mas veamos de qué modo pueden hacerse las cosas.
Tú debieras entrar el primero en la cómoda casa
donde encuéntranse los pretendientes. Y yo estaré afuera.
O, si quieres, espérame en tanto yo paso delante,
mas no tardes, no sea que al verte a la puerta alguien tire
sobre ti cualquier cosa o te pegue; te ruego decidas.

Y el paciente y divino Odiseo entonces repuso:

—Comprendido. Te entiendo. Ya había previsto este ruego.
Pasa, pues, tú delante que yo esperaré afuera en tanto,
pues de golpes y tiros ya tengo sobrada experiencia;
con lo que padecí por el mar y en la guerra, se ha hecho
fuerte mi corazón. Vaya, pues, este mal con los otros.
No se puede ocultar la exigencia de un vientre funesto.
que tan grandes y tantos perjuicios al hombre ocasiona.
Por su causa las naves que van bien armadas navegan
por la mar infecunda, a llevar todo mal al contrario.

Mientras ellos seguían charlando de cosas como éstas,
levantó la cabeza y orejas un perro allí echado,
Argos, can de Odiseo magnánimo, que él hubo criado,
mas del cual no gozó, pues partió para Troya sagrada.
Con frecuencia los jóvenes, antes, consigo llevábanlo
a correr a las cabras monteses, la liebre o el ciervo;
y ahora yacía olvidado, en ausencia del amo
sobre el fiemo de mulos y bueyes, que junto a la puerta
hacinaban hasta que los siervos de Odiseo divino
recogíanlo para abonar los anchísimos campos:
lleno de garrapatas estaba allí Argos, el perro.
A Odiseo advirtió el perro en quien hacia él se acercaba
y, al mirarlo, moviendo la cola, bajó las orejas,

pero ya carecía de fuerzas para ir a su encuentro;
y él, al verlo, volvió la cabeza y secóse una lágrima,
que logró fácilmente ocultar al porquero, a quien dijo:

—De admirar es, Eumeo, este perro tumbado en el fiemo.
Es de raza excelente, mas no puede verse si ha sido
un veloz corredor, a pesar de la estampa que tiene,
o si es como esos perros que alguno mantiene en su mesa
y conserva lucidos tan sólo por darse ese lujo.

Y tú entonces, Eumeo, el porquero, así le dijiste:

—Es el perro del héroe que lejos murió de nosotros.
Y si tú hubieras visto lo bello y activo que él era,
cuando aquí lo dejó, al embarcar para Troya, Odiseo,
pronto su ligereza y vigor te dejaran atónito.
Fiera que él levantase en lo más intrincado del bosque
no podía escapar porque siempre acertaba su rastro.
Mas le abruman los males; ha muerto su dueño muy lejos
de la patria, y las mozas, dejadas, ya no se lo cuidan.
Porque los servidores, en cuanto no mandan los amos,
ya no quieren hacer los trabajos que son de justicia;
la mitad del valor que los hombres alcanzan la quita
Zeus el longividente ese día en que caen como esclavos.

Así dijo, y entró luego al punto en la cómoda casa
y en seguida en la sala de los pretendientes ilustres.
Y una parca de muerte sombría quedóse con Argos,
cuando vino nuevamente a Odiseo veinte años más tarde.

El divino Telémaco vio mucho antes que nadie
al porquero llegar a la sala, y le hizo una seña
para que se acercase. Y Eumeo miró en torno suyo,
tomó un banco de bellos colores en el que el trinchante
se sentaba y que ahora se hallaba cortando la carne
del festín en la sala, y junto a su mesa lo puso
y ante él se sentó y el heraldo sirvióle una parte
con el pan que ya había tomado de un cesto pequeño.

Asimismo, tras él, penetró en el palacio Odiseo
convertido en un viejo mendigo de mísero aspecto,
apoyado en su tranca y vestido con tristes harapos.
Se sentó en el umbral tan pulido, en la parte de dentro,
se apoyó en el quicial de ciprés, que el artífice había
ya pulido y labrado a nivel hábilmente en su tiempo.

Y Telémaco entonces llamó al porquerizo y le dijo,
entregándole un pan que en un cesto muy bello había puesto
y la carne que pudo abarcar con las manos abiertas:

—Toma y dalo a tu huésped; convéncelo para que pida
dirigiéndose a los pretendientes y de mesa a mesa,
pues quien lo necesita no debe afrentarse por ello.

Dijo así, y el porquero se fue a obedecer su mandato,
y llegando ante él pronunció estas palabras aladas:

—Huésped mío, Telémaco esto me da y te aconseja
que les pidas a los pretendientes y de mesa a mesa,
pues me ha dicho que no ha de afrentarse por ello el que
[pide.

Y repúsole entonces así el ingenioso Odiseo:

—¡Zeus señor! Feliz sea entre todos los hombres Telémaco,
y que cuantos deseos él tenga se cumplan al punto.

Dijo, y con las dos manos entonces tomó las viandas
que dejó ante sus pies, sobre el viejo zurrón miserable;
y se puso a comer y a escuchar al aedo en la sala.

Acabó él de cenar y acabó de cantar el aedo
cuando los pretendientes armaban barullo en la sala,
y Atenea fue entonces a Odiseo, el hijo de Laertes,
y le dijo que a los pretendintes pidiera un mendrugo
para así conocer quiénes eran malvados o justos,
aunque ni uno siquiera debía escapar de la muerte.

Y fue por la derecha, empezando a pedir a cada hombre
y pidiendo era igual que un mendigo de toda la vida.
Y, apiadados, le daban limosnas, y muy sorprendidos
preguntábanse entre ellos quién era y de dónde venía.

Y con estas palabras repuso Melantio, el cabrero:

—Escuchad, pretendientes de nuestra ilustrísima reina,
lo que yo os diré de este extranjero a quien antes he visto.
Al venir para aquí, el porquerizo le hacía de guía,
mas ignoro quién es ni de qué descendencia se precia.

Así dijo, y Antinoo increpó al porquerizo diciéndole:

—¡Oh famoso porquero! ¿Por qué a la ciudad lo trajiste?
¿No pensaste que ya vagabundos bastantes tenemos,
importunos mendigos, la peste de todo banquete?
¿No te bastan los que se reúnen aquí y le devoran
a tu dueño los bienes, que invitas aún a otro nuevo?

Y tú entonces, Eumeo, el porquero, así respondiste:

—No está bien lo que dices, Antinoo, por noble que seas.
¿Quién iría a buscar a un extraño a otra tierra, no siendo
de los que en la ciudad un oficio que es público ejercen:
un vidente o un médico o un carpintero de blanco,
o un aedo divino que con su canción nos deleite?
A éstos suele llamárselos desde un extremo del mundo.
Pero, para arruinarse por él, no traerá nadie a un pobre.
Siempre fuiste de los pretendientes el más despiadado
con los siervos de Odiseo, y aun más que con nadie, con-
pero nada me importa si al fin la discreta Penélope   [migo,
vive en este palacio y con ella el deiforme Telémaco.

Y, prudente, intervino Telémaco de esta manera:

—Cállate y no contestes usando de tantas palabras,
porque Antinoo acostumbra a incitarnos de malas maneras
con molestas razones y excita, además, a los otros.

Y con estas palabras aladas, le dijo así a Antinoo:

—Yo sé, Antinoo, que velas por mí con cuidados de padre
al pedirme con duras palabras que de este palacio
a tal huésped expulse. ¡Los cielos me impidan hacerlo!
Dale algo; no te lo prohíbo; antes bien, te lo ruego.
Y no temas que a mal se lo tome mi madre o cualquiera
de los siervos de la mansión del divino Odiseo.
Mas no existe en tu pecho un propósito así, ya lo veo,
pues prefieres comer, mas no dar de comer a ninguno.

Y repúsole entonces Antinoo con estas palabras:

—Elocuente Telémaco, no te refrenas. ¿Qué has dicho?
Si le dieran lo mismo que yo todos los pretendientes,
viviría en su casa tres meses lejos de nosotros.

Así dijo, y tomó el escabel, donde, bajo la mesa,
apoyaba sus nítidos pies al comer, y mostrábalo.
Mas los otros le dieron un poco, y de pan y de carne
el zurrón le llenaron, y Odiseo volvió hacia la puerta
a comer lo que aquellos aqueos habíanle dado.
Mas detúvose al lado de Antinoo y le habló de este modo:

—Dame, amigo: pues no me pareces un mísero aqueo:
antes bien, te asemejas a un rey y pareces el jefe.
Y por esto a ti más que a los otros conviene ser pródigo
con tu pan, y te iré celebrando por toda la tierra.
Yo también en mi tiempo habité un opulento palacio
y viví entre los hombres feliz, y le di al vagabundo,
a quienquiera que fuese y tuviese una urgencia cualquiera.
Yo he tenido un sinfín de criados y todas las cosas
con las cuales se vive muy bien y se es rico y famoso.
Pero Zeus, el Cronión, me arruinó, porque así lo dispuso,
incitándome a ir de aventuras con unos piratas
hacia Egipto, un viaje muy largo, hacedor de mi ruina.
En el río de Egipto amarré mis navíos curvados.
Y después de haber dado a mis bravos amigos la orden

de que junto a los buques, velando por ellos, quedaran,
destaqué unos vigías en los oportunos lugares.
Mas, cediendo a su orgullo y siguiendo sus propios impulsos,
comenzaron al punto a asolar las campiñas egipcias,
capturando a mujeres y niños, matando a los hombres.
Mas muy pronto llegó a la ciudad el clamor de los gritos.
Al oírlo acudieron los hombres al filo del alba;
de soldados y carros de guerra y de bronce fulgente
se llenaron los campos, y Zeus, que con rayos deléitase,
envióles el miedo a mis hombres, y entonces ninguno
se atrevió a resistir, pues estaban cercados de males.
Con el bronce agudísimo a muchos allí nos mataron,
y a los otros lleváronlos para ejercer sus quehaceres.

«Yo fui a Chipre; me dieron a un huésped que estaba pre-
era Dmétor, el hijo de Iasos, que en Chipre tenía   [sente:
gran poder. De allí vine, sufriendo muchísimos males.»

Y repúsole entonces Antinoo con estas palabras:

—¿Qué Dios, para amargar el banquete, nos trajo esta
[peste?
Permanece ahí en medio, alejándote así de mi mesa
o te devolveré a la amargura de Egipto y de Chipre,
por ser un mendigante con tanta osadía y descaro.
Ahora vas deteniéndote ante estos que dan locamente,
porque no usan de moderación ni piedad, regalando
lo que de ellos no es y disponen de gran abundancia.

Y volviéndose atrás respondió el ingenioso Odiseo:

—¡Dioses! Veo que tu corazón y tu rostro se oponen.
Ni la sal de tu casa darías a quien la pidiera,
puesto que no te atreves, sentado a la mesa de otro,
a entregarme un pedazo de pan cuando tanto te sobra.

Así dijo, y la ira de Antinoo aumentó todavía.
Y con torva mirada le habló con aladas palabras:

—Imagino que entero no puedes salir de esta sala,
por haber proferido al hablar semejantes injurias.
Así dijo, y tomó el escabel, lo lanzó, y en la espalda
sobre el hombro derecho, le dio, mas igual que una roca
Odiseo quedó, pues no vaciló al golpe de Antinoo.
Y movió la cabeza en silencio, pensando desdichas.
Y volviendo al umbral, se sentó y colocó sobre el suelo
el repleto zurrón, y habló entonces a los pretedientes:

—Escuchad, pretendientes de vuestra magnífica reina,
las palabras que mi corazón me ha ordenado que os diga.
No hay varón que el dolor en el alma, o la pena, conozca
cuando alguno lo hiere en la lucha que entabla por todos
cuantos bienes posee, por sus bueyes y blancas ovejas;
pero Antinoo me hirió por motivos del vientre funesto
y execrado, que tanto infortunio acarrea a los hombres.
Si en el cielo hay un dios para el pobre, y existen las furias,
que la muerte haga presa en Antinoo antes del casamiento.

Y repúsole entonces el hijo de Eupites, Antinoo:

—Siéntate y come en paz, forastero; o bien vete a otro sitio,
si no quieres que por tus palabras te arrastren los jóvenes
por la casa, de un pie o bien de un brazo y aquí te hagan
                                                    [tiras.
Dijo así, y con vehemencia, al oírlo, indignáronse todos,
y uno de esos soberbios muchachos habló de esta forma:

—No es de ley herir a un infeliz vagabundo, ¡oh Antinoo!
¡Insensato! ¿Y si fuera algún dios de los cielos venido?
Pues los dioses, haciéndoles iguales a gente extranjera
y adoptando diversas figuras, recorren ciudades
para reconocer la insolencia o justicia del hombre.

Así los pretendientes hablaban, mas él no hizo caso.

Y a Telémaco en el corazón le dolió el golpe dado,
pero no resbaló de sus ojos al suelo una lágrima.
Y movió la cabeza en silencio, pensando desdichas.

Cuando supo que habían herido en la gran sala a un hués-
[ped,
la discreta Penélope habló entre sus siervas, diciendo:

—Ojalá así le hiriese el arquero magnífico Apolo.

Y repúsole entonces Eurínome, la despensera:

—Si tuvieran efecto los votos que hacemos, ninguno
nuevamente vería la Aurora ascender a su trono.

Y repúsole entonces así la discreta Penélope:

—Todos son bien odiosos, nodriza, pues traman vilezas;
pero Antinoo es quien más se parece a la fúnebre Parca.
Hay un pobre extranjero en la sala pidiendo limosna,
pues se siente por necesidad obligado a pedirla.
Los demás le han llenado el zurrón ofreciéndole dádivas,
pero él le lanzó el escabel sobre el hombro derecho.

En su alcoba sentada, la reina estas cosas contaba
a sus siervas, y el divino Odiseo en tanto comía.
Y ella entonces llamó al porquerizo divino y le dijo:

—Ve a decirle, ¡oh Eumeo divino!, a ese huésped que
Desearía charlar un momento con él, preguntarle   [venga.
si quizá del paciente Odiseo conoce noticias,
si sus ojos lo han visto; parece que mucho ha rodado.

Y tú entonces, Eumeo, el porquero, así respondiste:

—Ojalá los aqueos callaran, ¡oh reina!, en la sala
porque, oyéndole, tu corazón llegaría a encantarse.
Yo tres días y tres noches pude tenerlo en mi choza,
porque vino primero a mi lado al huir de un navío;
mas no pudo, ni así, terminar de contarme sus penas.
Como aquel que contempla a un aedo instruido por dioses,
que a los hombres mortales les canta agradables relatos,

y ellos siempre quisieran oírle, pues nunca se cansan,
asimismo hechizado me tuvo este hombre en mi choza.
Asegura haber sido del padre de Odiseo huésped,
y que en Creta ha vivido, el país del linaje de Minos;
ha venido de allí padeciendo muchísimas penas,
por las olas llevado; dice que oyó hablar de Odiseo,
no muy lejos, en el opulento país de Tesprotia:
vive, y pronto vendrá portador de un sinfín de riquezas.

Y repúsole entonces así la discreta Penélope:

—Ve, pues, y hazlo venir, para que él, ante mí lo relate.
Regocíjense en tanto a la puerta sentados los otros,
o en la sala, ya que el corazón tiene tan jubiloso.
Porque todos sus bienes, el pan como el vino dulcísimo,
en sus casas se guardan, si no, se lo toman los siervos.
Mientras tanto, a diario ellos vienen a nuestro palacio,
nos degüellan los bueyes y ovejas y cabras robustas,
banquetean y bébense el vino ardentísimo y negro,
y consumen muchísimas cosas, pues falta aquí un hombre
capaz como Odiseo de librar de ruina la casa.
¡Si Odiseo viniera y volviese a la tierra paterna!
Con su hijo muy pronto vengara el furor de estos hombres.

Dijo, y estornudó con tal fuerza Telémaco, que hizo
resonar el palacio de un modo espantoso. Y Penélope
se rió, y con aladas palabras habló al punto a Eumeo:

—Anda, ve y ante mí comparece trayéndome al huésped.
¿No ves que ha estornudado[2] mi hijo mientras yo te hablaba?
¡Ah, si fuera a cumplirse la muerte de los pretendientes
y ninguno la muerte y las Parcas pudiera evitarse!
Y otra cosa te voy a decir, y en tu pecho consérvala:
si conozco que dice verdad en las cosas que cuente,
te prometo vestirlo con manto y con túnica nuevos.

---

[2] *¿No ves que ha estornudado...?* Presagio favorable.

Dijo así, y el porquero se fue, ya escuchada esta orden.
Y llegándose a él pronunció estas palabras aladas:

—Padre huésped, te llama la sabia Penélope, madre
de Telémaco; su corazón, a pesar de su angustia,
le ha pedido que te haga preguntas respecto a su esposo.
Si conoce que dices verdad en las cosas que cuentes,
te promete vestirte con manto y con túnica, cosas
que tú más necesitas; tu pan pedirás por la villa,
manteniendo tu vientre, y, en fin, que te dé quien lo quiera.

Y el paciente y divino Odiseo entonces repuso:

—Quiero, Eumeo, contarle la pura verdad de las cosas
que he sabido a la hija de Icario, discreta Penélope,
pues yo sé mucho de ello: vivimos las mismas miserias.
Mas me asusta tal número de pretendientes tan crueles
porque llegan ya al cielo de hierro su audacia y sus crí-
                                                    [menes.
Tú ya viste a ese hombre que, cuando yo estaba en la sala
sin hacer daño a nadie, me dio tan cruelísimos golpes,
y no pudo acudir en mi ayuda Telémaco o alguien.
Así, pues, aunque se halle impaciente, aconseja a Penélope
que me aguarde en su estancia entre tanto el crepúsculo
                                                    [viene.
E interrógueme entonces respecto a su esposo y su vuelta,
y me siente ante el fuego, pues llevo muy míseras ropas,
como sabes muy bien, ya que a ti he suplicado el primero.

Dijo así, y el porquero se fue cuando oyó estas palabras.
Y al pasar el umbral de la puerta le dijo Penélope:

—¿Cómo vienes, Eumeo, sin él? ¿Qué pensó el vagabundo?
¿Tiene miedo tal vez? ¿Qué vergüenza le impide la entrada?
Mala cosa es que peque de ser vergonzoso un mendigo.

Y tú entonces, Eumeo, el porquero, así respondiste:

—Habla sensatamente, igual que en su lugar hablaría
quien temiera el exceso de tan insolentes varones.
Te aconseja le aguardes en tanto el crepúsculo viene.
Y mejor para ti habrá de ser que te quedes, ¡oh reina!,
con el huésped a solas hablando y oyendo qué dice.

Y repúsole entonces así la discreta Penélope:

—No pensó como un necio este huésped, quienquiera que
                                                    [sea.
No conoce la tierra mortales que, como estos hombres,
nos insulten y tan indebidas acciones maquinen.

Dijo así, y el divino porquero se fue a donde estaban
todos los pretendientes reunidos, cumplido su encargo.
Y en seguida a Telémaco dijo palabras aladas,
acercándose a él para que no le oyeran los otros:

—Yo me marcho, ¡oh amigo!, a cuidar de los cerdos, de
                                                    [todo
cuanto es tuyo y es mío, y tú queda cuidándote de esto.
Sálvate sobre todo y en tu ánimo piensa en tu riesgo
porque muchos aqueos ya tienen tramados tus males.
Zeus a todos destruya antes que de ellos daño nos venga.

Y, prudente, repuso Telémaco de esta manera:

—Será así, abuelo. Puedes marcharte cuando hayas cenado.
Pero al filo del alba regresa con víctimas bellas;
yo me quedo a cuidar de la casa, y los dioses conmigo.

Dijo así, y a su silla pulida volvió el porquerizo;
cuando ya de comer y beber se sintió satisfecho,
a sus cerdos se fue, abandonando el recinto y la casa
llena de convidados que estaban, con danzas y cantos
deleitándose, pues ya empezaba a vencerse la tarde.

CANTO XVIII

[*Pugilato de Odiseo e Iro*]

Llegó entonces el pobre que andaba pidiendo limosna
ante todas las casas de Ítaca; era un hombre famoso
por su vientre glotón, por comer y beber de continuo,
mas ni fuerzas ni nervio tenía, aunque sí gran presencia.
Le dio el nombre de Arneo, al parirlo, su madre augustí-
sin embargo, los jóvenes todos llamábanlo Iro   [sima;
porque a todos llevábales cuantos mensajes le daban.

Al llegar quiso echar de su propio palacio a Odiseo,
pues se puso a insultarlo con estas aladas palabras:

—Viejo, sal del umbral si no quieres que a rastras te saquen.
¿No comprendes que todos guiñándome un ojo me piden
que te arrastre de un pie? Y no lo hago por pura vergüenza.
Vete, si no pretendes también que disputen las manos.

Y, con torvo mirar, respondió el ingenioso Odiseo:

—¡Infeliz! Ningún daño te causo en lo que hago o que digo;
ni me opongo a que nadie te dé cuanto quiera de todo.
Para dos hay umbral suficiente. No tengas envidia,
pues, de bienes ajenos. Pareces también un mendigo
como yo, y son los dioses los que la opulencia conceden.
No amenaces ya más con las manos ni me encolerices,

no sea que, aun cuando viejo, la boca y el pecho te llene
con tu sangre, y mañana tendría un más grato descanso.
Porque bien me imagino que tú, por segunda vez, nunca
volverías a casa de Odiseo, hijo de Laertes.

E Iro, el vagabundo, enojado, repuso diciendo:

—¡Dioses! ¡Qué a locas se ha puesto a charlar este gomia!
Se parece a la vieja del horno. ¡Buen daño le haría!
De la boca, a puñadas, le iría arrancando los dientes
igual que a una marrana que hocica en los campos de trigo.
Vamos ya; cíñete, y que el combate estos hombres arbitren.
¿Cómo vas a poder pelear con un hombre más joven?

De tal modo ante el alto portón, sobre el pulimentado
umbral, ambos zaheríanse con un enojo profundo.
Y advirtió este debate la Sacra Potencia de Antinoo,
y con una suave sonrisa habló a los pretendientes:

—No gozamos, ¡oh amigos!, jamás de tan buen pasatiempo
como el que un inmortal nos envía esta vez a esta casa.
Iro y el forastero pelean y se hallan a punto
de venir a las manos. Hagamos que pronto combatan.

Dijo así, y levantáronse todos de un salto, riendo,
y pusiéronse en torno de ambos astrosos mendigos.
Y habló entonces el hijo de Eupites, Antinoo, diciendo:

—Pretendientes ilustres, oíd lo que voy a deciros:
de los vientres de cabra que para la cena hemos puesto
en el fuego, ya llenos de gordo y de sangre, propongo
que aquel que, de los dos, vencedor por su fuerza resulte,
se presente y escoja de todos el que le parezca.
Desde hoy tendrá en nuestros banquetes un sitio, y nosotros
vedaremos la entrada a otro pobre que venga pidiendo:

Dijo Antinoo, y a todos gustó la propuesta que hizo
Mas tramando una astucia habló así el ingenioso Odiseo:

—Es injusto, ¡oh amigos!, que luche con un hombre joven
un anciano que tanto ha sufrido; no obstante, mi vientre
maldecido me instiga a luchar y a caer a los golpes.
Pero todos juradme con un juramento inviolable
que, por Iro, ninguno con mano pesada ha de herirme
contra toda justicia, entregándome a él por la fuerza.

Dijo, y todos juraron tal como él había pedido.
Y una vez pronunciado y sellado este gran juramento,
intervino el Sagrado Vigor de Telémaco, y dijo:

—Huésped, si el corazón como el ánimo osado te fuerzan
a aceptar el combate, no temas a aqueo ninguno,
pues con muchos habrá de luchar el que quiera pegarte.
Soy yo aquí quien te da acogimiento, y me aprueban lo
                                                    [dicho
estos reyes, Antínoo y Eurímaco, entrambos prudentes.

Dijo así, y aplaudiéronle todos. Y Odiseo, ciñóse
los andrajos, tapó sus vergüenzas, y hermosos y grandes
se mostraron sus muslos, se vieron sus anchas espaldas
y su pecho y su brazo robustos. Y al punto Atenea,
a su lado, de pie, hizo crecer al pastor de los hombres.
Y admiráronse los pretendientes muchísimo al verlo,
y, mirándose unos a otros, entre ellos decíanse:

—Pronto Iro, el mísero Iro[1], tendrá cuanto busca.
¡Vaya muslos que muestra el anciano por entre sus zarrias!

Así hablaban, e Iro sintió el corazón tembloroso.
Lo ciñeron por fuerza los siervos y allí lo sacaron
con un miedo cerval, y en sus miembros sus carnes tembla-
                                                    [ban.
Y le habló Antínoo entonces con duros reproches, diciendo:

---

[1] *Iro, Iris.* Nótese la paronomasia *Iro/Iris* con sentido burlesco, al comparar al mendigo con Iris, divinidad femenina símbolo del arco «iris».

—Ojalá, fanfarrón, no existieras ni hubieses nacido
puesto que tal temblor te ha asaltado y de tal modo temes
a un anciano abrumado por una existencia de penas.
Pero voy a decirte una cosa y habrá de cumplirse:
si este hombre te vence y más fuerte que tú se revela,
te enviaré al continente, metido en un negro navío,
a la casa de Equetos[2] el rey, el azote del hombre,
para que con el bronce te corte narices y orejas,
y te arranque las partes y crudas las eche a los perros.

Dijo así, y en sus miembros se hizo el terror más intenso.
Condujéronlo al centro y los dos se pusieron en guardia.
Y Odiseo divino y paciente dudó entre pegarle
de tal modo que cuando cayera perdiese la vida,
o golpearlo de forma suave y tenderlo en el suelo.
Y, pensándolo bien, prefirió golpear suavemente
para que no pudieran saber los aqueos quién era.

Levantó Iro los brazos, golpeó sobre el hombro derecho
y él le dio tal puñada en el cuello, mas bajo la oreja,
que sus huesos quebráronse dentro, y echó roja sangre
por la boca y, gimiendo, cayó y, apretando los dientes,
pateó en el solado. Mas los pretendientes ilustres,
levantando los brazos, reían. Odiseo entonces
lo agarró por un pie y lo sacó del vestíbulo a rastras
hasta el patio y las puertas del atrio, y, sentándolo afuera,
apoyado en la acera, le puso un bastón en la mano,
y le habló, dirigiéndole estas palabras aladas:

—Quédate aquí sentado y ahuyenta a los cerdos y perros
y no quieras, por ruin, ser señor de mendigos ni huéspedes,
pues aun penas mayores podrían sumársete a ésta.

Dijo, y se puso al hombro el astroso zurrón, lleno todo
de agujeros, que por bandolera tenía una cuerda,
y otra vez se sentó en el umbral. Y los otros, entrando,
se reían con gusto y así dábanle parabienes:

---

[2] *Equetos.* Rey legendario del Epiro; prototipo del soberano cruel.

—Zeus y todos los dioses eternos, te den, forastero,
lo que tú más anheles y sea más grato a tu ánimo,
pues por ti nunca más pedirá este mendigo insaciable
por el pueblo, pues lo llevaremos así al continente,
a la casa de Equetos el rey, el azote del hombre.

Así hablaron, y alegró este presagio al divino Odiseo.
Luego Antinoo le puso delante el mayor de los vientres,
lleno todo de gordo y de sangre, y Anfínomo entonces
le sirvió todavía dos panes de su canastillo,
y ofreciéndole vino en su copa de oro, le dijo:

—¡Salve, padre extranjero! Sé un hombre feliz desde ahora,
ya que tanto hasta hoy te abrumaron tus muchas miserias.

Y repúsole entonces así el ingenioso Odiseo:

—En verdad, me pareces, Anfínomo, un hombre discreto,
digno hijo del padre que tienes; llegó a mí la fama
de que Nisos gozó como bueno y pudiente en Duliquio[3];
dicen que él te ha engendrado y pareces un hombre agra-
[dable.
Mas te voy a decir una cosa y tú atiende y escúchame:
no ha criado la tierra animal más endeble que el hombre
entre cuantos respiran y sobre la tierra se mueven.
No imagina que habrá de sufrir infortunios en tanto
las deidades le otorgan la dicha y sus piernas se mueven.
Pero cuando los dioses dichosos le dan la desgracia,
quiera o no, la soporta con un corazón resignado.
Porque tal es la suerte del hombre terrestre, que muda
con el día que el padre de dioses y de hombres nos manda.
También yo entre los hombres debía de ser muy dichoso
pero me hice un malvado: abusé del poder y la fuerza
y fié en que mi padre y hermanos podían valerme.
Por lo tanto, ninguno jamás deberá ser injusto;
que disfrute en silencio de cuanto le otorgan los dioses.
Veo a los pretendientes urdiendo un sinfín de maldades,

---

[3] *Duliquio.* Cf. n. 12 al c. I.

consumiendo una hacienda, vejando a la esposa de un hom-
que estará poco tiempo apartado de todos los suyos   [bre
y también de su patria; ya que se halla muy cerca. Que un
te conduzca a tu casa. No quieras hallarte delante [numen
de él el día en que esté de regreso en la tierra paterna.
Imagino que entre él y entre los pretendientes la sangre
será la que decida, una vez se halle bajo este techo.

Así dijo, y ya hecha la ofrenda bebió el vino dulce,
y la copa dejó en manos del que ordenaba las filas.
Y éste fue por la sala con ánimo triste a su sitio,
y movió la cabeza, pues ya presagiaba el desastre.
Pero nadie lo pudo salvar, pues lo puso Atenea
a merced de Telémaco y bajo su lanza potente.
Mas, no obstante, volvía a la silla que había ocupado.

Entretanto Atenea, la diosa de claras pupilas,
a la hija de Icario, discreta Penélope, puso
en el ánimo un vivo interés de que a los pretendientes
se quisiera mostrar e incitase su ánimo, y fuera
más honrada que nunca esta vez por su esposo y su hijo.

Y, riendo sin ganas, le habló a la intendenta, diciéndole:

—Hoy mi ánimo, Eurínome, quiere lo que antes no quiso:
que me muestre ante los pretendientes, con todo y odiarlos,
pues quisiera yo hacerle a mi hijo una sabia advertencia:
que con los pretendientes soberbios no siempre se trate;
dicen buenas palabras y es ruin lo que todos maquinan.

Y repúsole Eurínome así, la intendenta, diciendo:

—Sí, hija mía; en las cosas que has dicho demuestras pru-
Vete, pues, a advertir a tu hijo, y nada le ocultes;   [dencia.
pero lava primero tu cuerpo y perfuma tu cara.
No te muestres así con el llanto afeando tu rostro;
no está bien que aparezcas en todo momento afligida.

Ya tu hijo ha alcanzado la edad que tú tanto anhelabas
al pedir a los dioses poder verlo barbiponiente.

Y repúsole entonces así la discreta Penélope:

—Aunque quieras mi bien, cállate estos consejos, Eurínome,
de que lave mi cuerpo y me ponga en la cara perfumes,
puesto que mi belleza agotaron los dioses que habitan
el Olimpo, cuando él se hubo ido en las cóncavas naves.
Sin embargo, di a Autónoe y también a Hipodamia que
[vengan
para que me acompañen las dos al entrar en la sala:
yo no quiero estar sola entre hombres, pues siento ver-
[güenza.

Así dijo, y la vieja se fue por la casa a decirlo
a las siervas y darles la orden de ir al momento.

Y Atenea, la de claros ojos, dispuso otra cosa.
Infundió un dulce sueño a la hija de Icario, y en tanto
en su lecho dormía, sus miembros quedáronse laxos,
y la diosa entre diosas le hizo inmortales presentes
para que los aqueos sintieran asombro al mirarla.
De primero lavó el bello rostro con esa divina
ambrosía con que Citerea la bien coronada
se perfuma cuando entra en el coro feliz de las Gracias[4].
Hizo que aparentara mayor estatura y volumen
y le dio la blancura que tiene el marfil al serrarlo.

Y la diosa entre diosas partió cuando ya hubo acabado;
De la sala llegaron las siervas de brazos blanquísimos
y al rumor de sus voces huyó su dulcísimo sueño;
se pasó por la cara las manos y habló de este modo:

—Sufro tanto que un blando sopor ha logrado rendirme.
Ojalá la castísima Artemis me diera ahora mismo

---

[4] *Gracias.* Cf. n. 5 al c. VI.

una muerte tan dulce, pues no gastaría mi vida
lamentándome en mi corazón, siempre echando de menos
cualidades que tuvo mi esposo, el aqueo más grande.

Dijo así, y descendió de su alto y hermoso aposento,
pero sola no iba, pues la acompañaban dos siervas;
y al llegar la divina mujer donde los pretendientes
se encontraban, de pie ante el montante que el sólido techo
sustentaba, se echó sobre el rostro el espléndido velo,
pero a un lado y a otro tenía a sus dos servidoras.
Y a ellos, enajenados de amor, las rodillas temblábanles;
cada uno quería encontrarse acostado con ella.
Pero ella habló así a su amadísimo hijo Telémaco:

—¡Débiles son, oh Telémaco, tu corazón y tu espíritu!
Cuando niño pensabas mejor los propósitos tuyos,
pero hoy que eres mayor y ya tu juventud se madura,
cuando al ver tu estatura y belleza cualquier extranjero
supondríate el hijo de un hombre colmado de dicha,
¡no demuestras la fuerza de tu corazón y tu espíritu!
¿Dónde se ha cometido una acción como aquí en esta sala
en la que has permitido que así se maltrate a tu huésped?
¿Qué será de nosotros si un huésped que está en nuestra
                                                    [casa
se convierte en el blanco de un atropello como éste?
¡La vergüenza y oprobio caerán sobre ti ante los hombres!

Y, prudente, repuso Telémaco de esta manera:

—Madre mía, no puedo indignarme al saberte irritada.
Ya muchísimas cosas conozco y entiendo en mi ánimo
lo que está bien o mal, porque ya la niñez he dejado.
Pero en todo no sé decidir con el juicio preciso,
pues me turba asediándome toda esta gente que piensa
sólo el mal, y no tengo yo a nadie que quiera auxiliarme.
El combate del huésped con Iro no fue por deseo
de ningún pretendiente; fue aquel el que tuvo más fuerza.
Ojalá el padre Zeus, Atenea y Apolo quisieran

que ya los pretendientes por este palacio estuviesen
todos ya cabizbajos, vencidos y rotos los miembros,
unos por esta sala, y afuera, en el patio, los otros,
como Iro que se halla sentado a la puerta del patio,
y lo mismo que quien ha bebido de más, cabecea
y no logra ponerse de pie ni volver a su casa
por la senda de siempre, pues tiene los miembros deshechos.

Una vez terminaron entre ellos de hablar de estas cosas,
a Penélope Eurímaco habló de este modo, diciendo:

—¡Oh tú, hija de Icario la siempre discreta Penélope!
Si hasta el último aqueo te vieran en Argos de Iaso,
muchos más pretendientes tendrías aquí celebrando
desde el alba festines, pues tú sobrepasas a todas
las mujeres en cuanto a belleza y a juicio sereno.

Y repúsole entonces así la discreta Penélope:

—¡Ay, Eurímaco, mis atractivos, mi gracia y belleza
destruyeron los dioses al irse camino de Troya
los argivos, y al irse con ellos mi esposo, Odiseo!
¡Si él volviera y llegase a cuidar otra vez de mi vida
cuán mayor esta vez y cuán pura sería mi gloria!
Ahora estoy afligida en el mal que algún dios me ha en-
                                                    [viado.
Cuando él se marchó abandonando la tierra paterna
me tomó de la mano derecha y me habló de este modo:
«¡Oh mujer! Sé muy bien yo que sanos y salvos no todos
los aqueos de grebas hermosas vendrán desde Troya,
pues los teucros también, según dicen, son gente guerrera
y manejan la lanza muy bien y son buenos flecheros
y son hábiles en cabalgar en briosos corceles,
los que siempre deciden la lucha si está muy dudosa.
No sé, pues, si algún dios hará que yo regrese, o a Troya
tenga que ir a morir. Aquí quedas cuidando de todo.
Y recuerda a mi padre y mi madre; como haces ahora,
o mejor, continúa en palacio durante mi ausencia.

Cuando observes que ya a nuestro hijo le apunta la barba,
cásate con quien quieras casar y abandona el palacio.»
Así habló, y ya comprendo que todas las cosas se cumplen.
Y la noche vendrá de esta boda que me es tan odiosa,
¡ay de mí!, porque Zeus me ha privado de toda ventura.
Pero a mi corazón lo atormenta una pena terrible.
Antes los pretendientes de un modo distinto portábanse.
Los que a una mujer noble, hija de un hombre opulento,
por esposa pretenden, compiten entre ellos por ella,
y los bueyes y gruesas ovejas las traen ellos mismos,
y a los suyos invitan y ofrecen presentes espléndidos,
pero no impunemente devoran los bienes de ella.

Dijo. Y sintióse contento el paciente y divino Odiseo,
porque vio que quera arrancarles regalos, turbándolos
con suaves palabras, y estaba pensando otras cosas.

Y repúsole entonces Antinoo el hijo de Eupites:

—¡Oh tú, hija de Icario, la siempre discreta Penélope!
Toma cuantos regalos te envíen a ti los aqueos,
pues se debe aceptar una ofrenda; no obstante, nosotros
no hemos de irnos de aquí a nuestros campos ni allí don-
hasta que por esposo al aqueo que quieras aceptes.   [de sea

Esto fue lo que Antinoo repuso, y gustó a todos ellos.
Y envió cada uno a un heraldo a buscar los presentes.
Y el de Antinoo volvió con un peplo cumplido y bellísimo
con hermosos bordados y doce doradas hebillas
sujetadas por sendos anillos muy bien retorcidos.
El de Eurímaco trajo un collar bellamente labrado
de oro y cuentas muy grandes de ámbar, que un sol pa-
Los dos siervos de Euridamante, una pareja de aretes [recía.
con tres perlas lo mismo que moras, de brillo gracioso.
Un criado volvió del hogar de Pisandro, del hijo
de Políctor, llevando un collar, una joya muy bella.
Y así fue cada aqueo entregando un presente admirable.

La divina mujer volvió luego a subir a la alcoba
y con ella las siervas llevando los bellos regalos.

Y a la danza y el canto entregáronse los pretendientes
otra vez, en espera de que anocheciese de nuevo,
y la noche llegó cuando estaban aún divirtiéndose.
Para que iluminara la sala pusieron entonces
tres tederos cargados de leña de mucha resina,
seca y dura, que fue con el bronce poco antes cortada,
y mezclaron teas; las siervas del paciente Odiseo
mantenían el fuego por turno. Y entonces a ellas
les habló el ingenioso Odiseo divino, diciendo:

—Servidoras de Odiseo, el rey tantos años ausente,
idos ahora a la alcoba en que está la augustísima reina
y quedaos a su lado en su estancia y allí distraedla
y dad vuelta a la rueca o cardad con las manos la lana,
porque yo cuidaré de la luz. Y por mí que se queden
hasta que en su bellísimo trono se eleve la Aurora,
porque no han de cansarme, pues tengo sobrada paciencia.

Así dijo, y riéronse todas las siervas mirándose.
Y a insultarlo empezó la de bellas mejillas Melanto,
engendrada por Dolio y criada después por Penélope,
cual si fuese hija suya, y le daba lo que ella quería.
Pero su corazón no tenía piedad de Penélope
y se iba a reunir con Eurímaco que era su amante.

Zahirió ella a Odiseo diciendo injuriosas palabras:

—¡Miserable extranjero! Sin duda estás falto de juicio
y en lugar de marcharte a dormir a cualquier herrería
o «habladero», te quedas aquí chachareando a conciencia
y audazmente ante tantos varones, sin miedo ninguno
en el ánimo; o te ha trastornado las mientes el vino,
o bien eres así y dices tantas sandeces por esto.
¿Te envanece el haber derrotado al gallofo de Iro?
Mira no se levante de pronto alguien más valeroso

que Iro y te golpee en la cabeza con manos robustas
y, empapado en tu sangre, te eche esta vez de la casa.

Y, con torva mirada, exclamó el ingenioso Odiseo:

—¡Qué discurso! Ahora msimo le voy a contar a Telémaco
lo que hablas, perra, para que te haga al momento pedazos.

Dijo, y estas palabras causaron tal miedo a sus siervas
que escaparon por toda la casa, sintiendo las piernas
temblorosas, pues todas creyeron que habló seriamente.
Y él quedóse de pie junto a los encendidos tederos,
observando a los hombres; no obstante, tenía en su ánimo
pensamientos distintos que habían de ser consumados.

Mas no quiso Atenea que los pretendientes fogosos
sus injurias penosas cesaran, pues ella quería
aún más penas en el corazón de Odiseo Laertíada.

Y empezó a hablar entonces el hijo de Pólibo, Eurímaco,
zahiriendo a Odiseo y haciendo reír a los otros.

—Escuchad, pretendientes de nuestra augustísima reina
las palabras que mi corazón en el pecho me dicta:
a este hombre algún dios lo ha traído al hogar de Odiseo.
Yo diría que de su cabeza se escapa la lumbre
de las teas, y en ella no tiene cabello ninguno.

Dijo, y se dirigió a Odiseo, destructor de ciudades:

—Huésped, si yo a jornal te tomase, ¿querrías servirme
en no importa el rincón de mis campos —tendrás buena
[paga—
transportando las piedras, plantando magníficos árboles?
Además, te daré pan y vestidos completos,
y he de darte también el calzado que tus pies requieran.
Pero como no sabes hacer más que malas acciones,

no querrás trabajar sino sólo hambrear por la villa
para dar por el palo del gusto a tu vientre insaciable.

Y repúsole entonces así el ingenioso Odiseo:

—Si tú, Eurímaco, y yo, en hacer una faena del campo,
cuando el día es más largo, en el tiempo de la primavera,
compitiéramos, y yo tuviese una hoz bien curvada
y otra tú para que en la faena los dos nos probáramos
ayunando hasta hacerse de noche, y la yerba sobrara...
O si fuera preciso guiar unos bueyes que fuesen
bien robustos y rojos y grandes y ahítos de yerba,
en la edad y la carga parejos, y no se menguara
su vigor, dame un campo de cuatro jornales, arable,
y verás de qué modo abro un surco bien recto y seguido.
Y también si el Cronión suscitara ahora mismo una guerra
donde fuese, y pudiera tener un escudo y dos lanzas
y un buen casco de bronce adaptable del todo a mis sienes,
junto a los que delante lucharan allí me verías,
y ya no me echarías en cara, como ahora, mi vientre.
Pero tú eres un hombre soberbio y es duro tu ánimo
y diría que estás presumiendo de grande y de fuerte
porque estás entre pocos y, a más, tienen poco coraje.
Si ahora Odiseo viniera y se hallase en su tierra paterna,
estas puertas, con ser tan inmensas, serían angostas
para ti cuando por el zaguán escapases corriendo.

Así dijo, y con ello creció el arrebato de Eurímaco,
y, con torvo mirar, pronunció estas palabras aladas:

—¡Miserable! He de darte muy pronto un castigo, pues ha-
[blas
como un loco ante tantos varones, sin miedo en el ánimo.
¿Te ha turbado las mientes el vino? ¿O acaso es que tienes
este modo de ser y te gusta decir necedades?
¿Te envanece el haber derrotado al gallofo de Iro?

Así dijo, y cogió el escabel; Odiseo, temiéndolo,
se sentó en las rodillas de Anfínomo, el de Duliquio,
y le dio el escabel al copero en la mano derecha
y la jarra fue a dar en el suelo con ruido muy grande
y el copero, gimiendo, cayó sobre el polvo, de espaldas.
Y en la sala sombría exaltáronse los pretendientes
y uno de ellos entonces le dijo al que estaba más próximo:

—Ojalá hubiese muerto vagando muy lejos el huésped,
porque así un alboroto tan grande no hubiese movido.
Disputamos ahora por unos mendigos, y el goce
del festín no tendremos porque la maldad prevalece.

Y el Sagrado Vigor de Telémaco entonces les dijo:

—¡Desdichados! ¡Cuán locos estáis! Bien se ve en vuestro
                                              [ánimo
cuánto habéis ya comido y bebido. ¿Algún dios os excita?
Puesto que hartos estáis, a dormir idos ya a vuestras casas
cuando el ánimo a ello os impulse, pues yo no echo a nadie.

Dijo así, y todos ellos mordiéronse entonces los labios,
admirados de ver con qué audacia Telémaco hablaba.
Y entre todos los que allí se hallaban repuso así Anfínomo,
hijo ilustre de Nisas, a quien engendró el rey Aretos:

—Que ninguno se deje llevar por la ira, ¡oh amigos!,
oponiendo contrarias razones a justas palabras.
No debéis ultrajar otra vez a este huésped, ni a otro
siervo que en la mansión del divino Odiseo se encuentre.
Que ahora llene el copero las copas para unas primicias,
y, una vez hechas éstas, vayamos a casa a acostarnos.
Dejemos que el huésped se quede en la casa de Odiseo
y Telémaco cuide de él, ya que vino a esta casa.

Así dijo, y a todos gustó la propuesta que hizo.
Y en la crátera entonces el ínclito Mulio, un heraldo
de Duliquio, criado de Anfínomo, obtuvo la mezcla.

Y sirvió a los que estaban presentes, y ya hecha la ofrenda a los dioses dichosos, bebieron el vino dulcísimo.

Cuando todos hubieron libado y bebido a su gusto, cada uno, dispuesto a acostarse, se fue hacia su casa.

CANTO·XIX

En la sala quedó el generoso Odiseo, tramando
junto con Atenea la muerte de los pretendientes.
Y de pronto a Telémaco habló con palabras aladas:

—Recoger estas armas guerreras preciso es, Telémaco,
y si los pretendientes las echan de menos e inquieren
dónde están, di tú entonces hablando con suaves palabras:
«He apartado del humo las armas, pues ya no parecen
ser las que, al embarcar para Troya, dejó aquí Odiseo,
puesto que se afearon allí donde el fuego alcanzábalas.
Y una cosa mejor me ha inspirado el Cronida en la mente:
tuve miedo de que con el vino entablarais disputas
y os hirieseis un día y cubrierais de oprobio la mesa
y el noviazgo, que el hierro a los hombres atrae por sí solo.»

Dijo así, y a su padre prestóle obediencia Telémaco,
y llamó a su nodriza Euriclea y le habló de este modo:

—Ama, encierra en sus cuartos a todas las siervas de casa,
mientras llevo a otra estancia las tan bellas armas que fueron
de mi padre, pues nadie las cuida y se van empañando
con el humo, durante su ausencia; hasta hoy yo fui un niño,
y las quiero guardar donde al fuego no se hallen expuestas.

Y repúsole entonces así la nodriza Euriclea:

—Hijo mío, ojalá tengas ya la prudencia precisa
para estar al cuidado de casa y de todos los bienes.
Pero ¿quién cuidará de llevar a tu lecho la antorcha
si no dejas que salgan las siervas que habrían de hacerlo?

Y, prudente, repuso Telémaco de esta manera:

—Este huésped, pues yo no tolero que quien de lo mío
come, ocioso se muestre, aun venido de tierras lejanas.

Dijo, y ni una palabra voló de los labios de ella.
Y cerró así las puertas de todos los cómodos cuartos.
Y los dos, Odiseo y su hijo ilustrísimo, entonces
se llevaron los cascos y los abollados escudos
y las lanzas agudas, y ante ellos marchaba Atenea,
con un áureo candil que vertía una luz hermosísima.
Y Telémaco entonces de pronto le dijo a su padre:

—Padre mío, ¡qué inmenso prodigio contemplan mis ojos!
Las paredes de nuestro palacio y los bellos areóstilos,
y las vigas de abeto y los tan encumbrados pilares
a mis ojos relucen igual que si fueran de fuego.
Aquí se halla algún dios de los que el ancho cielo poseen.

Y repúsole entonces así el ingenioso Odiseo:

—Calla. Frena tu espíritu y no hagas pregunta ninguna,
pues proceden así cuantos dioses poseen el Olimpo.
Mas acuéstate tú porque yo quedaré en esta sala
para aún provocar a las siervas y hablar con tu madre,
pues llorando me iré preguntando muchísimas cosas.

Dijo así, y a través de la sala marchóse Telémaco
a la luz de las teas, y se recogió en su aposento
donde se iba a dormir siempre que dulce sueño tenía,
y acostóse en el lecho aguardando a la Aurora divina.

[El lavatorio]

En la sala quedóse Odiseo divino, tramando
junto con Atenea la muerte de los pretendientes.

De su alcoba salió la discreta Penélope entonces
y era en todo lo mismo que Artemis o la áurea Afrodita.
Y pusiéronle junto al hogar su sillón torneado
con adornos de plata y marfil, que el artfice Icmalio
fabricó en otro tiempo para ella, que unido tenía
a las patas un bello escabel de vellones cubierto.
Sobre este sitial se sentó la discreta Penélope.
A la sala acudieron las siervas de brazos nevados;
retiraron el pan abundante, las mesas y copas
donde los pretendientes soberbios habían bebido;
los tederos limpiaron, vertiendo en el suelo las brasas
y cargáronlos para que luz ni calor les faltase.

Y Melanto insultó nuevamente a Odiseo magnánimo:

—Forastero, ¿pretendes aún molestarnos rondando
por la casa durante la noche, espiando a las siervas?
Vete, mísero, afuera y que cuanto has comido te sirva
de provecho, o quizá a tizonazos habremos de echarte.

Y, con torva mirada, exclamó el ingenioso Odiseo:

—¡Desdichada! ¿por qué así me atacas con ánimo airado?
Estoy sucio, es verdad, y con viejos harapos me cubro
y mendigo en el pueblo; mas a ello me veo obligado.
De mendigos y de vagabundos es éste el destino.
Yo también en mi tiempo habité un opulento palacio,
y viví entre los hombres feliz y le di al vagabundo,
a quienquiera que fuese y tuviera una urgencia cualquiera.
Yo he tenido un sinfín de criados y todas las cosas
con las cuales se vive muy bien y se es rico y famoso.
Pero Zeus el Cronión me arruinó porque así lo dispuso.

Cuida tú de que un día no pierdas toda esta hermosura
de que ahora haces gala delante de todas las siervas,
pues pudiera ocurrir si se irrita tu ama y te apena
o si vuelve Odiseo, pues hay todavía esperanza.
Y si, por haber muerto, no fuera posible su vuelta,
tiene un hijo, Telémaco, quien, por la gracia de Apolo,
es ya un hombre, y no ignora qué acciones cometen las sier-
en la casa, pues ya tiene edad de entender estas cosas. [vas

Dijo así, y sus palabras oyó la discreta Penélope,
y a su sierva echó en cara la acción de este modo, diciendo:

—¡Atrevida! ¡La más sinvergüenza de todas las perras!
Bien conozco tu crimen; te habrá de costar la cabeza.
Te constaba, pues tú de mí misma lo habías oído,
que a este huésped quería yo aquí preguntar, en la sala,
por mi esposo, pues sabes que estoy sumamente afligida.

Y, volviéndose, habló luego a Eurínome, la despensera:

—Trae, Eurínome, al punto una silla cubierta de pieles
para que el forastero se siente y me hable y me escuche,
pues quisiera yo aquí preguntarle muchísimas cosas.

Dijo, y fuese corriendo la vieja a buscar un asiento
muy pulido que luego cubrió con lanudas pellejas
para que se sentara Odiseo paciente y divino.
Y con estas palabras le habló la discreta Penélope:

—Huésped mío, deseo saber, ante todo, quién eres,
y cuál es tu país. ¿Dónde están tu ciudad y tus padres?

Y repúsole entonces así el ingenioso Odiseo:

—¡Oh, mujer! No hay mortal que en la tierra anchurosa pu-
censurarte, pues llega tu gloria al vastísimo cielo,   [diera
como la de un eximio monarca que teme a los dioses
y gobierna un país de muchísima gente esforzada,

y que impone justicia, y la tierra sombría da trigo
y cebada, y cargados de fruta se vencen los árboles
y las cabras alumbran seguras, y el mar da sus peces,
y los pueblos que están a su mando se sienten dichosos.
Pero ahora que estoy en tu casa pregunta otras cosas
y no quieras saber mi linaje ni cuál es mi patria,
para que a su recuerdo el pesar no se acrezca en mi ánimo,
puesto que he sido muy desgraciado, y tampoco conviene
que en la casa de otro me ponga a llorar lamentándome,
pues no es bueno estar siempre afligido sin darse descanso.
Cualquier sierva podría indignarse, o acaso tú misma,
y decir que me he puesto a llorar porque estoy embriagado.

Y repúsole entonces así la discreta Penélope:

—Forastero, ya todo atractivo, mi gracia y belleza
destruyeron los dioses, al irse camino de Troya
los argivos, y al irse con ellos mi esposo, Odiseo.
Si él volviera y llegase a cuidar otra vez de mi vida,
¡cuán mejor esta vez y cuán pura sería mi gloria!
Ahora estoy afligida en el mal que algún dios me ha en-
[viado.
Todos cuantos señores gobiernan aquí en nuestras islas,
en Duliquio y en Same y en la nemorosa Zacinto,
y los que en estas tierras fragosas de Ítaca gobiernan,
contra mi voluntad me pretenden y arruinan mi casa.
Y por esto no cuido de huéspedes ni suplicantes,
ni de heraldos que están al servicio común de las gentes
porque, echando a Odiseo de menos, se funde mi ánimo.
Ellos quieren que pronto me case, mas yo tramo ardides.
El primero de todos me fue por un dios sugerido.
En mi alcoba me puse a tejer una tela muy fina
que jamás terminaba y entonces a todos decía:
«Jóvenes pretendientes, si ha muerto Odiseo divino,
aunque os urja mi boda, esperad a que acabe este lienzo
—pues en balde perder no quisiera estos hilos ahora—,
con el fin de que tenga Laertes el héroe un sudario
cuando del espantoso morir le sorprenda la Parca,

¡yo no quiero que al verme enterrar sin sudario a quien
poseyó, las mujeres aqueas del pueblo se indignen!» [tanto
Así dije, y al fin persuadidos dejaba sus ánimos.
Y pasábame el día tejiendo esa tela sin término,
y la noche, a la luz del hachón, destejiendo lo hecho.
El engaño un trienio oculté, y los aqueos creyéronlo.
Mas el cuarto año vino y de nuevo llegó primavera
con los meses que traen cuando pasan, los días más largos,
por mis siervas, que son unas perras que en nada se ocupan,
sorprendiéronme y me dirigieron muy duros reproches.
Así fue como, mal de mi grado, acabé aquella tela.
Ya no puedo evitar esta boda ni encuentro otro engaño.
Y mis padres me apremian ahora a que tome marido
y se apena mi hijo al ver cómo devoran sus bienes
porque ya tiene edad para estar gobernando la casa,
y que Zeus pueda un día colmarlo de gloria infinita.
Pero dime cuál es tu linaje y de dónde procedes,
no naciste tal vez de la encina o la peña del cuento.

Y repúsole entonces así el ingenioso Odiseo:

—¡Veneranda mujer de Odiseo, el hijo de Laertes!
¿Cuándo terminarás de inquirir sobre mi nacimiento?
Mas te responderé aunque acrecientes mis muchos pesares
como siempre le suele ocurrir a cualquiera que ha estado,
como yo, de su patria alejado muchísimo tiempo,
de ciudad en ciudad errabundo y sufriendo fatigas.
Mas he aquí lo que quieres saber y lo que me preguntas.

«Por el mar rodeada, en el ponto vinoso, se encuentra
una tierra muy bella y muy fértil, es Creta, y en ella
hay noventa ciudades y muchos, muchísimos hombres.
Los idiomas se mezclan, pues viven allí los aqueos,
los valientes cretenses indígenas y los cidonios
y las tres tribus dóricas y los divinos pelasgos.
Allí encuéntranse Cnosos, famosa ciudad donde Minos
fue rey durante nueve años y con Zeus conversaba;
padre fue de mi padre, del gran Deucalión generoso.

Deucalión me engendró y engendró a Idomeneo, el monarca.
Él se fue para Troya en las naves de proas curvadas,
junto con los Atridas; Etón es mi nombre preclaro,
el nacido más tarde, y él era el mayor y más fuerte.
A Odiseo vi allí y le entregué los presentes del huésped,
pues la fuerza del viento lo había llevado hasta Creta
en su ruta hacia Ilión, apartado que fue de Malea[1].
Atracó en el Amnisio[2], pegado a la gruta de Ilitia,
en un puerto difícil, huyendo arduamente del viento.
Y por Idomeneo, al llegar, preguntó por la villa,
pues decía que él era su huésped honrado y querido.
Pero diez u once veces el alba ya había apuntado
desde que para Troya partió en sus curvados navíos.
Yo fui quien lo llevó hasta la casa y le dio acogimiento
y un solícito trato, pues nada en la casa faltaba.
Y para él y los hombres que estaban con él en sus naves
negro vino y harina en común recogí por el pueblo
y unos bueyes para el sacrificio y sustento de todos.
Doce días quedáronse allí los divinos aqueos
porque el Bóreas soplaba con tanta violencia que en tierra
ni aun estar se podía; algún dios lo excitaba malévolo.
Al treceno amainó el ventarrón y zarparon los huéspedes.

Dijo así, y parecieron verdades aquellas mentiras,
y ella estaba llorando y la piel en su rostro fundíase,
así como en las altas montañas se funde la nieve
bajo el soplo del Euro, una vez la ha hacinado ya el Céfiro,
y, al fundirse, se va acrecentando el caudal de los ríos,
así, en llanto, sus bellas mejillas estaban fundiéndose
al llorar por su esposo, que estaba sentado a su lado.
Aunque en el corazón a Odiseo apiadaban sus lágrimas,
cual si fueran de hierro o de cuerno, en sus párpados, firmes
continuaron los ojos; la astucia impedíale el llanto.

---

[1] *Malea*. Paso peligroso para los navegantes en el extremo meridional de Laconia.
[2] *Amnisio*. Puerto de la ciudad de Enosos, en Creta.

Cuando ya de llorar y gemir ella se hubo saciado,
nuevamente le habló dirigiéndole así estas palabras:

—Ahora, pues, forastero, yo creo que debo probarte.
Si en verdad como huésped tuviste en tu casa a mi es-
                                                    [poso
con sus hombres divinos, tal como aseguras que hiciste,
dime qué vestiduras llevaba en su cuerpo y cómo eran,
y cómo era él también y los hombres que lo acompañaban.

Y repúsole entonces así el ingenioso Odiseo:

—Es difícil, mujer, cuando ya tanto tiempo ha pasado,
referirte estas cosas, pues ya veinte años se fueron
desde que él se marchó abandonando mi tierra paterna.
Mas te voy a decir cómo mi corazón lo recuerda.
Doble manto de lana purpúrea Odiseo magnánimo
se vestía, con un áureo broche de dos agujeros;
una obra muy bella: era un perro que bajo sus patas
delanteras tenía a un cervato manchado y mirábalo
debatirse, y sentíanse todos, al verlo, admirados;
eran de oro, y el perro, mirando al cervato, asfixiábalo,
y el cervato, queriendo escapar, sacudía las patas.
Y él llevaba, cubriendo su cuerpo, una espléndida túnica
que era como la bizna de una cebolla muy seca,
tan suave era al tacto, y lo mismo que un sol relucía;
y eran muchas mujeres las que, para verla, acudían.
Y otra cosa te voy a decir y en tu pecho consérvala:
mas no sé si llevaba Odiseo en su casa estas ropas
o se las regaló algún amigo en su rápida nave
o tal vez algún huésped, pues muchos amigos tenía
ese hombre, y muy pocos aqueos con él se igualaban.
Le ofrecí yo una espada de bronce y un manto purpúreo
muy hermoso y con él una prenda talar, también, cuando
con respeto lo fui a despedir en su nave bancada.
Un heraldo no mucho más viejo que él lo seguía,
y ahora voy a decirte qué aspecto tenía este hombre:
muy cargado de hombros, piel negra y cabello encrespado;

se llamaba Euribates, y Odiseo, de todos ellos,
era a quien más honraba, pues ambos pensaban lo mismo.

Dijo así, y el afán de llorar fue creciéndose en ella,
porque reconocía las señas que daba Odiseo.

Cuando ya de llorar y gemir ella se hubo saciado,
nuevamente le habló dirigiéndole así estas palabras:

—Forastero, si hasta ahora tan sólo piedad te he tenido,
desde ahora serás venerado y querido en mi casa.
Sí, yo misma le puse en las manos las prendas que dices,
las saqué del tesoro y le puse el espléndido broche
para así engalanarlo. Mas nunca podré recibirle
ya de vuelta al hogar y también a la tierra paterna.
Mala suerte en la cóncava nave a Odiseo llevóseme
para ver a esa Troya fatal; que este nombre perezca.

Y repúsole entonces así el ingenioso Odiseo:

—¡Veneranda mujer de Odiseo, el hijo de Laertes!
No marchites, llorando a tu esposo, una cara tan bella,
ni consumas así el corazón. Pero no te censuro,
porque suele llorar la mujer al esposo que tuvo
de doncella y que ha muerto y de quien el amor le dio hijos,
aun sin ser como un dios, como dicen ha sido Odiseo.
Cesa, pues, de llorar y ahora aquí a mis palabras atiende,
porque te voy a hablar con franqueza sin nada ocultarte.
He sabido que vuelve Odiseo; lo sé por noticias
recogidas no lejos, en la rica tierra tesprota:
vive y está al llegar y trae muchos valiosos presentes
que entre el pueblo logró, mas perdió a sus amigos leales,
y la cóncava nave al venir hacia aquí de la isla
de Trinacia, en el ponto vinoso; que, dicen, se airaron
Zeus y el Sol contra él, pues sus hombres mataron las vacas:
todos ellos murieron en medio de un mar tempestuoso.
A caballo en la quilla las olas lleváronlo a tierra
de feacios, que por su linaje descienden de dioses,
y gustosos, lo mismo que a un dios, lo colmaron de honores

y le dieron presentes e incluso ellos mismos quisieron
sano y salvo llevarlo a su casa, y haría ya tiempo
que a tu lado estaría Odiseo, de no haber creído
preferible ir por tierras distintas, reuniendo riquezas,
que entre todos los mortales no hay quien, igual que Odiseo,
sobresalga en ardides, y nadie contra él puede nada.
Estas cosas me dijo Fidón[3], rey del pueblo tesproto.
Y juró en mi presencia, además, y libando en su casa,
que la nave ya estaba en el mar y dispuestos sus hombres
a llevarlo a través de la mar a su tierra paterna.
Pero a mí me envió por delante, que entonces partía
un navío tesproto a Duliquio, el mercado del trigo.
Me mostró las riquezas que había reunido Odiseo
y diez generaciones podrían vivir de todo ello,
¡tal tesoro en la casa de aquel soberano tenía!
El monarca me dijo que había partido a Dodona,
pues quería pedirle consejo al gran roble divino
de Zeus, sobre si franca o bien tácitamente debía
regresar a su Ítaca, de donde faltó tanto tiempo.
Sabe, pues, que está a salvo y de vuelta ha de hallarse muy
no estará mucho tiempo alejado de quienes él ama   [pronto;
ni de su patria. Y quiero sobre esto prestar juramento.
Zeus me sea testigo, el más grande y mejor de los dioses,
y el hogar de Odiseo magnánimo, al que ahora he llegado,
de que habrán de cumplirse estas cosas tal como te anuncio.
Antes de que esta luna termine estará aquí Odiseo,
al final de este mes o al principio del mes que le sigue.

Y repúsole entonces así la discreta Penélope:

—¡Ojalá, forastero, se cumplan las cosas que dices,
que obtendrías de mí la amistad y muchísimos dones,
tantos que te creería feliz todo aquel que encontraras.
Pero mi ánimo sabe lo que ha de ocurrir: ni Odiseo
volverá nunca a casa, ni tú encontrarás quien te lleve,
porque no hay en palacio un patrón como fue Odiseo entre
los demás, si es que un día Odiseo existió entre nosotros,

---

[3] *Pueblo tesproto.* Es decir, el Epiro.

acogiendo a los huéspedes graves, o bien despidiéndolos.
Mas, doncellas, lavadle los pies y arregladle un buen lecho
con su cama, sus mantas y colchas espléndidas, para
que, caliente, en él pueda aguardar a la Aurora de oro.
Y mañana temprano tendréis que bañarlo y ungirlo
para que en el banquete se siente a comer con Telémaco.
Y malhaya el que con corazón lleno de ira se atreva
a causarle molestias, pues esto será lo postrero
que haga aquí, por muy grande que sea la ira que tenga.
¿Cómo tú, forastero, sabrías si a muchas mujeres
aventajo con mi inteligencia y prudente consejo,
si te dejo cenar en la casa, viniendo tan sucio
y con tan miserables vestidos? ¡La vida es tan corta!
Quien no tiene piedad para sí, no para otros la tiene,
logra que los mortales imprequen sobre él desventuras
mientras vive, y que todos le insulten después de haber
                                                    [muerto;
mas quien tiene piedad para sí y con los otros la tiene
logra fama muy grande que van difundiendo sus huéspedes
entre todos los hombres, y muchos de él dicen que es noble.

Y repúsole entonces así el ingenioso Odiseo:

—¡Veneranda mujer de Odiseo, el hijo de Laertes!
Ni las mantas ni colchas brillantes me importan gran cosa
desde el día en que a bordo de un buque de remos muy lar-
dejé atrás y muy lejos los montes nevados de Creta.   [gos
Dormitaré igual que cuando pasaba las noches en blanco
y he pasado muchísimas sobre una triste yacija
aguardando llegase la Aurora del trono de oro.
Y tampoco los baños de pie a mi ánimo agradan
y no permitiré que ninguna mujer me los toque
de las siervas que en este palacio te prestan servicio,
si no hay una mujer ya muy vieja y de gran confianza,
que lo mismo que yo haya sufrido también en su ánimo:
sólo a ella no le he de impedir que las plantas me toque.

Y repúsole entonces así la discreta Penélope:

—Forastero querido, jamás como tú he visto a nadie
entre cuantos amigos de lejos vinieron a casa:
tal cordura y sentido demuestras en todo lo que hablas.
En mi casa yo tengo una anciana de ingenio prudente
que nutrió al infeliz y le dio sus cuidados criándolo,
puesto que entre sus manos lo puso su madre al parirlo.
Lavará ella tus pies aunque ya se han menguado sus fuerzas.
Vamos, pues, ¡oh discreta Euriclea!, levántate y lava
a este hombre que tiene, sin duda, la edad de tu amo.
Ahora iguales los pies y las manos tendría Odiseo,
porque en la desventura los hombres muy pronto envejecen.

Dijo así, y Euriclea llevóse a la cara las manos
y se puso a llorar tristemente y habló entre sollozos:

—¡Hijo mío! Por ti nada puedo. A ti, Zeus, más que a na-
odia y tú fuiste en tu corazón muy leal a los dioses.   [die,
No hay mortal que en honor de Zeus que con el rayo se
                                                         [goza
tantos muslos quemara con tanta hecatombe perfecta,
como tú le ofreciste rogando llegar solamente
a una dulce vejez y subir a tu ínclito hijo.
Y ahora Zeus ha privado a ti solo de todo regreso.
Es posible que se hayan burlado también de él las siervas
en la ilustre morada de algún lejanísimo huésped,
como ahora de ti, ¡oh forastero!, estas perras se burlan,
y con tal de evitarte denuestos y muchas infamias
no permites te laven. Y no me disgusta me mande
que lo haga la hija de Icario, la sabia Penélope.
Lavaré yo tus pies por amor a la propia Penélope
y a ti mismo, pues siento en mi pecho una pena profunda.
Pero presta atención a lo que ahora yo voy a decirte:
han venido a esta casa muchísimos infortunados,
pero nunca en ninguno yo he visto tan gran parecido
como en tu cuerpo, tu voz y tus pies, tienes a Odiseo.

Y repúsole entonces así el ingenioso Odiseo:

—Quienes vieron al uno o al otro con sus propios ojos
dicen que entre los dos hay un gran parecido, ¡oh anciana!,
como ya has observado, y ¿quién puede mejor que tú verlo?

Así dijo, y la anciana tomó una brillante caldera
en donde ella lavaba los pies, y echó mucha agua fría
y sobre ella vertió agua caliente. Y en tanto Odiseo
se sentó junto al fuego, mas vuelto al lugar de la sombra,
porque súbitamente temió que la anciana, al tocarlo,
viese la cicatriz y al final descubriérase todo.

Se acercó ella a su amo y se puso a lavarlo y vio al punto
la señal que dejó un jabalí con su blanco colmillo
una vez que el Parnaso[4] corrió con los hijos de Autólico[5],
de quien la madre de él era hija, y este héroe brillaba
en hurtar y jurar, dones éstos a él dados por Hermes,
a quien, para tenerlo propicio, quemábale muslos
de cabritos y ovejas, y el dios le asistía benévolo.

Cuando Autólico fue a la región opulenta de Ítaca
vio que entonces había parido un chiquillo su hija,
y una vez hubo ya terminado la cena, Euriclea
lo dejó en sus rodillas y dijo con estas palabras:

—Piensa, Autólico, ahora en qué nombre has de dar a ese
[hijo
de tu hija, a quien tú tanto tiempo has estado anhelando.

Y con estas palabras entonces repúsole Autólico:

—Yerno mío, hija mía, ponedle este nombre que os digo:
como mi corazón me ha *irritado* tantísima gente
al venir, ya varones como hembras, en la fértil tierra,
sea, pues, *Odiseo* su nombre. Y el día en que llegue
a ser hombre y se vaya a la casa materna, al Parnaso,
allí donde conservo guardados los bienes que tengo,
le daré parte de ellos y haré que se vaya contento.

[4] *Parnaso*. Es el famosísimo monte de la Dórida.
[5] *Autólico*. Hijo de Hermes y Chione. Por su hija Anticlea es abuelo de
Ulises.

Y a buscar los espléndidos dones fue un día Odiseo.
Recibiéronlo Autólico y todos los hijos de Autólico
con los brazos abiertos y hablando con dulces palabras.
Y su abuela Anfitea a Odiseo estrechó entre sus brazos
y besó su cabeza y sus dos hermosísimos ojos.
Y a sus hijos gloriosos entonces dio Autólico orden
de aprestar el festín, y cumplieron tal orden al punto.
Con un buey cincoañal acudieron y lo desollaron
preparándolo allí y miembro a miembro lo hicieron pedazos,
y, hábilmente, en trocitos que fueron clavando en espiches,
con cuidado lo asaron e hicieron después las raciones.
Todo el día, hasta que hubo ya el sol descendido a su ocaso,
estuvieron en pleno banquete y gozaron de él todos.
Cuando el sol se ocultó y descendieron a poco las sombras,
acostáronse para obtener los presentes del sueño.

Al mostrarse en el día la Aurora de dedos de rosa,
a cazar se marcharon entonces los hijos de Autólico
y Odiseo divino, llevando consigo los perros.
Por el flanco escarpado y boscoso del monte Parnaso
dirigiéronse, y pronto alcanzaron las cumbres ventosas.

Era la hora en que el sol, al surgir de las aguas tranquilas
del Océano hondísimo, empieza ya a herir las campiñas,
cuando los cazadores llegaron a un valle, y delante
rastrearon los perros la caza, y detrás de los perros
con los hijos de Autólico, Odiseo divino, cerca
de los canes, blandía su lanza de sombra alargada.

Allí un gran jabalí en una densa espesura dormía;
ni aun el húmedo soplo del viento lograba filtrarse
ni tampoco siquiera los rayos del sol esplendente,
ni llegó a penetrarla la lluvia, tal era la fronda
de las matas, y había una gran cantidad de seroja.
Y el rumor de los pasos de los cazadores y perros
despertó al jabalí que salió con las cerdas del cuello
erizadas y fuego en los ojos, y ante ellos detúvose.

El primero que se decidió a atacar fue Odiseo:
levantó con su mano robusta la lanza larguísima
proponiéndose herirlo, mas el jabalí, anticipándose,
le clavó en la rodilla el colmillo y, rasgándola al sesgo,
se llevó mucha carne, mas no interesó nada el hueso.
Odiseo lo hirió con la lanza en el lomo derecho
y la punta brillante logró atravesarlo, y, bramando,
en el polvo tendido quedó y se escapó de él la vida.
Al momento los hijos de Autólico entonces pusiéronse
a curar la lesión de Odiseo divino e intachable;
la vendaron con arte, y la sangre negruzca, por medio
de un ensalmo, atajaron y fuéronse a casa del padre.

Y allí entonces Autólico y todos los hijos de Autólico
lo cuidaron muy bien y le hicieron regalos espléndidos,
y, contento, después lo enviaron a Ítaca, su patria.
Y su padre y su madre alegráronse al verlo de vuelta
y quisieron saber qué accidente produjo la herida
y él minuciosamente contó lo que había ocurrido
cuando lo acometió un jabalí con su blanco colmillo,
yendo por el Parnaso a cazar con los hijos de Autólico.

Así, pues, al palparlo la anciana con las manos planas
la lesión conoció y soltó el pie que cayó en el caldero;
resonó el bronce así y se inclinó la caldera hacia un lado
y se fue, toda el agua que había, vertiendo en el suelo.
Y ella tuvo alegría y dolor y sus ojos nubláronse
con el llanto, y quedó sin sonido su voz tan sonora.
Y a Odiseo, después lo tomó de la barba y le dijo:

—¡Ay, tú eres Odiseo, y yo, oh hijo mío, no pude
conocerte, hasta haber a mi amo palpado del todo!

Así dijo, y volvióse a mirar a Penélope para
indicarle que dentro de casa tenía a su esposo.
Pero ella no pudo advertirlo, aun estando delante,
porque su pensamiento distrajo Atenea. Odiseo

con la mano derecha tomó por el cuello a Euriclea
y la atrajo hacia sí con la otra y le habló de este modo:

—¿Por qué quieres perderme, nodriza? Sí, tú me criaste
a tus pechos. Y ahora, después de pasar veinte años
de fatigas y penas, he vuelto a mi tierra paterna.
Pero ya que lo sabes y un dios te lo puso en las mientes,
calla, y que nadie más en la casa consiga saberlo.
Porque voy a decirte una cosa y habrá de cumplirse:
si un dios hace que venza yo a los pretendientes ilustres,
aunque tú mi nodriza hayas sido, no habré de salvarte
cuando mate a las siervas que están de servicio en palacio.

Y repúsole entonces así la discreta Euriclea:

—¡Qué palabras se van del vallar de tus dientes, oh hijo!
Sabes bien que mi ánimo es firme y no puede domarse;
guardaré este secreto tal como la roca o el hierro.
Y otra cosa te voy a decir y en tu pecho consérvala:
si un dios hace que venzas a los pretendientes ilustres,
te diré qué mujeres en este palacio han dejado
ya de honrarte y qué otras están desprovistas de culpa.

Y repúsole entonces así el ingenioso Odiseo:

—¿Por qué, dime, nodriza, las nombras? No es cosa precisa.
Con mis ojos sabré conocer y observar a cada una.
Permanece en silencio y confíalo todo a los dioses.

Dijo así, y a través de la sala alejóse la anciana
a buscar agua, pues sobre el suelo se hallaba la otra.
Cuando lo hubo lavado y ungido con finos aceites,
Odiseo acercó nuevamente su asiento a las llamas
para así calentarse, y sus pingos tapaban la herida.

Y el silencio rompió la discreta Penélope, y dijo:

—Forastero, quisiera decirte tan sólo una cosa,
porque cerca está ya ese momento en que el lecho es amable
para quien dulce sueño consiga a pesar de sus penas.
A mí un gran e infinito pesar me otorgaron los dioses.
Todo el día consuelo mi afán con el llanto y, gimiendo,
cumplo con mi trabajo y vigilo a las siervas de casa;
pero en cuanto se acerca la noche y acuéstanse todos,
en mi lecho me tiendo, y el cruel aguijón de mis penas
hiere mi corazón oprimido y me incita aun al llanto.
Como la verderona cantora, hija de Pandareo[6],
cuando la primavera se acerca dulcísima canta
al posarse en las frondas del árbol recién hojecido
y con trinos continuos derrama su voz resonante
sollozando por Ítilo, el hijo al que un día, imprudente,
con el bronce mató, y que ella tuvo del príncipe Zetos,
así mi ánimo está vacilando entre dos decisiones:
o seguir con mi hijo, guardando seguras las cosas,
bienes, siervas y mi gran palacio de techos tan altos,
por respeto a mi lecho de esposa y temor de la gente,
o irme con un aqueo de los que en mi hogar me pretenden,
el que sea mejor y me dé más presentes nupciales.
Mientras fue un inexperto muchacho, no quiso mi hijo
que casara de nuevo y dejase el hogar de mi esposo,
pero ya es un adulto, pues la juventud ha alcanzado
y me apremia a que deje esta casa, pues ve con gran ira
que le están los aqueos aquí devorando sus bienes.
Pero, vamos, escucha, interprétame un sueño que tuve.
Veinte ocas había en mi corte y salieron del agua
y a comer trigo fueron, y a mí me gustaba mirarlas,
mas bajó de los montes un águila enorme y a todas
con su pico curvado les fue destrozando los cuellos,
y, ya muertas, dejó en un montón, y al divino azur fuese.
Yo me puse a llorar y a gritar, aunque estaba dormida,
y acudieron a mí las aqueas de trenzas bellísimas,
apiadadas de verme llorar por mis ocas sin vida.

---

[6] *Hija de Pandareo.* O sea, Aedón. Zetos, su esposo, era príncipe tebano, hermano gemelo de Anfión (cf. c. XII). Itilo fue muerto por
su propia madre, que creía hacerlo sobre el primogénito de su cuñada Nio-
be. En torno a Pandarea, cf. n. 1 al c. XX.

Mas volvió el aguilón y posóse en el borde del techo
y, queriendo calmarme, me habló con la voz de un humano:
«Ten valor, hija del celebérrimo Icario. No es sueño,
sino cosa bien cierta, y te digo que habrá de cumplirse.
Pues las ocas son los pretendientes, y yo, que era el águila,
soy ahora tu esposo y estoy ya de vuelta en la casa
y una muerte afrentosa he de darles a los pretendientes».
Dijo así, y el dulcísimo sueño me fue abandonando
y miré en torno mío: en la corte se hallaban las ocas
picoteando en el trigo, tal como solían hacerlo.

Y repúsole entonces así el ingenioso Odiseo:

—¡Oh mujer! Yo no sé quién podrá interpretar este sueño
de otra forma. Tú misma de labios del propio Odiseo
sabes cómo se habrá de cumplir; para los pretendientes
es bien claro: no habrán de escapar de la muerte y las par-
[cas.
Y repúsole entonces así la discreta Penélope:

—Huésped, hay sueños inescrutables, de oscuro lenguaje
y no siempre se cumplen las cosas que anuncian los hombres.
Para los sueños leves existen tan sólo dos puertas:
hecha está de marfil una, y hecha de cuerno la otra.
Los que por el portal de marfil aserrado nos vienen,
nos engañan y nos traen palabras que nada nos dicen,
y los que por la puerta de cuerno pulido nos llegan
en verdades acaban, que son los de quien los ha visto.
Mas no creo que de ésta saliese mi sueño terrible,
¡gran ventura tuviéramos de ello mi hijo y yo misma!
Y otra cosa te voy a decir y en tu pecho consérvala:
ya se acerca la aurora siniestra que habrá de alejarme
del hogar de Odiseo, pues quiero ofrecerles la prueba
de las hachas, que el héroe en la sala clavaba en hilera
como los travesaños del casco de un buque, y son doce
y de lejos hacía una flecha pasar por los ojos.
Y yo a los pretendientes daré como prueba este juego;
con quien más fácilmente maneje su arco y consiga

una flecha pasar por los ojos de las doce hachas,
será con quien me iré, abandonando este hogar para siem-
donde vine doncella, tan bello y tan bien proveído, [pre
del que yo me imagino que habré de acordarme aun en
[sueños.
Y repúsole entonces así el ingenioso Odiseo:

—¡Veneranda mujer de Odiseo el hijo de Laertes!
No demores más tiempo en la casa este juego que dices,
porque aquí al ingenioso Odiseo tendrás, antes que ellos,
manejando sus arcos pulidos, den suelta a la cuerda
y consigan hacer que la flecha los hierros ensarte.

Y repúsole entonces así la discreta Penélope:

—Si quisieras estar, forastero, conmigo en la sala,
distrayéndome, el sueño no iría a posarse en mis párpados.
Sin embargo, los hombres no pueden estar siempre en vela,
pues los dioses al hombre en la tierra fecunda ordenaron
que una parte del tiempo emplearan para cada cosa.
Así, pues, debo ya dirigirme a mi alto aposento
a acostarme en un lecho que para gemir se me hizo
y mis lágrimas riegan desde el día en que Odiseo
se fue para esa Troya fatal; que este nombre perezca.
Allí, pues, subiré a descansar, y tú duerme en la casa;
hazte un lecho en el suelo, o si no que te lo hagan las siervas.

Así dijo, y al punto volvió a su magnífica alcoba,
pero no subió sola, pues la acompañaban las siervas,
y al llegar con las siervas arriba, lloró aún por Odiseo,
por su amado marido, hasta que hubo posado en sus párpa-
dulce sueño Atenea, la diosa de claras pupilas.   [dos

CANTO XX

[Lo que precedió a la matanza de los pretendientes]

A su vez Odiseo divino se acostó en el vestíbulo.
Sobre el suelo dispuso una piel no curtida de toro
y sobre ella vellones de ovejas, ofrendas de aqueos.
Y una vez acostado, sobre él echó Eurínome un manto.

Entretanto, Odiseo pensaba en sembrar grandes daños
para los pretendientes. Y vio que, riendo y bromeando
entre sí las mujeres, lo mismo que siempre, salían
de la casa para ir a acostarse con los pretendientes.
Y sintió el héroe que el corazón le dolía en el pecho
y en su ánimo y su pensamiento pensó muchas cosas,
atacar a las siervas y darles la muerte una a una
o dejar que por última vez los soberbios galanes
se acostasen con ellas. Y su corazón le ladraba.
Como ladra la perra entre sus cachorrillos irguiéndose
cuando ve a un hombre a quien no conoce y desea atacarlo,
así su corazón le ladraba ante aquellas acciones.
Y, golpeándose el pecho, le habló al corazón de este modo:

—Corazón, sé paciente, que cosas más perras sufriste
aquel día que el Cíclope airado comió a tus robustos
compañeros, mas tú lo aguantaste hasta que con astucia
nos sacaste del antro en el que ya por muertos nos dábamos,

Increpándole a su corazón, así dijo en su pecho.
Y mantúvose firme, aferrado a su gran resistencia,
a pesar de que se revolvía de un lado a otro lado.
De la misma manera que un héroe a un gran fuego llamean-
dando vueltas a un vientre repleto de gordo y de grasa,   [te
ora a un lado, ora a otro, desea que se ase al momento,
él también así se revolvía, pensando en qué forma
le pondría las manos a los pretendientes impúdicos,
solo él contra tantos. Y se presentó a él Atenea,
que bajó de los cielos en una mujer transformada,
se paró junto a su cabecera y le habló de este modo:

—¿Por qué velas aún, desdichado entre todos los hombres?
Aquí estás en tu casa y te aguardan tu esposa y tu hijo
que es tal como los padres querrían que fuesen los suyos.

Y repúsole entonces así el ingenioso Odiseo:

—En verdad, oportuno es, ¡oh diosa!, todo esto que has di-
Pero ahora mi ánimo me hace pensar en qué forma   [cho.
le pondría las manos a los pretendientes impúdicos.
Soy yo solo y están ellos siempre en palacio reunidos.
Considero también otra cosa que es más importante:
si por gracia de Zeus y de ti yo consigo matarlos,
¿en qué sitio podré refugiarme? Tú piensa bien esto.

Y Atenea, la diosa de claras pupilas, le dijo:

—¡Desdichado! En un compañero peor se confía,
en un hombre mortal que no ofrece tan sabios consejos.
Y yo soy una diosa que en todo momento te guarda
cuando pasas trabajos, y quiero ahora hablarte muy claro:
aunque a ambos cincuenta mesnadas de pobres mortales
nos cercaran queriendo matarnos por medio de Ares,
tú podrías llevarte sus bueyes y gruesas ovejas.
Así, pues, duérmete, que no es bueno pasarse la noche
sin dormir y al acecho, y en breve saldrás de estos males.

Así dijo, y apenas el sueño le puso en los párpados,
la divina entre todas las diosas volvióse al Olimpo.

Ya en el sueño que toda inquietud desasienta del ánimo
y distiende los miembros, entonces la esposa honestísima
despertó, y en su lecho sentada deshízose en llanto.
Y una vez consoló el corazón con el llanto vertido,
la divina mujer dirigióle esta súplica a Artemis:

—¡Ojalá, augusta hija de Zeus, noble diosa, oh Artemis,
me quitaras la vida arrojándome al pecho una flecha
ahora mismo, o me arrebatase de aquí una tormenta
y consigo llevárame por los sombríos caminos
y lanzárame así en los confines del rápido Océano!
Cual los vientos lleváronse a las hijas de Pandareo[1]
a las que padre y madre mataron los dioses, dejándolas
huérfanas en la casa, y entonces la diosa Afrodita
las mantuvo con queso, miel dulce y suavísimo vino,
y Hera les concedió, sobre toda mujer, la prudencia
y belleza, y Artemis la casta una gran estatura,
y Atenea en labores eximias las hizo muy diestras;
pero cuando la diosa Afrodita se fue al vasto Olimpo
a pedir unas nupcias floridas para estas doncellas
a Zeus que con el rayo se goza, pues todo él lo sabe
y conoce el destino propicio o adverso del hombre,
las Harpías[2] entonces lleváronse a aquellas muchachas
y en las manos de las execrables Erinies[3] dejáronlas;
así a mí se me lleven los que habitan lares olímpicos.
Y la de hermosas trenzas, Artemis, me mate. Y posea
en mis ojos a Odiseo al ir a la tierra execrable,
para no alegrar el corazón de un varón menos noble.
Soportable es el mal, aunque el día pasemos llorando,
cuando está el corazón afligido, si viene la noche
y nos trae con el sueño el olvido de todas las cosas,

---

[1] *Pandareo*. Hijo de Medops, robó el perro de oro del santuario de Zeus en Creta y lo confió a Tántalo. Temiendo ser castigado por el dios, huyó con su esposa e hijas, pero todos cayeron abatidos por Zeus. La suerte de las hijas se narra en el poema, en versión distinta a la del c. XIX.
[2] *Harpías*. Cf. n. 11 al c. I.
[3] *Erinias*. Cf. n. 5 al c. XV.

ya sean buenas o malas, en cuanto nos cierra los ojos.
Pero a mí me ha enviado algún dios pesadillas funestas.
Esta noche ha dormido a mi lado quien era lo mismo
que quien fue con las huestes, y mi corazón se alegraba
porque se imaginó que era todo verdad y no sueño.

Dijo, y vino al momento la Aurora en su trono de oro.
Odiseo divino la oyó conversar en su llanto
y pensó; pues creyó que ella en su corazón ahora había
conocido quién era, y a su cabecera le hablaba.
Recogió, pues, el manto y las pieles del lecho, y lo puso
todo sobre la silla en la sala, y afuera, en la corte,
llevó el cuero de buey, y oró a Zeus, elevando las manos:

—Padre Zeus, puesto que por la tierra y el mar me llevaste
a mi patria, después de enviarme un sinfín de infortunios,
haz que alguno de los que despiertan me diga un presagio
en la casa, y afuera aparezca de ti un solo signo.

Así dijo rogando, y el próvido Zeus oyó el ruego.
Y de pronto envió un trueno desde el Olimpo fulgente,
más allá de las nubes, y estuvo contento Odiseo.
Y el presagio en la casa lo dio una mujer que molía
cerca, donde el pastor de los hombres tenía las muelas,
y eran doce mujeres las que la cebada y el trigo,
médula de los hombres, molían haciendo la harina,
pero todas dormían después de acabada su parte;
sólo ella no pudo acabar porque estaba muy débil.
Paró entonces la muela y contó para el amo el presagio:

—Padre Zeus, tú que a todos los hombres y dioses gobier-
[nas,
desde el cielo estrellado has lanzado un fortísimo trueno
y no hay nube ninguna. Es un signo que tú has hecho a
[alguien.
Cúmpleme a mí también lo que yo, ¡oh desdichada!, te
[pido:
haz que los pretendientes por última y sola vez en la casa

de Odiseo celebren ahora agradable banquete.
Mis rodillas han roto con este penoso trabajo
de molerles la harina; que hoy tomen su cena postrera.

Así dijo, y alegró este presagio a Odiseo divino,
como el trueno de Zeus, pues vengado se vio en los cul-
[pables.

En la bella mansión de Odiseo las siervas restantes
acudieron al lar y encendieron el fuego incansable.

Levantóse del lecho el igual que los dioses, Telémaco;
ya vestido, colgóse del hombro una espada agudísima,
se ató luego a los nítidos pies unas bellas sandalias
y tomó la fortísima lanza de punta de bronce;
al salir se paró en el umbral y le dijo a Euriclea:

—¿Cómo honrasteis, nodriza, a ese huésped en casa, le
[disteis
lecho y cena? ¿O quizá está en palacio olvidado de todos?
Pues mi madre, aunque la sensatez no le falta por cierto,
suele honrar sin medida a un mortal, al peor de los hom-
[bres,
y despide sin honra ninguna al que tiene más méritos.

Y repúsole entonces así la nodriza Euriclea:

—No la acuses ahora, hijo mío, pues no tiene culpa.
Bebió el huésped el vino que quiso, y en cuanto a comida,
dijo que no tenía más hambre; ella fue a preguntárselo.
Pero cuando se quiso acostar y dormirse, tu madre
ordenó a las esclavas que le preparasen la cama;
pero como es un hombre tan mísero y tan desdichado
no se quiso acostar en un lecho, metido entre colchas;
con la piel curtida de un toro y vellones de oveja
se hizo un lecho en el atrio, y encima le echamos un manto.

Así dijo, y al punto se fue del palacio Telémaco,
con la lanza en la mano, y dos perros de pies ligerísimos,
a ver a los aqueos de grebas hermosas al ágora.
Pero entonces al punto llamó a las esclavas la anciana,
la divina Euriclea, la hija de Ops Pisenórida:

—¡Vamos pronto! Unas cuantas barred presurosas la casa
y regadla y poned los tapetes purpúreos encima
de las sillas labradas. Algunas pasad las esponjas
por las mesas. Haced que bien limpias os queden las cráteras
y las copas gemelas de fino labrado; id las otras
a la fuente por agua y estad de regreso al momento,
porque los pretendientes vendrán en seguida a palacio,
y vendrán muy temprano porque hoy para todos es fiesta.

Dijo así, y escucháronla todas y la obedecieron.
Veinte fueron al punto a la fuente del agua profunda
y las otras pusiéronse allí a trabajar hábilmente.

Luego los pretendientes fogosos llegaron, y al punto
con gran maña cortaron la leña, y las siervas volvieron
de la fuente, y también vino poco después el porquero
con tres cerdos, los más bien cebados de cuantos cuidaba,
que dejó, de momento, hocicando en el bello cercado.
Y con dulces palabras, le dijo a Odiseo, acercándose:

—Forastero, ¿con ojos mejores te ven los aqueos,
o te ultrajan en casa tal como yo vi anteriormente?

Y repúsole entonces así el ingenioso Odiseo:

—¡Ojalá den castigo los dioses, oh Eumeo, a la infamia
que bandidos como éstos con tanto descaro cometen
en la casa de otro, y no tienen ninguna vergüenza!

Mientras ellos seguían hablando de cosas como éstas,
presentóse en el sitio en que estaban Melantio el cabrero
que llevaba las cabras mejores de su cabreriza

para cena de los pretendientes; dos hombres seguíanle.
Amarraron debajo del porche sonoro a las cabras,
y a Odiseo él le dijo después con mordaces palabras:

—Forastero, ¿es que vas a enojarnos aún hambreando
por la casa entre tales varones? ¿No vas a irte nunca?
Me parece que ni tú ni yo separarnos podremos
sin probar nuestros brazos, pues más de lo justo mendigas.
Otros muchos banquetes celebran los hombres aqueos.

Así dijo, mas no respondió el ingenioso Odiseo,
y movió la cabeza en silencio, tramando desdichas.

El tercero en llegar fue Filetio, mayor de pastores,
portador de una vaca infecunda y de cabras robustas.
Los barqueros que pasan también a cualquiera que llegue
junto a ellos, con sus animales a él transportaron.
Bajo el porche sonoro amarró también él a las bestias,
se acercó al porquerizo y ante él se paró preguntándole:

—Porquerizo, ¿quién es ese huésped llegado hace poco
a la casa? ¿De qué tierra se vanagloria en ser hijo?
¿En qué sitio se encuentran sus padres y tierra paterna?
¡Infeliz! Por su aspecto parece un señor soberano.
Mas los dioses anegan en males a quien tanto vaga
y, por reyes que sean algunos, les dan desventuras.

Dijo así, y acercóse a Odiseo, tendióle la mano,
saludándolo, y luego le habló con aladas palabras:

—¡Salve, padre extranjero! Desde hoy que la dicha te siga
donde vayas, ya que ahora te abruma un sinfín de pesares.
Padre Zeus, no conozco otro dios como tú tan funesto:
no les tienes piedad a los hombres y son tus criaturas,
la miseria les das y los más dolorosos trabajos.
Sudé cuando te vi y se anegaron en llanto mis ojos
recordando a Odiseo, porque a él yo también lo imagino
con los mismos harapos, vagando quizá entre los hombres,

si es que vive y contempla la luz que nos da la alegría.
Pero si ya se ha muerto y se encuentra en la casa del Hades,
¡ay de mí!, que me dio desde niño Odiseo magnánimo
a cuidar sus vacadas en tierra de los cefalenios.
Y ahora son incontables y ya ningún hombre podría
aumentarle el ganado vacuno de grandes testuces.
Pero hoy unos intrusos desean que, para comérselas,
traiga vacas, y no les importa ni el hijo de casa,
ni le tienen temor a los dioses y esperan partirse
cuanto tiene un señor cuya ausencia ya se hace tan larga.
Así en mi ánimo mi corazón con frecuencia da vueltas
a estas cosas: muy malo es que en vida del hijo me vaya
a otro pueblo, y emigre llevando conmigo a las vacas,
entre gente extranjera; no obstante, más duro es quedarme
aquí con mi dolor, conservando para otros las vacas.
Ya hace tiempo que hubiese yo huido y buscado la casa
de algún rey generoso, pues esto ya no es tolerable;
pero siempre confío en que aquel infeliz vuelva un día
de algún sitio y a los pretendientes disperse en la casa.

Y repúsole entonces así el ingenioso Odiseo:

—Boyerizo, tú no me pareces ni vil ni insensato,
y conozco que en tu corazón puede entrar la prudencia,
mas te voy a decir una cosa y con gran juramento:
antes que cualquier dios, sea Zeus el testigo, y la mesa
que me acoge y la casa de Odiseo a la que he llegado,
de que, estando tu aquí, volverá a su palacio Odiseo,
y podrás contemplar con tus ojos, si así lo deseas,
la matanza de los pretendientes que aquí señorean.

Y repúsole entonces así el mayoral de boyeros:

—Ojalá, forastero, el Cronión cumpla cuanto me dices,
porque entonces sabrías la fuerza y los brazos que tengo.

Asimismo a los dioses Eumeo invocó suplicando
que se hallara otra vez en su casa Odiseo magnánimo.

Mientras ellos seguían hablando de cosas como éstas,
iban los pretendientes tramando la muerte y la parca
de Telémaco, cuando a su izquierda surgió un ave, un águi- .
que llevaba en sus garras a una temblona paloma.   [la
Y fue Anfínomo quien la palabra tomó, y así dijo:

—No veremos, ¡oh amigos!, triunfar nuestro plan de dar
a Telémaco; sólo pensemos en nuestro banquete.   [muerte

Así Anfínomo dijo, y los otros lo dicho aprobaron.
Y una vez dentro de la mansión de Odiseo divino
en sitiales y sillas dejaron entonces los mantos,
inmolaron carneros crecidos y cabras robustas,
gruesos cerdos y a más una vaca que no llevó yugo;
repartiéronse las asaduras, ya asadas, mezclaron
en las cráteras vino y las copas sirvió el porquerizo,
y sirvióles el pan el mayor de boyeros, Filetio,
en hermosos cestillos, y el vino escancióles Melantio.
Y ellos fueron tendiendo la mano a las cosas servidas.

Y Telémaco hizo sentar hábilmente a Odiseo
sobre el umbral de piedra de aquella magnífica sala,
y una silla muy tosca le dio y una mesa pequeña;
le sirvió parte de las entrañas, y en una áurea copa
le escanció dulce vino y le dijo con estas palabras:

—Ahora siéntate aquí y bebe vino con estos varones;
y yo de las injurias y manos de los pretendientes
te tendré protegido; no es esta una casa del pueblo,
sino la de Odiseo, y a mí me la había comprado.
Y absteneos, pretendientes, en el corazón de amenazas
y de golpes y así evitaréis altercados y broncas.

Dijo así, y todos ellos se estaban mordiendo los labios,
admirados de ver tanta audacia en Telémaco hablando.

Y habló entonces el hijo de Eupites, Antinoo, diciendo:

—Aunque duras, cumplamos, aqueos, las órdenes estas
de Telémaco, que en tono tal de amenaza nos habla.
Zeus Cronión no lo quiso, pues de otra manera le habría-
silenciado en la casa, aun con ser orador tan sonoro.   [mos

Dijo Antinoo, mas él no hizo caso de tales palabras.
Por la villa ese día una sacra hecatombe llevaban
los heraldos, y con los crinados aqueos reuniéronse
en el bosque frondoso de Apolo, el que hiere de lejos.

Cuando hubieron asado los lomos, del fuego apartáronlos,
los partieron en trozos y un grave festín celebraron.
A Odiseo sirvieron después quienes de esto ocupábanse,
igual parte que a todos los otros en suerte les cupo,
como dijo Telémaco, hijo de Odiseo divino.

Mas no quiso Atenea que los pretendientes ilustres
se abstuvieran de insultos penosos para que la pena
aun hundiérase en el corazón de Odiseo Laertíada.
Y entre los pretendientes había un varón muy perverso,
que Ctesipo llamábase, en Same[4] tenía su casa,
y, fiado en los bienes inmensos que allí poseía,
pretendía a la esposa del ausente Odiseo.
Éste, a los pretendientes soberbios, habló de este modo:

—Pretendientes ilustres, oíd lo que voy a deciros.
Hace rato que, igual a la nuestra, tal como se debe,
tiene el huésped su parte, y no es justo ni bueno que a hués-
de Telémaco se lo impidamos, o a quien aquí venga. [pedes
También yo mi regalo de huésped quisiera ofrecerle
para que él pueda dar un presente al bañero o a alguno
de los siervos de la mansión de Odiseo divino.

Dijo, y con fuerte mano tiróle una pata de toro,
que de un cesto tomó, y Odiseo libróse del golpe
sólo con inclinar la cabeza, y sardónicamente

---

4 *Same*. Cf. n. 12 al c. I.

sonrió en su interior, y la pata fue a dar en el muro.
Y Telémaco vituperó a Ctesipo, diciéndole:

·—Para tu corazón fue mejor que fallaras, Ctesipo;
no tocaste a mi huésped; él mismo ha evitado tu golpe,
pues, si no, el corazón con mi lanza te hubiera ensartado,
y tu padre, en lugar de venir a tu boda, vendría
para tus funerales. Por tanto, que nadie en la casa
se insolente; yo sé conocer y entender cada cosa
buena o mala, pues ya mis acciones no son las de un niño.
Y si estoy obligado a sufrir estas cosas que veo,
inmolar mis ovejas, mi vino y mi pan consumirse,
es porque un hombre sólo no puede ser freno de tantos.
Pero no me causéis ya más daños mostrándoos malévolos,
si es que vuestro deseo no es ya con el bronce matarme,
que mejor para mí fuera que lo llevaseis a cabo
para no contemplar siempre estas odiosas acciones:
ver que son maltratados mis huéspedes e indignamente
son forzadas mis siervas en estas hermosas estancias.

Así dijo, y quedáronse todos guardando silencio;
sin embargo, habló a todos al fin Agelao Damastórida:

—Nadie, amigos, después de ser dicha una cosa tan justa,
se enfurezca oponiéndole ahora contrarias razones.
Ni a este huésped maltratéis ya más, ni tampoco a un es-
[clavo
de los que en la mansión de Odiseo divino se encuentran.
Mas quisiera a Telémaco dar y a su madre un consejo
amistoso, si a los corazones de entrambos les place.
Mientras en vuestros pechos aun alentó la esperanza
de que un día volviera a su casa Odiseo magnánimo,
nadie se enfureció al ver que el tiempo alargabais y había
pretendientes en casa; pues era quizá preferible,
si Odiseo de nuevo venía y volvía al palacio.
Pero ya es evidente que nunca ha de estar de regreso.
Habla, pues, a tu madre, y sentado a su lado convéncela
de que con el más noble y que más dé por ella se case,

para que sigas tú en posesión de la herencia paterna
y comiendo y bebiendo, y la casa de otro hombre ella cuide.

Y, prudente, repuso Telémaco de esta manera:

—No, por Zeus, Agelao, ni por cuanto ha sufrido mi padre,
que muy lejos de Ítaca habrá muerto, o bien vive errabundo;
no hago yo que mi madre difiera la boda; le pido
que se case con quien quiera, y le haga mayores presentes.
Pero en contra de su voluntad me avergüenza arrojarla
de la casa y con duras palabras. ¡No quieran los dioses!

Así dijo Telémaco, pero Atenea, turbándoles
la razón, hizo a los pretendientes reír incansables.
Sus mandíbulas ahora reían con risas ajenas;
de la carne que estaban comiendo caía la sangre
y sus ojos nublábanse y su ánimo el llanto advertía.

Y el divino Teoclímeno entonces habló de este modo:

—¡Desdichados! ¿Qué mal padecéis? Noche oscura os en-
la cabeza y el rostro y, por debajo, vuestras rodillas; [vuelve
los gemidos aumentan, las caras se bañan en lágrimas
y de sangre se manchan los muros y bellos areóstilos,
y el vestíbulo y patio se llenan aquí con las sombras
de los que hacia el Erebo sombrío se van, y en el cielo
se ha extinguido ya el sol y se extiende una lóbrega niebla.

Así dijo, y riéronse todos con risas suaves,
y habló entonces Eurímaco, al hijo de Pólibo, y dijo:

—Está loco ese huésped que vino de extraños países;
vamos, jóvenes, a acompañarlo ahora mismo a la puerta.
Ya que es noche para él aquí dentro, que al ágora vaya.

Y el divino Teoclímeno entonces repuso diciendo:

—No he pedido, ¡oh Eurímaco!, a nadie que me acompa-
yo poseo dos ojos, orejas y pies siempre firmes, ♦ [ñara:
y en mi pecho una justa razón sin ningún menoscabo.
Y con ellos afuera me voy porque el mal se os acerca
y no conseguiréis escapar o libraros ni un solo
pretendiente de los que en casa de Odiseo divino
insultáis a los hombres, tramando perversas acciones.

Dijo así, y se marchó de la cómoda casa, y fue al punto
al hogar de Pireo, que lo recibió cordialmente.

Y, mirándose, los pretendientes al cabo empezaron
a zaherir a Telémaco y a escarnecer a sus huéspedes.
Y entre los pretendientes soberbios habló uno diciendo:

—Con peor suerte que tú con los huéspedes, nadie hay,
[Telémaco.
Mirad a ese: un mendigo errabundo que al fin necesita
que le den pan y vino: un inútil en todo trabajo,
que no tiene energías, un peso superfluo en la tierra.
Y el segundo se puso de pie pronunciando presagios.
Así, pues, si quisierais creerme —será una gran cosa—
en un buque bancado enviemos a huéspedes tales
a Sicilia, y allí por buen precio podremos venderlos.

Así los pretendientes hablaban, mas él no hizo caso;
en silencio, mirando a su padre, esperaba el momento
de asentar sobre los pretendientes procaces las manos.

La discreta Penélope, hija de Icario, que había
ordenado poner un magnífico asiento delante
de los hombres, oía lo que iban diciendo en la sala.

Entre risas ya habían gozado de un ágape espléndido
que fue amable y sabroso; inmolaron muchísimas reses.
Pero cena ninguna sería tan poco agradable
como la que la diosa y el héroe muy pronto daríanles,
por ser ellos los que antes que nadie tramaron vilezas.

CANTO XXI

[La propuesta del arco]

E inspiróle Atenea, la diosa de claras pupilas,
a la hija de Icario, discreta Penélope, en su ánimo
diese el arco y los hierros pulidos a los pretendientes
en casa de Odiseo, certamen y umbral de matanzas.
Y ella de su palacio subió la tan alta escalera,
tomó en su mano bella y robusta una llave magnífica,
bien curvada, de bronce, en la cual de marfil era el mango.
De sus siervas seguidas se fue al penetral del tesoro,
el lugar donde el rey sus riquezas tenía guardadas,
oro y bronce, y los hierros que con gran afán se trabajan.
Allí estaban el arco y la aljaba que guarda las flechas,
llena de esas saetas que llevan el llanto consigo,
dones ambos que en Lacedemonia un huésped le hizo,
que era igual que los dioses, Ifitos[1], el hijo de Eurito.

Uno y otro, los dos, se encontraron un día en Mesenia[2],
en la casa de Orsíloco el sabio. Había ido Odiseo
a cobrar un día trescientas ovejas de Ítaca,
con pastores y todo, y huyeron en naves bancadas.
Fue así como Odiseo, que aún era muy joven, muy lejos
por su padre y por otros ancianos fue como emisario.

---

[1] *Ifitos, hijo de Eurito.* Héroe del ciclo de Heracles; hijo del rey de Oechalia, figura entre los Argonautas.
[2] *Mesenia.* Región al S. O. del Peloponeso.

Iba Ifitos también a buscar doce yeguas perdidas,
con sus potros mamones, pacientes en todo trabajo,
que más tarde serían razón de su muerte y su ruina,
cuando a Heracles, el hijo de Zeus, fuese a ver, el de ánimo
esforzado, el varón que de grandes trabajos sabía.
Lo mató en su palacio, a pesar de que él era su huésped.
¡Insensato! No tuvo a los dioses temor, ni respeto
a la mesa que él mismo le puso, y quitóle la vida
y retuvo en su casa las yeguas de cascos potentes.
Preguntando por ellas halló a Odiseo y le hizo
don del arco que usó el gran Eurito y que dio éste a su hijo
cuando le sorprendió en su magnífica casa la muerte;
y una lanza muy fuerte Odiseo le dio y una espada,
lo que habría a ambos huéspedes dado amistad, si se hu-
visto el uno a la mesa del otro, mas antes la vida   [bieran
quitó el hijo de Zeus al deiforme Ifitos Eurítida.
Le dio el arco, es verdad, y Odiseo jamás llevó el arco
cuando en naves de proas sombrías partía a la guerra;
en memoria del huésped querido guardábalo en casa
y tan sólo llevábalo al ir a través de la isla.

Así, pues, la divina mujer, al llegar al tesoro
y pisar el umbral de madera de roble, que antaño
hábilmente montó el carpintero y, después, colocándolo
a nivel, ajustó el marco de las magníficas puertas,
al momento soltó la correa que el aro tenía,
metió entonces la llave y corrió el pasador de la puerta
y hacia adentro empujó; como muge en los campos el toro
cuando empieza a pacer, rechinaron las hojas al golpe
de la llave, y giraron entonces las puertas magníficas.

Y subióse al excelso tablado en que estaban las arcas
donde los perfumados vestidos se hallaban dispuestos.
Tendió el brazo y de su colgador descolgó al punto el arco
con la espléndida funda en la cual se encontraba guardado;
allí mismo después se sentó, lo dejó en sus rodillas
y lloró cuando el arco del amo sacó de su funda.

Cuando ya de llorar y gemir se sintió satisfecha,
fue a la sala en que los pretendientes ilustres estaban,
y llevaba en sus manos el arco flexible y la aljaba
llena de esas saetas que llevan el llanto consigo;
y sus siervas llevaban la caja en que estaban los hierros
numerosos y el bronce que el rey requería en sus juegos.

Al llegar la divina mujer donde los pretendientes
se encontraban, de pie ante el montante que el sólido techo
sustentaba, se echó sobre el rostro el espléndido velo,
pero a un lado y a otro tenía a sus dos servidoras.
Y, volviéndose a los pretendientes, habló de este modo:

—Escuchad, pretendientes ilustres, que sobre esta casa
cada día os lanzáis a comer y a beber cuantos víveres
tiene un héroe que de ella se ha sido hace ya mucho tiempo,
sin hallar a las cosas que hacéis otra excusa distinta
del afán de casaros conmigo y tener una esposa;
vamos, pues, pretendientes, ahora os presento una prueba:
dejo aquí el arco de Odiseo divino; a quien logre
manejarlo hábilmente y tenderlo y con ello consiga
que una flecha atraviese los ojos de doce segures,
será a quien seguiré, abandonando con él el palacio
al que vine doncella, tan bello y tan bien proveído
y del cual imagino que habré de acordarme aun en sueños.

Así dijo, y a Eumeo ordenó, al porquerizo divino
diese a los pretendientes el arco y los hierros pulidos;
y, llorando, tomó Eumeo el arco y lo puso en el suelo,
y el boyero lloró en un rincón, viendo el arco del amo.
Y con estas palabras Antinoo les dijo, increpándolos:

—Necios rústicos, que solamente pensáis en el día.
Miserables, ¿por qué esta llorera que al ama en el pecho
mueve el ánimo? En su corazón ya hay sobradas angustias
desde que ella perdió para siempre al esposo querido.
Si os sentáis al banquete, callaos, o bien idos afuera
si gustáis de llorar, y dejad aquí el arco; este juego

para los pretendientes será fatigoso; supongo
que no es cosa muy fácil armar este arco pulido.
Porque es cierto que no hay entre todos aquí un solo hombre
como Odiseo ha sido. Y yo mismo lo vi y lo recuerdo
como si ahora estuviese delante de mí, y yo era un niño.

Así dijo, y en su corazón él tenía esperanza
de tensar bien la cuerda y pasar por el ojo la flecha
y él había de ser el primero en probar la saeta
de las manos de Odiseo ilustre, al que estaba ultrajando
en su casa, y movía a los otros también a ultrajarlo.

Y habló luego el Sagrado Vigor de Telémaco, y dijo:

—¡Ay de mí! Zeus Cronión me quitó toda idea sensata.
Mi amadísima madre me ha dicho, con ser tan prudente,
que a otro hombre esta vez seguirá y dejará este palacio,
¡yo río y en mi corazón insensato me alegro!
Así, pues, pretendientes, venid, porque el premio este es
                                                    [vuestro:
no hallaréis en las tierras de Acaya mujer como ésta,
ni aun en Pilos la sacra, ni en Argos tampoco o Micenas,
ni siquiera en Ítaca ni en este negral continente.
Bien sabéis cómo es; yo no debo elogiar a mi madre.
Avanzad, pues, al punto y mostradnos de qué modo el arco
se maneja, de forma que todos podamos mirarlo.
También yo con vosotros habré de intentar su manejo,
y si logro tenderlo y pasar por el ojo la flecha,
no veré con profundo pesar que mi madre augustísima
abandone la casa para irse con otro, si puede
emular a mi padre, triunfando en sus bellos certámenes.

Así dijo, y, soltándose el manto purpúreo, de un salto
levantóse y la espada afilada quitóse del hombro.
Hincó al punto las hachas y abrió de este modo un gran
para todas, quedando a cordel alineadas, y puso   [surco
tierra a un lado y a otro. Y quedáronse atónitos todos

viendo en qué orden quedaban, y él nunca había visto este
Y después dirigióse al umbral y probó en él el arco.   [juego.
Lo movió por tres veces queriendo tenderlo, y tres veces
desistió de su intento, mas nunca perdió la esperanza
de tirar de la cuerda y pasar por el ojo la flecha.
Y, tirando con fuerza, lo hubiese logrado a la cuarta,
pero le hizo una seña Odiseo y detuvo su intento.
Y habló luego el Sagrado Vigor de Telémaco, y dijo:

—¡Dioses! ¿Debo ser siempre en mi vida tan ruin y tan dé-
o soy niño tal vez y no puedo fiar en mis brazos   [bil,
para hacer frente a aquel que pretenda el primero ultra-
[jarme?
Mas vosotros que en fuerza tenéis sobre mí gran ventaja,
haced ya de este arco la prueba, y que acabe el certamen.

Dijo así, y puso el arco en el suelo, apoyándolo contra
el portón de pulidos y bien ajustados batientes
y arrimó a la magnífica anilla la rauda saeta.
Y volvióse al asiento que él antes había ocupado.
Y habló entonces el hijo de Eupites, Antinoo, diciendo:

—Levantaos, compañeros, de izquierda a derecha, por or-
a partir del lugar en que empieza a servir el copero.   [den,

Dijo Antinoo, y a todos gustó la propuesta que hizo.
Levantóse primero que nadie el arúspice Liodes,
hijo de Énos, que junto a la espléndida crátera siempre
se sentaba; era el único que las vilezas odiaba
e indignábanle todos los actos de los pretendientes.
Fue el primero que el arco tomó con la rápida flecha.
Y después dirigióse al umbral y probó en él el arco,
mas no pudo tenderlo, sus blandas y frágiles manos
se cansaron de tanto tirar. Y habló a los pretendientes:

—Yo no puedo tenderlo, ¡oh amigos!, que algún otro prue-
Romperá el corazón y la vida este arco a muchísimos   [be.
generosos varones, pues siempre será preferible

acabar con la vida, a vivir sin lograr el intento
por el cual aquí estamos y día tras día esperamos.
Hay quien dentro de su pensamiento aún alienta esperanzas
y desea casar con la esposa de Odiseo, Penélope;
venga, pues, a probar este arco, y tendrá que ir al cabo,
junto con sus regalos de boda, a buscar a otra aquea
de magnífico velo, que luego ella irá a desposarse
con quien más donaciones le haga y designe el Destino.

Dijo así, y puso el arco en el suelo, apoyándolo contra
el portón de pulidos y bien ajustados batientes
y arrimó a la magnífica anilla la rauda saeta.
Y volvióse al asiento que él antes había ocupado.
E, increpándolo, Antinoo le habló de este modo, diciendo:

—¡Qué palabras, oh Liodes, se van del vallar de tus dientes,
tan molestas y graves! Oírlas de ti me subleva.
Dices que romperá el corazón y la vida este arco
a muchísimos héroes porque tú no puedes tenderlo.
En verdad no debió de parirte tu madre augustísima
para que manejaras el arco y las flechas tirando.
Pronto a los pretendientes ilustres verás manejarlo.

Así dijo, y al punto ordenó al cabrerizo Melantio:

—Ve, Melantio, y reanima las llamas del fuego en la sala,
y pon junto al hogar un asiento cubierto de pieles
y de dentro de casa trae una gran bola de sebo.
Que calienten el arco y lo unten con grasa los jóvenes;
intentemos entonces tenderlo, y que acabe el certamen.

Dijo así, y reanimó la incansable fogata Melantio
y dejó junto al fuego un asiento cubierto de pieles
y volvió de la casa con una gran bola de sebo.
Calentándolo, el arco probaron los jóvenes, pero
no pudieron tenderlo, que a todos faltábanles fuerzas.
Sólo Antinoo quedó y el igual que los dioses Eurímaco,
pretendientes caudillos que a todos en fuerza imponíanse.

De la casa entretanto salieron, entrambos de acuerdo,
el boyero y Eumeo, el porquero de Odiseo divino,
y, tras ellos, también Odiseo salió de la sala.
Una vez a su espalda dejaron la puerta y la corte,
dirigiéndose a ellos, les dijo con suaves palabras:

—¿Por ventura, boyero y porquero, os diría en qué pienso,
o bien debo callar? Pero mi ánimo ordena que os hable.
¿Os batiríais por Odiseo, si un día, de pronto,
regresara porque una deidad lo trajera consigo?
¿Lucharíais con los pretendientes o junto a Odiseo?
Contestadme lo que el corazón os indique o el ánimo.

Y repúsole entonces así el mayoral de boyeros:

—¡Ojalá, padre Zeus, tú quisieras cumplirme este voto:
que regrese nuestro amo y un dios nos lo traiga consigo!
Tú verías entonces la fuerza y los brazos que tengo.

Y asimismo invocó suplicando a los dioses Eumeo
que se hallara de nuevo en su casa Odiseo magnánimo.
Y cuando él conoció el verdadero sentir de ambos hombres,
les habló nuevamente diciendo con estas palabras:

—Aquí está, yo lo soy, y he pasado muchísimos males;
veinte años tardé en regresar a mi tierra paterna.
Yo sé que, de mis siervos, tan sólo vosotros queríais
que volviese, y a nadie le oí que estos votos hiciera
para que nuevamente encontrárame en este palacio.
Y ahora lo que tendrá que ocurrir desearía contaros:
si en mis manos un dios vence a los pretendientes ilustres,
os daré un día esposa y presentes y casa labrada
cerca de mi palacio y seréis para siempre a mis ojos
mis amigos, y habréis de ser para Telémaco hermanos.
Y, si así lo queréis, os daré una señal manifiesta
para que conozcáis quién soy yo y se convenza vuestro áni-
[mo:
es la herida que un gran jabalí de colmillos muy blancos
me hizo cuando el Parnaso corrí con los hijos de Autólico.

Dijo así, y apartó de la enorme lesión los andrajos.
Y una vez la miraron y hubiéronle a él recordado,
se lanzaron llorando al cuello del prudente Odiseo,
y besaron con gran devoción su cabeza y sus hombros,
y a su vez Odiseo besó su cabeza y sus manos.
De este modo, al ponerse ya, el sol los dejara llorando
si Odiseo no hubiese logrado calmarlos, diciendo:

—Dejad ya de llorar y gemir, pues no sea que alguno
al salir del palacio lo vea y lo cuente allá dentro.
Ahora entrad en la casa y no juntos, sino uno tras otro.
Yo primero y vosotros después. Y acordaos de esta seña:
no querrán de ningún modo los pretendientes ilustres
permitir que me sean cedidos el arco y la aljaba;
mas tú llévalo, Eumeo divino, a través de la sala,
pon el arco en mis manos y di a las mujeres que cierren
al momento las puertas macizas de toda la estancia,
y si a oídos de alguna llegaran gemidos o estrépito
de los hombres y desde la sala, que nadie se asome,
que en silencio se queden allí donde están, trabajando.
Guardarás tú, Filetio divino, la puerta del patio;
ciérrala con cerrojo y, haciendo un buen nudo, sujétalo.

Así dijo, y al punto se entró por la cómoda casa.
Y sentóse en el mismo lugar en que estuvo sentado.

Luego entraron los dos siervos del divino Odiseo.

Ya en sus manos, Eurímaco el arco tenía y volvíalo
calentándolo al brillo del fuego, y ni así conseguía
manejarlo, y en su corazón gloriosísimo airábase
Y emitiendo profundos gemidos habló de este modo:

—¡Dioses! Grande pesar me acongoja por mí y por voso-
Mas no tanto me duele la boda, con todo y dolerme, [tros.
puesto que hay numerosas aqueas, ya sea en la Ítaca
que los mares rodean, ya sea en cualquier otro pueblo,
como duéleme ver que ninguno tenemos la fuerza

del generoso Odiseo, pues nadie ha tendido este arco.
¡Qué vergüenza será que los hombres que nazcan lo sepan!

Y repúsole entonces el hijo de Eupites, Antinoo:

—No ha de ser así, Eurímaco. Piensa en qué fiesta celebra
hoy el pueblo, pues sabes muy bien a qué dios se dedica.
¿Quién el arco podrá tender? Déjalo sobre el suelo.
Que las hachas se queden también en el suelo clavadas,
pues no puedo creer que ninguno pretenda llevárselas
de los que frecuentan la mansión de Odiseo Laertíada.
Venga, pues, el copero a servir la primicia en las copas,
y, después de libar, prescindamos del arma curvada.
Ordenad al cabrero Melantio que al filo del alba
traiga cabras, las más excelentes de todo el rebaño,
y ofreciéndole a Apolo, el arquero glorioso, sus muslos
intentemos la prueba del arco, y que acabe el certamen.

Dijo Antinoo, y a todos gustó la propuesta que hizo.

Los heraldos les dieron después aguamanos a todos,
coronaron de vino las cráteras unos mancebos
y sirviéronlo para ofrecer la primicia en las copas.
Cuando todos hubieron libado y bebido a su gusto,
meditando un ardid les habló el ingenioso Odiseo:

—Escuchad, pretendientes de nuestra ilustrísima reina,
las palabras que mi corazón en el pecho me dicta,
y suplico de Eurímaco ahora y de Antinoo deiforme,
el que tan oportunas palabras a todos ha dicho:
prescindid por ahora del arco, atended a los dioses
y mañana algún numen la fuerza dará a quien le plazca.
Mas dejadme este arco pulido, pues yo también quiero
mi vigor y mis manos probar con vosotros, si acaso
hay aún en mis miembros flexibles el nervio de antes,
o la incuria y el vagabundeo me hicieron perderlo.

Dijo así, y grandemente esta vez indignáronse todos,
pues temieron que el viejo tendiera aquel arco pulido.
Y con estas palabras, Antinoo le dijo, increpándolo:

—Forastero el más ruin, que no tienes ni pizca de juicio.
¿No te basta sentarte al banquete y en paz, con nosotros
los ilustres, sin que en el festín te privemos de nada
y escuchar lo que hablamos y cuanto decimos? Son cosas
que ningún forastero o mendigo jamás nos oiría.
Te trastorna el dulcísimo vino, que suele hacer daño
a quien ávidamente y sin tino ninguno lo bebe.
De igual forma también dañó el vino al famoso Centauro
Euritión[3], cuando estuvo en la casa del bravo Piritoo,
en Lapitia; perdió la razón; por el vino ofuscado,
se alocó y desafueros obró en el hogar de Piritoo.
Apenados, los héroes sobre él se lanzaron y a rastras
a la calle lo echaron, cortadas con bronce implacable,
las narices y orejas, y así con la mente turbada
se marchó, poseedor de su daño y en plena locura.
Y por esto la lucha empezó entre centauros y hombres,
mas aquél fue el primero en hallar su desdicha por ebrio.
Yo también una gran desventura te anuncio, si llegas
a tender este arco, pues no encontrarás en el pueblo
defensor para ti, y te enviaremos en un negro buque
a la casa de Equetos el rey, el azote del hombre,
donde nunca podrás escapar sano y salvo. Serénate,
bebe y no armes contienda ninguna con hombres más jóve-
[nes.

Y repúsole entonces así la discreta Penélope:

—No es decente ni justo, ¡oh Antinoo!, ultrajar a los hués-
de Telémaco, sea el que sea el que llegue a esta casa. [pedes
¿Imaginas que el huésped, si el arco de Odiseo tiende,
confiando en sus manos y en toda la fuerza que tenga,

---

[3] *Centauro Euritión.* Alude al conocido episodio de la lucha entre lapi-
tas y centauros, el día del casamiento de Piritoo (cf. n. 13 al c. XI) con
Hipodamia, la hija de Adrasto. El centauro Euritión, ebrio, intentó raptar
a la novia, y dio así origen a la lucha.

deseará conducirme a su casa y que sea su esposa?
¡Ni siquiera en su pecho una tal esperanza concibe!
Que ninguno con ánimo triste se siente al banquete,
pues no existe razón que nos fuerce a pensar estas cosas.

Y, mirándola, Eurímaco, el hijo de Pólibo, dijo:

—¡Oh tú, hija de Icario, la siempre discreta Penélope!
No pensamos que este hombre te lleve, ni fuera sensato.
Mas sería un bochorno el chismar de mujeres y de hombres,
que un aqueo de menos nobleza pudiera ir diciendo:
«Flojos hombres pretenden la esposa de un héroe intachable,
pues no hay uno capaz de valerse del arco pulido;
solamente un mendigo que errante a la casa ha llegado
lo tendió fácilmente y pasó por el ojo la flecha.»
Hablarían así, y para todos sería afrentoso.

Y repúsole entonces la discreta Penélope:

—¿Cómo, Eurímaco, quieres que gocen de fama honorable
entre el pueblo una gente que injuria y devora la casa
de un varón principal? ¿Por qué, pues, te preocupa la
                                                    [afrenta?
No, este huésped es un hombre alto y muy fuerte y se precia
de tener como padre a un varón de muy noble linaje.
Así, pues, entregadle ahora el arco y veremos qué hace.
Porque os voy a decir una cosa y habrá de cumplirse:
si lo llega a tender, porque Apolo esta gloria le otorgue,
yo prometo vestirlo con manto y con túnica nuevos,
darle agudo venablo que de hombres y perros lo guarde
y una espada con filo a ambos lados y un par de sandalias
e irá allí donde su corazón y su ánimo quieran.

Y, prudente, repuso Telémaco de esta manera:

—Madre, sobre este arco no existe un aqueo que tenga
más poder que yo para entregarlo o negarlo a quien quiera
entre cuantos en la áspera isla de Ítaca gobiernan,

o en las islas que a la Élida miran, la tierra yegüera;
no podrá, pues, ninguno forzarme, a mi gusto oponiéndose,
si le entrego a mi huésped el arco, y aun para llevárselo.
Anda, ve a tu aposento y reanuda el trabajo que hacías
manejando el telar y la rueca y ordena a las siervas
reemprender sus tareas, que el arco es asunto de hombres,
sobre todo de mí, que soy quien esta casa gobierna.

Y, asombrada de oírlo, de nuevo se fue a su aposento,
pues en su ánimo entraron las sabias palabras del hijo.
Y ya en su alto aposento a Odiseo lloró, entre sus siervas,
el esposo querido, hasta que puso sobre sus párpados
dulce sueño Atenea, la diosa de claras pupilas.

[*La matanza de los pretendientes*]

El divino porquero tomó el arco adunco y llevóselo.
Todos los pretendientes armaron gran ruido en la sala
y uno de estos soberbios muchachos le habló de este modo:

—No envidiable porquero, ¿a quién llevas el arco curvado?
Te verás pronto junto a tus cerdos, sin nadie contigo,
devorado por todos los perros que crías, si Apolo
y los dioses eternos nos son a nosotros propicios.

Así hablaron, y el arco dejó el porquerizo en su sitio,
asustado de oír tantos gritos a un tiempo en la sala,
mas Telémaco, desde otro lado, gritó, amenazándole:

—Llévale, abuelo, el arco, que habrá de pesarte hacer caso
de los otros. Aun siendo el más joven habré de correrte
hasta el campo a pedradas, y yo te aventajo en la fuerza.
¡Ojalá a todos los pretendientes que están en la sala
yo también les llevase ventaja con brazos y fuerza;
pronto de ignominiosa manera echaría yo a alguno
de esta casa, porque están tramando perversas acciones!

Dijo así, y todos los pretendientes tomáronlo a risa,
y ablandaron un poco la ira que contra Telémaco
mantenían. Y el arco el porquero, a través de la sala,
al prudente Odiseo llevó y en sus manos lo puso.
Y él entonces llamó a la nodriza Euriclea y le dijo:

—¡Oh, discreta Euriclea! Telémaco ha dado la orden
de que cierres las sólidas puertas de toda la sala,
y si a oídos de alguna llegaran gemidos o estrépito
de los hombres y desde la sala, que nadie se asome,
que en silencio se queden allí donde están trabajando.

Dijo así, y no voló una palabra de labios de ella,
y las puertas cerró de las cómodas habitaciones.
Y en silencio salió del palacio Filetio, el boyero,
y cerró las dos puertas del patio de sólido cerco,
y al hallar bajo el pórtico un cable de corvo navío,
de papiro, con él los batientes cerró y voló adentro
y de nuevo sentóse en el sitio en que estuvo sentado,
sin dejar de mirar a Odiseo, que ya manejaba,
volteándolo, el arco y probando de un lado y de otro,
por si el cuerno tomó la carcoma en ausencia del amo.

Y uno de ellos habló de este modo al que estaba más cerca:

—En verdad debe ser un experto en materia de arcos.
Es posible que tenga en su casa algún arco como ése,
o quizá está pensando en hacerse uno igual, de tal modo
le da vueltas de acá para allá ese truhán vagabundo.

Y otro de aquellos hombres habló de este modo, diciendo:

—Así tanto provecho consiga alcanzar, como nunca
en su vida podrá conseguir manejar ese arco.

Así los pretendientes hablaban, y Odiseo divino
levantó, luego de examinarlo muy bien, el gran arco.
Y lo mismo que aquel que conoce la lira y el canto,

con la nueva clavija le es fácil tensar una cuerda
de torcido intestino de oveja, fijada a ambos lados,
así Odiseo tensó sin fatiga ninguna el gran arco
y su mano derecha, al probarlo, tiró de la cuerda,
que sonó con un claro cantar como de golondrina.

Todos los pretendientes tuvieron gran pena y mudaron
el color. Y lanzó Zeus un trueno al fijar sus designios.
Odiseo paciente y divino sintió la alegría
de que el hijo del artero Cronos le enviase un presagio.
Y tomó una saeta veloz que, desnuda, se hallaba
en su mesa; la cóncava aljaba guardaba las otras,
las que por los aqueos serían probadas muy pronto.
La ajustó sobre el arco y tiró de la cuerda y las barbas;
de allí mismo, sentado en la silla, lanzó la saeta
hacia el blanco, y de un ojo a otro pasó las segures
sin errar ni una sola, y la flecha que el bronce hacía grávida
al final de la hilera salió. Y él le dijo a Telémaco:

—No te humilla, sentado en tu sala, tu huésped, Telémaco,
pues el blanco he logrado acertar, y al tender este arco
no he sentido fatiga; conservo del todo mis fuerzas,
aunque los pretendientes con su menosprecio negábanlo.
Mas ya es hora de que a los aqueos se sirva una cena,
pues hay luz todavía, y aún les espera un deleite:
el del canto y la cítara, galas de todo banquete.

Así dijo, y las cejas movió; y la agudísima espada
se echó al hombro Telémaco, el caro hijo de Odiseo,
y asió luego la lanza y al lado del padre se puso,
junto a la silla, ornada de bronce resplandeciente.

CANTO XXII

Desvistiéndose entonces allí el ingenioso Odiseo
sus andrajos, saltó al gran umbral con el arco y la aljaba
llena de aladas flechas y, al punto a sus pies derramándolas,
dirigió estas palabras a los pretendientes soberbios:

—Acabáronse ahora estos juegos que a nadie interesan.
Hay, no obstante, otro blanco al que nadie acertar ha pen-
[sado,
mas veré si lo acierto y que Apolo me otorgue tal gloria.

Así dijo, y lanzó contra Antinoo la amarga saeta.
Levantaba él entonces una áurea y bellísima copa
de dos asas y para beber la tenía en las manos,
y del vino, mas no de su fin se ocupaba su ánimo.
¿Quién hubiera jamás concebido que en pleno banquete
sólo un hombre, por bravo que fuese, entre tanto invitado,
un tan malo morir y tan negro destino le diera?
Odiseo tiró y con la flecha acertó su garganta,
le ensartó el tierno cuello y la punta asomó por la nuca.
Desplomóse hacia atrás y cayó de sus manos la copa;
sus narices entonces lanzaron un chorro de espesa
sangre humana, y de un golpe que dio con el pie bruscamen-
lanzó lejos la mesa y cayó la comida en el suelo,   [te
donde el pan y las carnes asadas mancháronse; al verle
caer, los pretendientes movieron un gran alboroto,
a correr por la sala lanzáronse desde sus sillas,

a buscar con los ojos en las bien labradas paredes,
mas no había siquiera un broquel o una lanza potente.
Y a Odiseo increparon entonces con voces airadas:

—Forastero, asaetas vilmente a los hombres. No esperes
tomar parte en los juegos; te aguarda una muerte terrible.
Has matado a un varón, el más noble de todos los jóvenes
itacenses; por eso te van a comer nuestros buitres.

Así hablaban, creyendo que había matado Odiseo
sin querer a aquel hombre, y no dábase cuenta ninguno
de que todos tenían ahora la muerte anudada.

Y, con torvo mirar, respondió el ingenioso Odiseo:

—¡Perros! Ya imaginabais que nunca del pueblo troyano
volvería a mi hogar, y por esto arruinabais mi casa,
y en el lecho de mis servidoras por fuerza os metíais,
y aun, estando yo vivo, a mi esposa le hacíais la corte,
sin temor de los dioses que habitan en el cielo anchuroso,
ni esperar de los hombres castigo ninguno a estos actos.
Pero todos ahora tenéis ya la muerte anudada.

Dijo así, y asaltóles a todos un pánico verde
y miraban por donde escapar de una muerte terrible.

Y fue Eurímaco el único que pudo hallar la respuesta:

—Si es verdad que Odiseo de Ítaca eres tú, ya de vuelta,
es razón de que tú hables así a los aqueos por todas
las locuras que han hecho en tu casa y también en tus cam-
Pero yace en el suelo quien tuvo, de todos, la culpa,   [pos.
porque Antinoo fue quien promovió las acciones de que ha-
no por necesidad o deseo tal vez de casarse,   [blas,
sino por un afán que el Cronión no ha querido cumplirle,
puesto que él sobre el pueblo de Ítaca, la bien construida,
deseaba reinar, muerto en una emboscada tu hijo.
Pero ya que murió como es justo, perdona a tus súbditos,

y nosotros, para resarcirte, obtendremos del pueblo
todo cuanto en tus salas nos hemos bebido y comido
a razón de entregar para ti veinte bueyes cada uno,
y oro y bronce además, todo el que satisfaga a tu ánimo,
puesto que antes ninguno podrá censurar tu vesania.

Y, con torvo mirar, respondió el ingenioso Odiseo:

—Aunque vuestro total patrimonio me dierais, Eurímaco,
y añadierais a cuanto tenéis otros bienes distintos,
se abstendría mi brazo de dar tregua alguna a la muerte,
hasta haberme cobrado el abuso de los pretendientes.
Ahora os doy ocasión de luchar cara a cara conmigo,
o de huir, si la muerte y la parca hay alguno que evite,
mas no creo podáis escapar de una muerte terrible.

Dijo, y todos sintieron temblar corazón y rodillas,
y otra vez habló Eurímaco para decirles a todos:

—¡No habrá quien sus indómitas manos, oh amigos, con-
[tenga!
Porque, habiendo tomado su arco pulido y su aljaba,
desde el fúlgido umbral nos irá disparando abatiéndonos.
Así, pues, solamente debemos pensar en la lucha;
desnudad las espadas y haced de las mesas escudos
contra el raudo morir de sus flechas. Lancémonos todos
sobre él. para hacerlo apartar del umbral y la puerta
e irnos a la ciudad para armar un terrible alboroto,
y es posible que por vez postrera dispare su arco.

Dijo así, y desnudó la agudísima espada de bronce
de dos filos, y luego saltó hacia el umbral, dando gritos;
pero Ulises divino al momento lanzó una saeta
y con ella su pecho acertó cerca de la tetilla,
y en el hígado rauda fue a dar; de la mano de Eurímaco
cayó al suelo la espada, y él, dando un traspiés, retorciéndo-
vino sobre la mesa y cayó la comida en el suelo   [se,
y la copa gemela; y, en su corazón angustiándose,

con la frente hirió el suelo y sus pies patearon la silla
y, por fin, una nube muy negra veló sus pupilas.

Corrió entonces Anfínomo contra Odiseo magnánimo
y llevaba la espada desnuda y quería apartarlo
de la puerta, mas pudo esta vez prevenirlo Telémaco
que, arrojándole sobre la espalda la lanza de bronce,
la clavó entre sus hombros y la hizo salir por el pecho,
y cayó con gran ruido y de bruces fue a dar en el suelo.

Retiróse Telémaco habiendo dejado clavada
la larguísima lanza en Anfínomo, pues tuvo miedo
de que al recuperar la larguísima lanza le hiriera
a traición, con la espada, un aqueo, si estaba agachado.
Y corrió y de dos saltos llegó donde estaba su padre,
y, parándose ante él, pronunció estas aladas palabras:

—Padre mío, te voy a buscar un escudo y dos lanzas,
y un buen casco de bronce que pueda ajustarse a tus sienes;
yo también me armaré y otras armas daré al porquerizo
y al boyero, que es mucho mejor que estén ambos armados.

Y repúsole entonces así el ingenioso Odiseo:

—Corre y tráelas en tanto me pueda batir con las flechas,
no me vayan a echar de la puerta si quedo aquí solo.

Así dijo, y, prestando obediencia a su padre, Telémaco
fue al tesoro, al lugar en que estaban las armas ilustres.
De las que había allí cuatro escudos tomó y ocho lanzas,
cuatro yelmos de bronce adornados con crines espesas
y llevóselo todo al lugar donde estaba su padre.
Él fue quien con el bronce vistió antes que nadie su cuerpo;
los dos siervos también se vistieron los bellos arneses
y pusiéronse junto a Odiseo prudente y astuto.

Mientras él tuvo flechas bastantes con que defenderse,
las lanzó contra los pretendientes, hiriendo en la sala

cada vez a uno de ellos, y al lado uno de otro caían.
Pero cuando acabó el rey las flechas que estaba tirando,
arrimó el arco a un poste de la solidísima sala
y después lo dejó contra el muro lustroso apoyado;
se echó al hombro un escudo cubierto con cuatro pellejas
y cubrió su robusta cabeza con un bello casco
y el penacho de crin ferozmente ondeó en la cimera,
y empuñó las dos lanzas robustas de punta de bronce.

La pared bien labrada tenía a una altura un portillo
que, cercano al umbral de la sólida sala, se abría
a un pasillo, y cerrábanlo tablas muy bien ajustadas;
y Odiseo dio la orden de que vigilara aquel sitio
el divino porquero, pues otra salida no había.
Y Agelao habló entonces a todos con estas palabras:

—¿No hay, ¡oh amigos!, alguno que pueda subirse al portillo
para hablar a la gente y hacer que se extiendan los gritos?
Es posible que por vez postrera dispare su arco.

Y repúsole entonces diciendo el cabrero Melantio:

—No es posible, Agelao generoso, el portillo está cerca
del hermoso portón que da al patio: es estrecha la boca
del pasillo, y un hombre si es bravo podría enfrentársenos.
Pero yo, para que os protejáis, os traeré a todos armas
del tesoro, allí donde supongo que las colocaron,
y no en otro lugar, Odiseo y su hijo ilustrísimo.

Así dijo Melantio, y subiendo por las escaleras
de la sala, llegó hasta el tesoro de Odiseo divino.
De las armas de allí doce escudos tomó y doce lanzas,
y también doce yelmos de bronce adornados con crines,
que llevó velozmente a las manos de los pretendientes.
Y Odiseo sintió vacilar corazón y rodillas
cuando vio que se habían armado de bronce y blandían
largas lanzas, pues vio que el trabajo sería muy duro.
Y a Telémaco al punto le habló con aladas palabras:

—Ciertamente, Telémaco, alguna mujer del palacio
o Melantio, a los dos nos deparan funesto combate.

Y, prudente, repuso Telémaco de esta manera:

—Padre mío, yo tuve la culpa, no busques a otro:
al salir del tesoro he dejado la sólida puerta
solamente ajustada. El espía que tienen es hábil.
Ve tú, Eumeo divino, ahora mismo a cerrar esa puerta
y procura saber quién lo ha hecho, si ha sido una sierva
o fue el hijo de Dolio, Melantio, como me imagino.

Mientras ambos estaban entre ellos hablando de estas cosas,
el cabrero Melantio se fue nuevamente al tesoro
a buscar otras armas, y al verlo, el porquero divino
dijo entonces al punto a Odiseo, que estaba a su lado:

—¡Laertíada, casta de Zeus, ingenioso Odiseo!
Ese hombre malvado de quien todos ya sospechábamos
vuelve ahora al tesoro. Pues bien, dime tú claramente
si he de darle la muerte en el caso de ser yo el más fuerte,
o traértelo aquí para que vengues tantas maldades
como, bajo tu techo, este hombre ha estado tramando.

Y repúsole entonces así el ingenioso Odiseo:

—Yo y Telémaco juntos, a los pretendientes soberbios,
por furiosos que estén, mantendremos a raya en la sala;
y vosotros las piernas y brazos torcedle a la espalda,
arrojadlo en la estancia y después atrancad bien la puerta,
o, si no, atadlo con una cuerda muy bien retorcida
y lo izáis a un pilar, muy arriba, que toque las vigas,
para que viva tiempo y terribles dolores soporte.

Dijo así, y escucharon la orden y le obedecieron,
y al llegar al tesoro, Melantio no pudo advertirlos.
Mientras él, en el fondo, las armas estaba tomando,
se quedaron los dos esperando detrás de las jambas,

y cuando iba a cruzar el umbral el cabrero Melantio,
de una mano un magnífico casco y llevando en la otra
un escudo muy grande y antiguo cubierto de moho,
que Laertes el héroe solía llevar cuando joven
y allí estaba olvidado, y deshecho el cosido del cuero,
se le echaron encima, lo asieron y adentro arrastráronlo
por los pelos y lo derribaron vencido de angustia,
y le ataron los pies y las manos con lazos muy fuertes
y lo hicieron un lío tal como lo había mandado
Odiseo, el paciente y magnánimo, hijo de Laertes;
amarráronlo con una cuerda muy bien retorcida
y a un pilar, muy arriba, lo izaron, tocando las vigas,

Y tú, Eumeo, el porquero, dijiste con tono de mofa:

—Podrás toda la noche, ¡oh Melantio!, quedarte velando
acostado en un lecho mullido, tal como mereces;
cuando la Amanecida, en su áureo sitial, de las aguas
del Océano ascienda, no olvides que indica la hora
de llevar al banquete de los pretendientes las cabras.

Quedó así suspendido de las ataduras funestas,
y ellos luego se armaron, cerraron la espléndida puerta
y al lado del prudente y astuto Odiseo volvieron.

Respirando valor allí estaban, a un lado, los cuatro
defendiendo el umbral, y en la sala eran muchos y fuertes.
Mas reunióse con ellos la hija de Zeus, Atenea,
que tenía la forma de hablar y apariencia de Méntor.
Y Odiseo, alegrándose al verla, le habló de este modo:

—¡Sálvanos de los males, oh Méntor! Recuerda al amigo
que solía servirte en el bien. Nuestra edad es la misma.

Dijo, y vio que era la que a las huestes anima, Atenea;
pero los pretendientes, en frente, en la sala, gritaron;
de este modo empezó a apostrofarla Agelao Damastórida:

—Méntor, mira que no te persuada Odiseo con ruegos
a luchar por él y defenderle de los pretendientes,
porque nuestro deseo es, y espero que habrá de cumplirse,
hacer que mueran ambos, el padre y el hijo, y entonces
morirías con ellos por todo lo que ahora pretendes
realizar en la casa, y lo habrá de pagar tu cabeza.
Y cuando haya acabado con vuestras violencias el bronce,
cuantos bienes posees en tu casa y también fuera de ella,
reuniremos con los de Odiseo también, y tus hijos
no podrán habitar nunca más tu mansión, ni tus hijas
ni tu casta mujer continuar en la villa de Ítaca.

Dijo así, y Atenea sintió que aumentaba su enojo
y cubrió de vergüenza a Odiseo con duras palabras:

—Ya perdiste, Odiseo, la fuerza y vigor con que antaño,
al luchar por la noble de brazos nevados, Helena,
demostraste a los teucros allí y sin cesar nueve años
y en la horrible pelea mataste a un sinfín de varones,
y por ti se tomó la ciudad espaciosa de Príamo.
Y ahora, estando de vuelta en tu casa y en tus posesiones,
¿no te atreves a ser valeroso ante los pretendientes?
Pero ven a mi lado, ¡oh amigo!, y contempla mi obra
y sabrás de qué modo y en medio de tanto enemigo
pago los beneficios que hiciste al Alcímida Méntor.

Dijo, mas todavía dejó la victoria indecisa,
pues quería seguir por más tiempo probando la fuerza
y el valor que Odiseo y su hijo glorioso tenían.
Y tomando el aspecto de la golondrina, de un vuelo
se posó en una viga que el humo dejó ennegrecida.

Y Agelao Damastórida a los pretendientes instaba,
y Pisandro, hijo del gran Políctor, y Pólibo el sabio,
los que por su valor destacaban de los pretendientes,
con Eurínomo y Anfimedonte y también Demoptólemo,
cuantos vida tenían aún y por ella luchaban,

pues el arco y las flechas allí a los demás derribaron.
Y Agelao habló entonces a todos con estas palabras:

—¡Contendrá sus indómitas manos este hombre, oh amigos!
Se fue Méntor después de mostrar gallardías inútiles
y ahora vuelven a estar solos en el umbral de la puerta.
Mas no todos lancéis a la vez las larguísimas lanzas,
sino seis de vosotros primero, por si nos concede
Zeus herir a Odiseo y lograr de este modo la gloria,
pues muy poco los otros importan si a él abatimos.

Así dijo, y los seis arrojaron sus lanzas con ímpetu
como había ordenado, mas vanas las hizo Atenea.
De la sólida casa una dio en el montante, otra de ellas
en la puerta maciza, y la lanza de fresno de otro
a la que el bronce hacía pesada, fue a dar en el muro.

Ya esquivadas las picas lanzadas por los pretendientes,
Odiseo a los suyos habló de este modo:

—Os invito ahora, amigos, también a arrojar nuestras lan-
[zas
contra toda esa turba de los pretendientes, que quieren
acabar con nosotros después de llenarnos de males.

Así dijo, y los cuatro lanzaron sus picas agudas,
apuntando de frente; Odiseo mató a Demoptólemo,
y Telémaco a Euríades, y a Élator el porquerizo,
y el boyero, guardián de los bueyes, dio muerte a Pisandro;
todos ellos mordieron el polvo en la sala anchurosa.

Retiráronse los pretendientes al fondo, en la sala,
y ellos fueron corriendo a arrancar de los cuerpos las lanzas.
Y de nuevo arrojaron sus lanzas agudas con ímpetu
todos los pretendientes, mas vanas las hizo Atenea.
De la sólida casa una dio en el montante, otra de ellas
en la puerta maciza, y la lanza de fresno de otro,
a la que el bronce hacía pesada, fue a dar en el muro.

Mas hirió Anfimedonte a Telémaco en una muñeca,
pero sólo la piel rasgó el bronce, y por sobre el escudo,
Ctesipo hirió a Eumeo con su larga pica, arañándolo
en la espalda, y, siguiendo su vuelo, cayó a tierra el arma.

Otra vez contra los pretendientes sus picas agudas
Odiseo prudente y astuto y los suyos lanzaron.
Y tocó a Euridamante Odiseo, destructor de ciudades,
y Telémaco hirió a Anfimedonte, y a Pólibo Eumeo,
y logró el boyerizo alcanzar en el pecho a Ctesipo,
y, gloriándose de ello, le dijo con estas palabras:

—Hijo de Politerses, amante de injurias. No cedas
nunca a tu insensatez para hablar altanero; antes, cede
la elocuencia a los dioses, que son mucho más poderosos.
Toma, a cambio, este don por la pata que diste a Odiseo
cuando estaba pidiendo limosna en su propio palacio.

Así dijo el pastor de los bueyes de cuernos torcidos,
y, entre tanto, Odiseo, de cerca, alanceó al Damastórida;
por su parte, Telémaco, al hijo de Evénor, Leócrito,
acertó en el ijar y su cuerpo ensartó con el bronce,
y, cayendo de bruces, quedó con la cara en el suelo.

Desplegó desde lo alto del techo Atenea la égida
con la que da la muerte, y en todos se heló la bravura.
Por la sala corrían lo mismo que un hato de bueyes
a los que un ágil tábano ataca y agita durante
primavera, en el tiempo en que se hacen los días más largos.
Y ellos, como los buitres de picos y de uñas ganchudas
que del monte descienden y van a atacar a las aves
que, temiendo quedarse en las nubes descienden al llano
y los buitres las matan en él, sin que puedan siquiera
defenderse o huir, y la gente disfruta en la caza,
de este modo en la sala atacaron a los pretendientes
a derecha e izquierda, y caían en tierra con ruido
de cabezas partidas, y el suelo era un río de sangre.

Y Loedes se echó a las rodillas del noble Odiseo
y empezó a suplicarle con estas aladas palabras:

—Tus rodillas abrazo, Odiseo, perdón; de mí apiádate.
Te aseguro que en este palacio jamás a tus siervas
yo les hice o les dije maldad; antes bien, a los otros
pretendientes frené cuando tales vilezas veía,
pero no se abstuvieron sus manos del mal cuando hablaba,
y por tanta locura una muerte funesta han tenido.
Y yo, que era tan sólo su arúspice, ¿debo con ellos
perecer? ¿No hay piedad para quien se portó honradamente?

Y, con torvo mirar, respondió el ingenioso Odiseo:

—Si te jactas de haber sido sólo el arúspice de ellos,
has debido rogar muchas veces en este palacio
para que se alejara la dulce ocasión de mi vuelta
y contigo se fuera mi esposa y pariese a tus hijos.
Por lo tanto, tampoco tú evitas la muerte funesta.

Así dijo, y con mano robusta tomando la espada
que Agelao, al morir, sobre el suelo dejó que cayera,
un gran golpe con ella asestó sobre el cuello de Liodes,
que iba a hablar, pero ya su cabeza caía en el polvo.

El Terpíada había evitado la lóbrega parca,
Femio, quien para los pretendientes cantaba forzado;
y allí estaba de pie con la lira sonora en los brazos,
arrimado al portillo, y estaba pensando en su ánimo
si escapar de la sala y sentarse ante el bien construido
altar del protector del recinto, el gran Zeus, allí donde
tantos muslos de toro quemaron Odiseo y Laertes,
o ir al punto a Odiseo y, rogando, abrazar sus rodillas.
Mas, pensándolo bien, decidió como más conveniente
abrazar las rodillas de Odiseo, el hijo de Laertes.
Así, pues, colocando en el suelo la cóncava lira
ante un alto sitial claveteado de plata y la crátera,

fue a Odiseo corriendo y le echó a las rodillas los brazos
y empezó a suplicarle con estas palabras aladas:

—Tus rodillas abrazo, Odiseo, perdón; de mí apiádate.
Piensa que luego habrá de pesarte haber dado la muerte
a un aedo que sabe cantar para dioses y hombres.
Aprendí de mí mismo y un dios en la mente me inspira
toda clase de cantos, y espero poder celebrarte
cual si fueses un dios, y por esto no debes matarme.
Y Telémaco, tu hijo amadísimo, puede decirte
que no entré en esta casa por gusto, que yo no quería
para los pretendientes cantar al final del banquete:
pero como eran muchos y más poderosos, forzábanme.

Y el Sagrado Vigor de Telémaco oyó lo que dijo,
y al momento le dijo a su padre que estaba allí cerca:

—¡Tente, padre, no hiera tu bronce a este hombre inocente!
Y salvemos también al heraldo Medonte, que siempre
en palacio cuidóse de mí en la niñez de mi tiempo.
Si ya no le ha quitado la vida el porquero o Filetio,
o si, cuando luchaste en la sala, encontróse contigo.

Dijo así, y el discreto Medonte lo oyó, que debajo
de una silla se había escondido, cubierto con una
piel de vaca recién desollada, evitando la Parca.
Y al momento de bajo la silla salió y tiró el cuero,
fue corriendo a Telémaco, echó a sus rodillas los brazos
y empezó a suplicarle con estas aladas palabras:

—¡Aquí, amigo, me tienes! Detente y suplica a tu padre
que, abusando de su fortaleza, con bronce agudísimo
no me hiera, pues los pretendientes lo airaron; los necios
en la casa agotaban sus bienes y a ti maltrataban.

Sonriendo, repúsole así el ingenioso Odiseo:

—¡Tranquilízate, ya que él te libra de pena y te salva!
Sabe en tu corazón, y podrás a cualquiera contarlo,
la ventaja que llevan las buenas acciones al crimen.
Mas salid de la sala y sentaos fuera, en el patio,
lejos de esta matanza, tú y él, el aedo famoso,
mientras voy ultimando en la casa el trabajo que aún tengo.

Así dijo, y los dos de la sala salieron, y junto
al altar erigido al gran Zeus se sentaron, mirando
temerosos a un lado y a otro, esperando la muerte.

Por toda la sala, los ojos de Odiseo miraron
por si, vivo, algún hombre evitaba la lóbrega Parca.
Pero a todos los vio entre la sangre y el polvo caídos,
y eran muchos; igual que los peces que los pescadores
de la mar espumosa a la corva ribera sacaron
con la red de muchísimas mallas, y sobre la arena
hacinados anhelan las olas, y el sol fulgurante
uno a uno les quita la vida, así los pretendientes
en montón, en el suelo, unos sobre los otros, yacían.

[Penélope reconoce a Odiseo]

A Telémaco entonces habló el ingenioso Odiseo:

—Ve, Telémaco, y di a la nodriza Euriclea que venga:
he de darle una orden que tengo pensada ya en mi ánimo.

Dijo así, y a su padre prestóle obediencia Telémaco,
empujando la puerta le habló a la nodriza Euriclea:

—Ponte en pie y ven, anciana de innúmeros días, que cuidas
de las siervas que están en palacio y la casa vigilas.
Ven, mi padre te llama; te tiene que dar una orden.

Dijo, y ni una palabra voló de los labios de ella
y abrió al punto las puertas de las comodísimas salas

y echó a andar, y Telémaco iba siguiendo sus pasos.
Y a Odiseo encontraron en medio de aquellos cadáveres,
todo sucio de sangre y de polvo. Lo mismo que cuando
un león de los montes a un buey del rebaño devora,
y se va con el pecho y las fauces, a un lado y a otro,
empapadas de sangre, y a quien lo contempla da miedo,
Odiseo manchados tenía los pies y los brazos.

Y ella viendo a los muertos y viendo tantísima sangre,
lanzó gritos de júbilo al ver consumada la hazaña,
mas, frenando su afán de clamar, la contuvo Odiseo
y le habló dirigiéndole estas aladas palabras:

—Regocíjate, anciana, en tu pecho y contente y no clames;
no es piadoso alegrarse de ver a unos hombres sin vida.
Destinaron sus muertes los dioses y todos sus crímenes
porque no respetaron a un solo varón en la tierra,
fuese noble o villano, quienquiera que a ellos llegase,
y por tanta locura encontraron un fin miserable.
Pero dime ahora tú qué mujeres en este palacio
deshonor me causaron y quiénes carecen de culpa.

Y repúsole entonces así la nodriza Euriclea:

—Hijo mío, te voy a decir la verdad que me pides.
Hay cincuenta mujeres prestando servicio en palacio
a las cuales yo había enseñado el quehacer de la casa,
cardar lana y sufrir con paciencia el prestar un servicio;
en total doce de ellas se dieron a toda imprudencia,
sin sentir ni respeto por mí o por la propia Penélope.
Hace poco Telémaco se hizo ya un hombre, y su madre
no dejó que mandara a las siervas de casa hasta entonces.
Pero voy a llegarme a la espléndida alcoba de arriba
a advertir a tu esposa, que un dios la ha dejado dormida.

Y repúsole entonces así el ingenioso Odiseo:

—Déjala todavía dormir, pero di a las mujeres,
a las que cometieron acciones nefandas, que vengan.

Así dijo, y la anciana partió atravesando la sala
a avisar a las siervas y hacer que acudieran al punto.

A su lado llamó Odiseo a su hijo Telémaco,
al boyero y porquero y habló con palabras aladas:

—Trasladad a los muertos; que a ello os ayuden las siervas,
y haced que éstas los bellos sitiales y mesas nos dejen
muy bien limpios con agua y esponjas de mil agujeros;
y una vez hayan puesto en la casa las cosas en orden,
de la sólida casa sacad a las siervas afuera
y entre nuestra rotonda y la espléndida cerca del patio
las herís con la espada de punta afilada hasta que hayan
muerto todas, y así se termine el placer de Afrodita
que en secreto gozaron durmiendo con los pretendientes.

Dijo así, y todas ellas en grupo acudieron clamando
con horribles gemidos, y llanto copioso vertían.

Comenzaron sacando a los muertos y luego pusiéronlos
bajo el porche que había en el patio, al umbral del cercado,
uno en otro apoyado; Odiseo las órdenes daba
apremiándolas, y ellas se vieron forzadas a hacerlo.
Y, hecho esto, los bellos sitiales y mesas dejaron
muy bien limpios con agua y esponjas de mil agujeros.
Y después la rasqueta Telémaco, Eumeo y Filetio
por el piso de toda la sólida sala pasaron
y las siervas llevábanse las raspaduras afuera.
Una vez en la casa estuvieron las cosas en orden,
de la sólida casa a las siervas sacaron afuera,
y entre aquella rotonda y la espléndida cerca del patio
en un chico rincón las dejaron, sin fuga posible.
Y Telémaco, prudentemente, les dijo a los otros:

—No dirán que yo he dado una muerte honorable a las
[siervas
que a mi madre cubrieron de oprobio y lanzáronlo sobre
mi cabeza, al pasarse las noches con los pretendientes.

Dijo así, y a una excelsa columna ató al punto la cuerda
de una nave de proa azulada, y cercó la rotonda,
alta y tensa para que los pies no llegaran al suelo.
Como tordos de anchísimas alas o igual que palomas
que al entrar en un seto se enredan en redes tendidas
ante algún matorral, donde encuentran odiosa yacija,
así, en línea, tenían allí las cabezas las siervas
con un lazo en el cuello, que hacía espantosa su muerte;
solamente movieron un poco los pies un momento.

A Melantio llevaron al patio, delante del atrio.
Con el bronce feroz le cortaron narices y orejas,
le arrancaron las partes, que echaron, sangrando, a los pe-
y amputáronle manos y pies, con el ánimo airado.   [rros,
Y después se lavaron las manos y pies y a la sala
de Odiseo volvieron, pues ya estaba lista la obra.
Y él entonces le habló a la nodriza Euriclea, diciendo:

—Trae azufre, ¡oh anciana!, remedio del aire malsano,
y trae fuego, pues quiero azufrar el palacio. A Penélope
ruégale que aquí venga y que traiga consigo a sus siervas;
y haz que vengan también al momento las otras mujeres.

Y repúsole entonces así la nodriza Euriclea:

—Sí, hijo mío, en verdad que has hablado como era oportu-
Mas te debes vestir; te traeré manto y túnica, para   [no.
que los cambies por esos andrajos que cubren tus hombros,
pues no debes estar así en casa, que clama a los dioses.

Y repúsole entonces así el ingenioso Odiseo:

—Mas primero deseo que el fuego se encienda en la sala.

Así dijo, y le obedeció la nodriza Euriclea,
pues volvió con azufre y con fuego. Y Odiseo entonces
azufró con cuidado la sala, el palacio y el patio.
Y la anciana se fue por la bella mansión de Odiseo
a llamar a las siervas y hacer que acudieran al punto.
De la casa salieron llevando encendidos hachones,
se lanzaron al cuello de Odiseo y lo saludaron
y besaron su frente y sus hombros haciéndole fiestas
y besaron sus manos, y un dulce deseo él tenía
de llorar y gemir, pues las reconocía en su ánimo.

CANTO XXIII

Y, contenta, la anciana se fue al aposento de arriba
a decirle a su ama que estaba en la casa su esposo;
sus rodillas temblaban y daban sus pies grandes saltos,
y le dijo a la reina, inclinándose a su cabecera:

—¡Hija mía! ¡Penélope, aprisa, levántate pronto,
para ver con tus ojos lo que cada día anhelabas!
Ya ha llegado Odiseo; por fin regresó a su palacio
y ya a los pretendientes soberbios mató, que la casa
saqueaban, comían sus bienes y a tu hijo ofendían.

Y repúsole entonces así la discreta Penélope:

—Estás loca, nodriza. Los dioses tu juicio ofuscaron,
que ellos pueden nublar la cabeza del hombre más sabio
y también dan prudencia al más simple de todos los hom-
                                                    [bres:
y ahora a ti te han dañado, ¡y qué firme fue siempre tu jui-
                                                    [cio!
¿A qué viene burlarte de mí cuando me hallo tan triste,
refiriéndome embustes, turbando un dulcísimo sueño
que, al posarse en mis párpados, me hizo quedar adormida?
Nunca había dormido yo así desde el día en que Odiseo
se fue para esa Troya fatal, que este nombre perezca.
Vuelve, pues, a bajar, y regresa a tu sitio en palacio.
Porque si otra mujer de mis siervas a mí se acercara

con noticias como éstas, turbando mi sueño, te digo
que de muy vergonzosa manera echaríala fuera
de palacio, mas tú te salvaste porque eres anciana.

Y repúsole entonces así la nodriza Euriclea:

—No me burlo, hija mía; es la pura verdad lo que digo.
Ya ha venido Odiseo y, como te cuento, está en casa.
Era el huésped a quien en la sala llenaban de ultrajes.
Y hace tiempo que ya su presencia sabía Telémaco,
pero con sabio ardid ocultó la intención de su padre
dando tiempo al castigo de los pretendientes soberbios.

Así dijo, y, contenta, saltó de su lecho la reina
y a la anciana abrazó y de sus ojos brotaron las lágrimas,
y, elevando la voz, pronunció estas aladas palabras:

—Dime, amada nodriza, que es cierto lo que estás diciendo:
si es verdad que Odiseo está en casa tal como aseguras,
¿cómo pudo, encontrándose solo, poner ambas manos
sobre los pretendientes impúdicos, siendo ellos muchos?

Y repúsole entonces así la nodriza Euriclea:

—No lo vi, no lo sé; oí tan sólo los gritos de aquellos
que morían; teníamos miedo y estábamos dentro
de los sólidos cuartos, con todas las puertas cerradas,
hasta que me llamó de la sala Telémaco, tu hijo
al que entonces había ordenado su padre llamarme.
Vi a Odiseo de pie, rodeado de todos los muertos;
hacinados en torno de él, por el suelo durísimo
de la sala, yacían; y hubieses gozado en tu ánimo:
era como un león, todo sucio de sangre y de polvo.
Y ahora los pretendientes están a la puerta del patio
hacinados y está él azufrando la espléndida sala,
en la que hay un gran fuego encendido, y me envía a lla-
Apresúrate, pues, para que el corazón de vosotros   [marte.
de alegría se llene, pues tantas angustias pasasteis.

Ahora ya, tras un tiempo tan largo, tu afán se ha cumplido.
Él está sano y salvo en tu casa y en ella os encuentra
a ti junto a su hijo, y a los pretendientes que tanto
lo ultrajaron, los ha castigado en su propio palacio.

Y repúsole entonces así la discreta Penélope:

—¡Ay, nodriza, no cantes victoria riéndote tanto!
Sabes cuán grata había de ser su presencia en palacio
para todos, y aún más para mí y para el hijo de ambos.
La noticia, tal como la has dado, no debe ser cierta:
porque a los pretendientes ilustres mató algún eterno
indignado de ver sus injurias y acciones perversas,
porque no respetaron a un solo varón en la tierra,
fuese noble o villano, quienquiera que a ellos llegase,
y tal muerte han sufrido por su iniquidad, y Odiseo
perdió lejos de Acaya el retorno; él también se ha perdido.

Y repúsole entonces así la nodriza Euriclea:

—¡Qué palabras se van del vallar de tus dientes, oh hija!
Tu marido está aquí, en su palacio, y tú dices que nunca
a su hogar volverá. Siempre tu corazón desconfía.
Ahora mismo te revelaré otra señal manifiesta:
la lesión que hízole un jabalí con su blanco colmillo.
Al lavarle los pies la advertí, y cuando quise decírtelo,
me echó al cuello los brazos y luego, tapando mi boca,
me impidió que lo hiciera; él tenía pensado un proyecto.
Sígueme, y como prenda te pongo en las manos mi vida,
y si dije mentira me matas con muerte afrentosa.

Y repúsole entonces así la discreta Penélope:

—Es difícil, nodriza, que tú de los dioses eternos
los ardides descubras, por muy inteligente que seas.
Mas vayamos a donde se encuentra mi hijo, pues quiero
ver si los pretendientes han muerto y saber quién lo hizo.

Así dijo, y bajó de la alcoba, y pensaba en su ánimo
si sería mejor preguntarle a su esposo, de lejos,
o acercarse y besar su cabeza y tomarle las manos.

Al cruzar los umbrales de piedra y entrar en la sala,
se sentó enfrente de él al fulgor que las llamas vertían,
contra la pared. Bajo la alta columna, sentado,
cabizbajo Odiseo esperaba oír qué palabras
le diría su ilustre consorte al momento de verlo.
Y ella estaba callada, con el corazón sorprendido.
Y, al mirarlo, unas veces veía que él era Odiseo
y otras no, porque estaba vestido con tristes andrajos.

Y Telémaco entonces así la increpó, y le decía:

—Madre mía, en verdad tienes cruel corazón; mala madre.
¿Por qué así de mi padre te apartas, en vez de sentarte
a su lado y, haciendo preguntas, te enteras de todo?
No hay mujer que con el corazón obstinado se aparte
de su esposo, que, luego de haber transcurrido veinte años
de fatigas y males, regresa a su tierra paterna.
Pero tu corazón siempre fue duro como una roca.

Y repúsole entonces así la discreta Penélope:

—Hijo mío, es que dentro del pecho está atónito mi ánimo.
Y no puedo hablar una palabra o hacerle preguntas,
ni mirarle a los ojos, de frente. Mas si es ciertamente
Odiseo que ha vuelto a su hogar, nos reconoceremos
uno y otro mejor porque existen señales que sólo
él y yo conocemos, y son para todos secretas.

Así dijo, y reía Odiseo paciente y divino,
y en seguida a Telémaco habló con aladas palabras:

—Deja que en esta casa me pruebe tu madre, ¡oh Telé-
                                                      [maco!,
pues quizá de este modo sea fácil que me reconozca.

Como estoy todo sucio y me visto con tristes harapos,
en muy poco me tiene y no cree que soy yo todavía.
Mas pensemos hacer de la forma mejor estas cosas.
Si a menudo sucede que quien mata a un hombre del pue-
[blo
que no deja detrás muchos hombres que puedan vengarlo,
huye y deja a sus deudos y deja la tierra paterna,
los dos dimos la muerte al sostén de la villa, a los jóvenes
más ilustres de Ítaca. Y te invito a que pienses en esto.

Y, prudente, repuso Telémaco de esta manera:

—Padre mío, tú mismo has de verlo, porque entre los hom-
[bres
no hay consejo mejor que el que tú puedes dar, según dicen,
ni hombre alguno mortal que en la vida contigo compita.
Y nosotros iremos celosos detrás de ti, y bríos,
mientras fuerzas tengamos, no habrán de faltarnos contigo.

Y repúsole entonces así el ingenioso Odiseo:

—Pues te voy a decir lo que más conveniente imagino:
comenzad por bañaros y luego os ponéis otras túnicas,
y ordenad que se vistan también las mujeres de casa.
Y el aedo divino, que tome su lira sonora,
que acompase una danza risueña, de modo que, oyéndola,
un viandante en la calle o tal vez un vecino cualquiera,
imagine que son ya las nupcias lo que celebramos.
Para que la matanza de los pretendientes no sepa
la ciudad antes de que podamos marcharnos a nuestros
campos de árboles llenos. Y entonces allí estudiaremos
el consejo más útil que nos proporcione el Olímpico.

Dijo así, y escucharon sus frases y lo obedecieron.
Y primero bañáronse y luego cambiaron sus túnicas,
y las siervas vistiéronse; entonces la cóncava lira
el aedo divino tomó y movió en todos la gana
de una música dulce y de una magnífica danza.

Resonó en la gran sala muy pronto el rumor de los pasos
de los hombres y de las mujeres de bella cintura.
Y los que por la calle pasaban decían, oyéndolo:

—Con la reina tan solicitada ha casado ya alguno.
¡Infeliz! No ha tenido constancia en guardar el palacio
hasta ver regresar al esposo que tuvo doncella.

Así hablaban, porque no sabían qué cosas pasaban.

El magnífico Odiseo estaba de nuevo en su casa.
Lo lavó y con aceite lo ungió la intendenta, Eurínome,
y le puso un magnífico manto y también una túnica,
y Atenea esparció en su cabeza una gran hermosura,
y lo hizo más alto y más grueso y que de su cabeza
encrespados cabellos brotaran cual flor de jacinto.
Como adorna con oro la plata el que es hábil orfebre
y aprendió los secretos del arte de Hefestos y Palas
Atenea, y consigue hacer unos graciosos trabajos,
ella así derramó en su cabeza y sus hombros la gracia.
Y al salir de la pila Odiseo era igual que los dioses.
Y sentóse en el mismo lugar en que estuvo sentado
y, teniendo a su esposa delante, le habló de este modo:

—¡Desdichada! Jamás dieron un corazón tan reseco
a una débil mujer los que habitan olímpicos lares.
No hay mujer que con el corazón obstinado se aparte
de su esposo, que, luego de haber transcurrido veinte años
de fatigas y males, regresa a su tierra paterna.
Así, pues, ve, nodriza, y prepárame un lecho en que pueda
dormir solo, pues por corazón tiene hierro en el pecho.

Y repúsole entonces así la discreta Penélope:

—¡Infeliz! Ni me entono ni siento por ti menosprecio,
ni en exceso me admiro, pues sé yo muy bien cómo eras
al marcharte de Ítaca en la nave de remos muy largos.
Ve, Euriclea, obedece y un lecho macizo prepárale

en la sólida alcoba, ese lecho que él mismo se hizo;
lleva, pues, allí el lecho macizo, adereza la cama
y prepara las pieles y mantos y colchas espléndidas.

Dijo así por probar a su esposo, y al punto Odiseo,
sulfurado, habló de esta manera a su esposa honestísima:

—¡Oh mujer! En verdad que me apenan las cosas que dices.
¿Quién quitó de su sitio mi lecho? Difícil le fuera
al más hábil, si para ayudarlo algún dios no se ofrece
a llevar fácilmente este lecho a otro sitio cualquiera.
Hoy no vive mortal, ni siquiera por joven que sea
que lo mueva a placer, pues yo puse una marca secreta
en el lecho, que sólo hice yo sin ayuda de nadie.
Creció dentro del patio un olivo de alargadas hojas,
floreciente y robusto, tan grueso como una columna.
Las paredes de mi dormitorio labré en torno suyo
con muchísimas piedras y encima le puse un buen techo
y le hice unas sólidas puertas muy bien ajustadas.
Despojé de su fronda al olivo de alargadas ramas
y pulí con el bronce su tronco desde las raíces
hábil y diestramente; y después de a nivel trabajarlo,
hice el pie de la cama, que yo barrené totalmente.
Comenzando por él fui montando y puliendo la cama
que con plata, con oro y marfil adorné una vez lista.
Y por dentro extendí unas vistosas correas purpúreas.
Ésta es, pues, nuestra marca. Y ahora, no obstante, yo ig-
                                                      [noro,
¡oh mujer!, si mi lecho está incólume, o alguien acaso
lo ha cambiado de sitio, cortando debajo el olivo.

Dijo, y ella sintió vacilar corazón y rodillas
cuando reconoció las señales que daba Odiseo,
y se puso a llorar y corrió velozmente a su encuentro,
le echó al cuello los brazos, besó su cabeza, y le dijo:

—¡No te enojes conmigo, Odiseo, tú, el más avisado
de los hombres! Los dioses nos dieron la desaventura;

no quisieron que la mocedad los dos juntos gozáramos,
ni que juntos llegáramos ante el umbral de ser viejos.
Pero ya no te enfades conmigo ni te encolerices
si al momento de verte no te acaricié como ahora.
Porque mi ánimo dentro del pecho sintió siempre el miedo
de que un hombre viniese a engañarme con buenas palabras,
pues son muchos los que han meditado perversos ardides.
¡Ay, Helena la argiva, la hija de Zeus, no se hubiera
en amor y en el lecho reunido jamás con un hombre
si ella hubiese sabido que los belicosos aqueos
a su casa y su tierra paterna la habrían llevado!
Algún dios la incitó a ejecutar esa acción vergonzosa,
que, antes, nunca pensó cometer semejante locura
de la cual, para ti y para mí, nos nació la desgracia.
Pero como me has dado las claras señales que tiene
nuestro lecho, que nunca fue visto por otros mortales
que no fuéramos tú y yo, además de una sierva tan sólo,
Áctoris, que mi padre me dio cuando vine a esta casa,
y custodia la puerta de nuestra muy sólida alcoba,
me convences en mi corazón, aunque ya él nada siente.

Así dijo, y en él fue creciendo un deseo de llanto,
y lloraba abrazado a su fiel y amadísima esposa.
Así como la tierra aparece tan grata a los náufragos
a los que Poseidón en el miedo del mar echó a pique
el armónico buque, a merced de las olas y el viento,
y unos pocos consiguen salir de la espuma nadando
y la orilla alcanzar, y sus cuerpos de sal se han vestido
y con júbilo pisan la tierra, ya a salvo de males,
así ver a su esposo era dulce también para ella
y sus brazos nevados seguían en torno a su cuello.

Y llorando los viera la Aurora[1] de dedos de rosa
si Atenea, la diosa de claras pupilas no hubiese
alargado la noche en su fin, deteniendo en las aguas
del Océano el áureo sitial de la Aurora, impidiéndole

---

[1] *Aurora, Helios.* Sobre la *Aurora*, cf. n. 1 al c. II; sobre *Helios*, cf. n. 1 al c. I y 1 al III especialmente.

enganchar los ligeros corceles que traen luz al hombre,
Lampos y Faetón, los caballos que tiene la Aurora.
Hasta que a su mujer habló así el ingenioso Odiseo:

—Aún no hemos llegado, ¡oh mujer!, al final de la prueba,
pues nos falta otra empresa muy grande, muy larga y difícil
a la que es necesario que dé cumplimiento sin falta.
Pues así me lo dijo el aliento vital de Tiresias
cuando, habiendo bajado a la casa del Hades un día,
un retorno pedí para mí y para mis compañeros.
Vámonos a la cama, mujer, pues ya es hora; en el lecho
dormiremos gozando los dos de un dulcísimo sueño.

Y repúsole entonces así la discreta Penélope:

—Cuando tu ánimo quiera podrás disponer de tu lecho,
ya que hicieron los dioses por fin que llegaras un día
a tu casa tan bien construida y tu tierra paterna.
Pero ya que algún dios sugirió en tu memoria la prueba,
dime de qué se trata, pues si he de saberlo más tarde,
quizá sea mejor que lo sepa desde este momento.

Y repúsole entonces así el ingenioso Odiseo:

—¡Desdichada! ¿Por qué tanto insistes en que te lo diga?
Pero voy a contártelo sin omitir cosa alguna.
Mas no habrá gozo en tu corazón, como yo no lo tengo,
pues me dijo que fuese a través de muchísimas villas
y llevara en las manos un remo de fácil manejo
hasta haber arribado a los pueblos que el mar desconocen,
gentes que los manjares no comen con sal sazonados
ni conocen las naves que tienen purpúreas mejillas,
ni los fáciles remos que son de las naves las alas.
Y me dio una señal manifiesta que no he de ocultarte:
cuando cruce mi ruta un viajero y, al verme, pregunte
dónde voy con un aventador sobre el hombro gallardo,
plantaré en tierra entonces el remo de fácil manejo
y haré al rey Poseidón sacrificios que sean perfectos:

un carnero y un toro, un verraco que cubra a las cerdas,
y, de vuelta, en mi casa, he de hacer hecatombes sagradas
a los dioses eternos, señores del cielo anchuroso,
por su orden a todos, y lejos del mar, dulcemente,
moriré, mas dejando la vida llegado ya a una
placentera vejez, y mi pueblo será en torno mío
muy feliz. Esto dijo, y tendrán que cumplirse estas cosas.

Y repúsole entonces así la discreta Penélope:

—Si una dulce vejez algún día te otorgan los dioses,
aun los dos escaparnos podremos de tanto infortunio.

Mientras ellos seguían charlando de cosas como éstas,
la nodriza y Eurínome, con telas muy delicadas
preparaban su lecho a la luz de las hachas ardientes.

Cuando el lecho ya estuvo dispuesto, con gran diligencia
al palacio se fue nuevamente la anciana a acostarse.
Y delante de aquéllos, Eurínome, la despensera,
caminaba llevando en la mano la antorcha encendida;
los condujo a la alcoba nupcial y se fue, y los esposos
se alegraron de hallar sus derechos y el lecho de antaño.

[Marido y mujer]

Mientras tanto cesaban entonces sus danzas Telémaco,
el boyero y Eumeo, y cesaban también las mujeres,
y acostáronse todos en el tenebroso palacio.

Cuando los dos esposos gozaron de amor deseable,
deleitáronse el uno y el otro con sus confidencias:
la divina mujer contó cuanto sufrió en el palacio
viendo a los pretendientes funestos que en tan grande nú-
degollaban muchísimos bueyes y gruesas ovejas   [mero
y entre tanto a placer vaciaban de vino las jarras;
y Odiseo, retoño de Zeus, contó todos los males

que a otros hombres había inferido, y también cuantas penas
arrostró en su infortunio. Y gozó ello de oírlo, y el sueño
no se puso en sus párpados hasta el final del relato.

Empezó a contar cómo logró derrotar a los cícones,
su llegada al fecundo país de los hombres lotófagos,
lo que el Cíclope le hizo y la forma en que pudo vengarse
de que a sus compañeros leales se hubiese comido;
cómo fue por Eolo acogido benévolo, y luego
despedido por él, pero el hado aún no había dispuesto
que volviera a su patria, y por una tormenta alcanzado
lo llevó por el mar que los peces habitan, gimiendo;
cómo fue a Lestrigonia, a Telépilo, hundieron sus naves
y mataron a todos los hombres de grebas hermosas
y logró sólo huir Odiseo con su negra nave.
Y contó los engaños de Circe y habló de su astucia,
del viaje que hizo a la lóbrega casa del Hades
en su nave bancada, a pedirle consejo a la sombra
del tebano Tiresias, y cómo vio allí a sus amigos
y a la madre que lo hubo alumbrado y nutrió de pequeño;
cómo oyó a las Sirenas marinas cantar, y pasó entre
las dos Peñas Errantes, la horrenda Caribdis y Escila,
de las cuales sin daño ha escapado jamás hombre alguno;
cómo sus compañeros las vacas del Sol inmolaron
y después Zeus tonante le hirió su velero navío
con el rayo encendido, y murieron sus hombres leales,
y él tan sólo se pudo evadir de las parcas funestas;
cómo a la isla de Ogigia llegó, ante la ninfa Calipso,
que, queriendo que fuera su esposo, en sus cuevas profundas
lo retuvo y cuidó, y muchas veces contó que lo haría
inmortal y de toda vejez libraría su cuerpo,
pero nunca en el pecho logró el corazón persuadirle;
cómo luego a Feacia llegó tras penosos trabajos,
y sus gentes, lo mismo que a un dios, cordialmente lo hon-
y en un buque lleváronlo hasta el país de sus padres [raron
con muchísimos dones de oro, de bronce y vestidos.
Y acabó su relato al rendirle el dulcísimo sueño
que relaja los miembros y quita inquietudes al ánimo.

Y Atenea, deidad de ojos claros, dispuso otra cosa.
No bien ella creyó que Odiseo ya en su ánimo había
de su esposa gozado y gozado también de su sueño,
del Océano al punto sacó en su áureo trono a la Aurora
para que les llevara a los hombres la luz, y Odiseo
levantóse del lecho mullido y le dijo a su esposa:

—Numerosos trabajos los dos, ¡oh mujer!, padecimos:
tú llorando en la casa mi vuelta en fatigas tan pródiga,
yo sufriendo los males que Zeus y los dioses me enviaban,
lejos de mi país, cuando tanto anhelaba el retorno.
Pero puesto que estamos reunidos de nuevo en el lecho,
ya debemos pensar en los bienes que quedan en casa;
el ganado que los pretendientes soberbios mataron
repondré apoderándome de otro, y también los aqueos
me darán hasta que haya llenado otra vez los establos.
Quiero ir, de momento, a mi campo poblado de árboles
para ver a mi padre, tan noble y tan lleno de pena.
Y una cosa te mando, ¡oh mujer!, aunque seas sensata:
como cuando despunte ya el sol correrá la noticia
de que a los pretendientes ilustres maté en el palacio,
vuelve a tu alto aposento seguida de tus camareras;
no te muevas de allí, a nadie mires ni nada preguntes.

Así dijo, y se echó sobre el hombro las armas magníficas,
hizo que levantáranse Eumeo, el boyero y Telémaco
y ordenó que tomaran consigo las armas guerreras.
Y cumplieron la orden, y todos con bronce se armaron,
abrieron las puertas, salieron y Odiseo guiábalos.
Ya la luz se esparcía en la tierra; no obstante, Atenea
los veló en una nube y sacó de la villa al instante.

CANTO XXIV

[Segunda invocación a los muertos]

Mientras, iba llamando a las sombras de los pretendientes
el cilenio Hermes, con la áurea y bella varita en la mano,
con la cual hechizaba los ojos de todos los hombres,
o, a su gusto, apartaba del sueño si estaban dormidos.
A las sombras movía con ella, que, a gritos, seguíanle.
Igual que los murciélagos en una gruta espaciosa
revolean chillando si alguno se cae del racimo
de la roca en que unos con otros se encuentran trabados,
así aquellos, chillando, partían de allí y los guiaba
el benéfico Hermes[1] por entre las lóbregas rutas.
Costearon el curso del Mar[2] y la roca de Léucade
y cruzaron las puertas del Sol y el país de los Sueños
y llegaron por último al Prado de Asfódelos, donde
viven todas las sombras que son de los muertos imagen.
Encontráronse allí con las sombras de Aquiles Pelida,
de Patroclo, de Antíloco, el hombre sin tacha ninguna,
y de Áyax, que entre todos los dánaos fue el hombre más [bello
y de más apostura, después del Pelida intachable.
Rodeaban a éste los otros, y llena de angustia
vino la sombra de Agamenón el Atrida, y en torno
de él reuniéronse todas las de los que en casa de Egisto

---

[1] *Los guiaba... Hermes.* Hermes era el encargado de acompañar las almas de los muertos a los infiernos.
[2] *Curso del Mar, roca de Léucade, etc.* Parajes legendarios infernales.

perecieron con él y cumplieron así su destino.
La primera que habló fue la sombra de Aquiles, que dijo:

—Suponíamos que para Zeus que con rayos deléitase,
fuiste, Atrida, de todos los héroes el más preferido,
porque a muchos y muy valerosos varones mandabas
en Ilión, donde tanto sufrimos los hombres aqueos.
¡Y, con todo, temprano tenía que herirte la Parca,
de la cual nadie puede librarse, una vez ha nacido!
Ojalá cuando estabas gozando de honores reales
en Ilión, tu destino y tu muerte se hubieran cumplido.
Porque los panaqueos te hubieran alzado un gran túmulo
y a tu hijo le hubieses dejado una gloria infinita.
Mas ahora, ¡a qué muerte tan dura te ha atado el destino!

Y repúsole entonces la sombra del hijo de Atreo:

—¡Oh, dichoso Pelida, el igual que los dioses, Aquiles,
que expiraste en Ilión, lejos de Argos, y allí, en torno suyo,
los troyanos y aqueos más bravos perdieron la vida
defendiéndote; allí, envuelto en un torbellino de polvo,
tu gran cuerpo yacía, olvidados por ti los caballos!
Todo un día luchamos y nadie jamás nos hubiera
detenido, mas Zeus nos mandó una tormenta y lo hizo.
De la liza a las naos te llevamos entonces; dejándote
en un lecho, lavamos tu cuerpo tan bello con agua
tibia y luego lo ungimos; y muchas y cálidas lágrimas
derramaron los dánaos por ti y sus cabellos cortaron.
Y tu madre acudió de la mar con las diosas marinas
al saber lo ocurrido; y brotó de las olas del piélago
un divino clamor, y el temblor asaltó a los aqueos,
y cuando iban al punto a lanzarse a las cóncavas naves,
los detuvo un varón que sabía antiquísimas cosas:
Néstor, cuya opinión era siempre la más acertada.
Dirigióse benévolo a todos los hombres, y dijo:
«¡Deteneos, argivos! ¡No huyáis, oh varones aqueos!
Es la madre que viene del mar con las diosas marinas,
porque ha muerto su hijo y desea otra vez contemplarlo».

Dijo así, y huyó el miedo de los corazones aqueos.
Del Anciano del Mar rodeáronte luego las hijas
y, llorando, a tu cuerpo pusieron divinos vestidos.
Luego las nueve Musas con su bella voz, contestándose,
te cantaron un treno, y tú no hubieses visto a un argivo
sin llorar, de tal modo conmueve la voz de la Musa.
Sin cesar estuvimos llorándote así diecisiete
días, junto con todas sus noches, los hombres y dioses.
Te quemamos al decimoctavo y encima inmolamos
numerosas ovejas robustas y vacas cornudas.
Y ardió entonces tu cuerpo cubierto con ropas divinas,
con esencias y miel, y muchísimos héroes aqueos
se agitaron blandiendo las armas en torno a la pira,
a pie unos y en carro los otros, con un gran estrépito.
Cuando ya consumieron tus carnes las llamas de Hefestos,
recogimos, ¡oh Aquiles!, al alba tus huesos ya blancos,
que en purísimo vino y perfumes guardamos. Tu madre
nos dio entonces una ánfora de oro que dijo le había
regalado Dionisos, una obra del ínclito Hefestos.
Ella guarda tus pálidos huesos, Aquiles ilustre,
como los del difunto Patroclo, hijo de Meneteo,
y apartados están los de Antíloco, aquel compañero
a quien tú más querías, después de haber muerto Patroclo.
Luego sobre vosotros un túmulo inmenso y eximio
erigieron los hombres de las sacras huestes de Acaya
en un alto lugar, cerca del dilatado Helesponto,
para que desde larga distancia lo vieran los hombres,
los que viven ahora y los que en el futuro naciesen.
Y tu madre logró de los dioses bellísimos premios
que ofreció en el certamen a nuestros caudillos aqueos.
Ya tú, en vida, asististe a las honras de innúmeros héroes
cuando con el motivo de haber muerto un rey se ceñían
y aprestaban los jóvenes para los fúnebres juegos;
y, no obstante, te habría asombrado muchísimo en tu ánimo
ver qué premios tan bellos propuso en tu honor la de argén-
[teas
plantas, Tetis la diosa; pues mucho te amaron los dioses.
Por lo tanto, ni aun muerto, perdiste la gloria, y tu nombre

quedará para siempre entre todos los hombres, ¡oh Aquiles!
Mas ¿qué gozo me cabe de ver terminada la guerra,
si al volver a mi patria me urdió Zeus un fin lamentable
en las manos de Egisto y de mi funestísima esposa?

Mientras estas palabras estaban cambiando entre ellos
presentósele el mensajero Argifontes guiando
los alientos de los pretendientes que mató Odiseo.
Los dos reyes, al verlos, llegáronse a ellos atónitos,
y él espíritu de Agamenón el Atrida al momento
al ilustre hijo de Melaneo conoció, a Anfimedonte,
que lo había hospedado una vez en su casa de Ítaca.

La primera en hablar fue la sombra del hijo de Atreo:

—¿Qué os pasó, Anfimedonte, que tantos y tan escogidos
y de idéntica edad os sumís en la lóbrega tierra?
No es posible hallar en la ciudad mejor leva de príncipes.
¿Os mató en vuestras naos Poseidón desatando un violento
soplo de ventarrones terribles, y altísimas olas,
u os mataron en una ribera enemigos guerreros
por llevaros sus bueyes y hermosos rebaños de ovejas,
o porque deseabais tomar su ciudad y mujeres?
Di, respóndeme a esto, pues me honra haber sido tu huésped.
¿No recuerdas el día en que fui junto con el divino
Menelao a tu casa a exhortar a Odiseo, de modo
que en sus naves bancadas a todos a Ilión nos siguiera?
Todo un mes estuvimos cruzando el anchísimo ponto
y costó convencer al que tomó a Troya, al fin, Odiseo.

Y el espíritu de Anfidemonte repuso diciendo:

—¡Oh tú, Agamenón, gloriosísimo Atrida y caudillo!
¡Oh criatura de Zeus, bien me acuerdo de cuanto me dices!
Y con todo cuidado te voy a contar francamente
de qué triste manera ocurrió que muriéramos todos.
Pretendimos, estando Odiseo ausente, a su esposa.

Y ella ni rechazó ni aceptó tales bodas odiosas
pues estaba tramando la muerte y la lóbrega parca.
Y su espíritu pudo pensar todavía otro engaño:
en palacio se puso a tejer un finísimo lienzo
que jamás terminaba y, a veces, a todos decía:
«Jóvenes pretendientes, si ha muerto Odiseo divino,
aunque os urja mi boda, esperad a que acabe este lienzo
—pues en balde perder no quisiera estos hilos ahora—,
con el fin de que tenga Laertes el héroe un sudario
cuando venga la parca mortal a otorgarle la muerte;
¡yo no quiero que al verme enterrar sin sudario a quien tanto
poseyó, las mujeres aqueas del pueblo se indignen!»
Así hablaba y, al fin, persuadir se dejaba nuestro ánimo.
Desde entonces pasábase el día tejiendo la tela,
y la noche, a la luz del hachón, destejiendo lo hecho.
El engaño un trienio ocultó y los aqueos creyéronla.
Mas el cuarto año vino y de nuevo llegó primavera,
y vinieron los meses trayendo los días más largos,
y por una mujer que sabía su acción lo supimos,
y pudímosla al fin sorprender destejiendo la tela;
así fue como, mal de su grado, se puso a acabarla.
Cuando nos enseñó aquella tela tejida y lavada
cuyo brillo podía imitar el del sol o la luna,
de algún sitio un funesto inmortal llevaría a Odiseo
al confín de los campos, adonde el porquero vivía.
Y también allí fue el muy amado hijo de Odiseo
al volver de la arenosa Pilos en su negra nave;
concertada la muerte terrible de los pretendientes,
a la ilustre ciudad se llegaron los dos, Odiseo
tras Telémaco, que iba guiando sus pasos delante.
Lo condujo el porquero, vestido con tales harapos
que era igual que un anciano mendigo de mísero aspecto,
apoyado en su báculo y con sus infames pingajos.
Ni uno solo de todos nosotros logró conocerlo
al mostrarse de pronto, ni aun los más viejos de todos;
lo zaherimos lanzándole injurias y dándole golpes,
y, no obstante, sufrió mucho rato en su propio palacio
los insultos y golpes con un corazón muy paciente:

pero al ser inspirado por Zeus, el que lleva la égida,
se llevó con Telémaco todas las armas magníficas
que en la estancia guardó y los cerrojos corrió de la puerta.
Luego, con gran astucia, hizo que su consorte sacara,
para los pretendientes, el arco y el hierro grisáceo,
como prueba y preludio de nuestra matanza, ¡infelices!
Era un arco tan recio que nadie tensó aquella cuerda;
nos faltaba, con mucho, la fuerza que se requería.
Cuando al fin el gran arco a las manos llegó de Odiseo,
lo insultamos entonces pidiendo que no se le diese
el gran arco, por más que él pidiera que se lo entregáramos;
mas Telémaco dio orden a Eumeo de que se lo diera.
Al tomarlo el paciente y divino Odiseo en sus manos,
lo tensó fácilmente y pasó por los hierros la flecha.
Se fue luego al umbral, tiró al suelo las raudas saetas
y, lanzando terribles miradas, mató al rey Antínoo.
Contra todos los otros lanzó las amargas saetas,
apuntando ante sí, y unos sobre los otros caían.
Se veía con toda evidencia que un dios le ayudaba,
pues muy pronto, en la sala, mataron a diestro y siniestro,
por la ira llevados y hacían un ruido terrible
las cabezas partidas, y el suelo anegábase en sangre.
Así fue, Agamenón, como todos morimos, y nuestros
cuerpos en la mansión de Odiseo aún yacen sin honras,
porque aún esto ignoran en casa de nuestros amigos,
que ellos de las heridas la sangre negruzca lavaran
y, ya expuestos, lloráránnos; último honor a los muertos.

Y repúsole entonces el hijo de Atreo, diciendo:

—¡Oh feliz Laertíada, Odiseo fecundo en ardides,
tú lograste con un gran valor conquistar a tu esposa!
¡Qué lealtad tuvo en su corazón la intachable Penélope,
esa hija de Icario! ¡Buen recuerdo guardó de Odiseo
con quien virgen casó! ¡Nunca habrá de perderse la fama
que alcanzó su virtud, y a los hombres magníficos cánticos
dictarán los eternos loando a la sabia Penélope!

No fue como la hija de Tíndaro[3] que urdiendo males
a su esposo de virgen mató; y de horror será el cántico
de los hombres para ella; pues fama tristísima ha dado
a las otras mujeres, incluso a la más virtuosa.

Tales eran las conversaciones que entre ellos tenían
en la casa del Hades, en lo más profundo del Mundo.

[*Odiseo y Laertes*]

Cuando de la ciudad descendieron llegaron muy pronto
a la bella heredad de Laertes, que a copia de esfuerzos
consiguió para sí hacía ya su buen número de años.
Allí el viejo tenía su casa con los cobertizos
construidos en torno; bajo ellos comían, sentábanse
y dormían los siervos que a gusto de aquél trabajaban.
Una vieja mujer siciliana solícitamente,
lejos de la ciudad, al anciano cuidaba en los campos.

Y Odiseo habló entonces a los servidores y a su hijo:

—Una vez hayáis todos entrado en la casa labrada,
para nuestra comida matad al mejor de los cerdos,
porque yo, mientras tanto, iré a ver lo que piensa mi padre,
si es que me reconoce, si le hablan los ojos, o al verme
no distingue quién soy yo, después de una ausencia tan
[larga.

Dijo así, y entregó a los criados las armas de guerra.
Ellos fuéronse aprisa a la casa, y Odiseo entonces
se fue al huerto cargado de frutas a hacer esa prueba.
No halló a Dolio al entrar en la almunia, ni a siervo nin-
[guno,
ni a los hijos de aquél, porque todos se habían marchado

---

[3] *Tíndaro*. Padre de los Dióscuros: Helena, Clitemnestra, Timandra y Filonoe. El origen de este héroe es Lacedemonia, lo cual explica el culto a Helena en este país.

a buscar para el seto del huerto ramaje de espino,
y el anciano se había marchado con ellos guiándolos.
Halló, pues, solamente a su padre en el bello cercado,
que acollaba un arbusto, y vestía una túnica sucia,
remendada y mezquina y llevaba a las piernas atados
dos pellejos cosidos que las protegiera de araños,
y enguantadas las manos, guardándolas contra las zarzas,
y cubríase con una gorra de piel de cabrito.

Cuando lo vio Odiseo paciente y divino, abrumado
por los años, en el corazón sintió viva la pena
y debajo de un alto peral se detuvo llorando.
Y en su mente y en su corazón vaciló y no sabía
si acudir a su padre, besarlo y contárselo todo,
cómo había llegado y su estancia en la tierra paterna,
o bien interrogarle y saber de este modo las cosas.
Mas, después de pensarlo, creyó preferible hacer esto:
argüirle primero con unas palabras burlonas.
Y con esta intención fue Odiseo divino a su padre
e inclinado, acollando su árbol, estaba Laertes.
Y, parándose ante él, habló entonces su hijo preclaro:

—No te falta, ¡oh anciano!, saber cultivando una huerta,
pues en ésta lo que hay me parece muy bien cultivado,
que no hay planta ninguna, ni higuera, ni viña ni olivo,
ni peral, ni bancal de legumbres que no esté cuidado.
Y otra cosa te voy a decir, pero no te sulfures:
no pareces tener tú tan buenos cuidados; te agobia
una triste vejez, y estás sucio y estás mal vestido.
No por tu ociosidad te tendrá en desamparo tu amo;
y, además, nada en ti, a quien te mire, servil le parece;
antes bien, te asemejas a un rey por tu aspecto y grandeza,
o a un varón que, después de bañarse y comer, duerme
[siempre
en un lecho mullido, tal como acostumbran los viejos.
Pero, vamos, respóndeme a todo con plena franqueza.
Dime quién es tu amo y de quién este huerto que labras.

Y contéstame sinceramente, pues quiero saberlo,
si es verdad que me encuentro en Ítaca, tal como me ha di-
{cho,
al venir hacia aquí, un caminante que hallé en el camino,
pero no muy sensato, pues no quiso en nada informarme
de lo que yo quería, ni aun escuchar mis palabras
cuando le pregunté por un huésped, si vive y respira
o si ha muerto y se encuentra habitando la casa del Hades.
Pero a ti voy ahora a contártelo; atiende y escucha.
Hace ya mucho tiempo di a un héroe acogida en mi casa;
acudió a mi morada y jamás supe de hombre ninguno
tan amable entre todos los que a mi mansión acudían.
Se gloriaba de ser de un linaje de Ítaca, y me dijo
que su padre era un hijo de Arcesio, llamado Laertes.
Lo conduje yo mismo a mi casa y le di acogimiento
y traté cordialmente; en mi hogar la abundancia reinaba;
y le di los presentes del huésped tal como es costumbre:
le entregué siete muy bien labrados talentos de oro,
y también una crátera toda de plata, floreada,
doce mantos sencillos y un número igual de tapetes,
doce lienzos valiosos y doce magníficas túnicas,
y, además, le di cuatro mujeres hermosas y diestras
en perfectas labores, que él mismo eligió entre mis siervas.

Y su padre, llorando, repúsole entonces diciendo:

—Forastero, realmente has llegado a la tierra que buscas;
pero está en manos de unos varones soberbios y malos.
¡Cuán en vano a tu huésped innúmeros dones le hiciste!
Si en el pueblo de Ítaca lo hubieses hallado con vida
no te irías sin que a tus presentes te correspondiera
y a tu buena acogida; se da a quien ha dado primero.
Pero, vamos, respóndeme a todo con plena franqueza.
¿Cuántos años hará que acogiste en tu casa a ese huésped
desdichado, a mi hijo infeliz, si no fue todo un sueño?
Lejos de sus amigos y lejos también de su patria,
o en el mar lo comieron los peces, o en tierra fue pasto
de las fieras y pájaros y ni la madre ni el padre,

ni gimió su mujer que para él costó tantos presentes,
la discreta Penélope, encima del fúnebre lecho
del marido, después de cerrar, como es justo, sus ojos.
Cuéntame la verdad, pues deseo saber estas cosas.
Mas ¿quién eres, cuál es tu país, tu ciudad y familia?
¿Dónde se halla la rápida nave que aquí te ha traído
con tus hombres divinos? ¿Viniste como un pasajero,
en la nave de otro que aquí te dejó y ha partido?

Y repúsole entonces así el ingenioso Odiseo:

—Te daré francamente razón de lo que me preguntas.
Yo nací en Alibante; allí tengo una casa magnífica,
y soy hijo del rey Anfidante, el Polipemónida,
y mi nombre es Epérito; un dios me apartó de la ruta
de Sicilia, y aquí me ha traído sin que yo quisiera;
tengo anclada la nave ante el campo, lejos de la villa.
Cinco años habrán transcurrido desde que Odiseo
se marchó de mi casa, dejando mi tierra paterna.
¡Infeliz! Y, al partirse, a su diestra volaron propicias
unas aves, y pude yo de él despedirme contento,
y él se fue alegremente, que en el corazón esperábamos
otra nueva acogida y cambiarnos presentes espléndidos.

Dijo, y nubes de pena muy negra al anciano envolvieron;
tomó con sus dos manos el polvo quemado, y encima
de su cana cabeza lo echó, sollozando sin tregua.
Se afectó el corazón, y Odiseo sintió en las narices
un agudo escozor cuando vio de este modo a su padre.
Y de un salto a su cuello se echó y, besándolo, dijo:

—¡Padre mío, yo soy; soy aquel por quien tanto preguntas,
que al vigésimo año regreso a la tierra paterna!
Mas detén tus sollozos y cesen tu llanto y tus voces.
Pues te voy a decir, ya que el tiempo esta vez nos apremia,
que maté a todos los pretendientes que había en la casa
y vengué así sus graves injurias y acciones perversas.

Mas Laertes tomó la palabra y repuso y diciendo:

—Si Odiseo, mi hijo, eres tú que está ya de regreso,
muéstrame una señal evidente que a mí me convenza.

Y repúsole entonces así el ingenioso Odiseo:

—Que tus ojos, primero que nada, contemplen la herida
que me abrió un jabalí en el Parnaso con blanco colmillo
cuando tú y mi augustísima madre me enviasteis a casa
de mi abuelo materno, de Autólico, en busca de aquellos
dones que cuando aquí vino te prometió que me haría.
Y, si así lo deseas, también te diré cuántos árboles
de este huerto tan bien cultivado me diste; yo entonces
era un niño y detrás de ti iba pidiendo uno y otro
y, al pasar, los mostrabas diciendo su nombre. Eran trece
los perales que tú me cediste; eran diez los manzanos
y eran cuarenta higueras, y a más me ofreciste asimismo
estos cincuenta liños de vides, que dan cada uno
fruto en tiempos diversos, que aquí hay toda clase de uvas,
cuando Zeus las madura con cada estación, desde lo alto.

Dijo, y Laertes sintió vacilar corazón y rodillas,
conociendo las señas seguras que daba Odiseo,
v echó al cuello del hijo los brazos y, desfalleciente,
lo estrechó contra su corazón Odiseo magnánimo.
Cuando al fin se repuso y en su corazón hubo vida,
respondióle a su hijo, diciendo con estas palabras:

—¡Padre Zeus, todavía el Olimpo los dioses habitan,
si es que los pretendientes pagaron su loca insolencia!
Pero en mi corazón tengo miedo de que se reúnan
todos los itacenses y vengan y envíen mensajes
para dar la noticia a los pueblos de los cefalenios⁴.

Y repúsole entonces así el ingenioso Odiseo:

---

⁴ *Cefalenios.* Habitantes de la isla de Cefalenia, al sur de Ítaca.

—Ten valor; tales cosas no deben causarte cuidado.
Vámonos a la casa que se halla cercana a este huerto:
ya he mandado a Telémaco a ella, al boyero y a Eumeo
para que cuanto antes allí la comida preparen.

Así dijo, y se fueron los dos a la espléndida casa.

Cuando hubieron llegado a la cómoda casa, encontraron
a Telémaco en ella, al boyero y a Eumeo, cortando
mucha carne y mezclando ya el vino ardentísimo y negro.
La mujer siciliana al momento bañó y ungió luego
con aceite al magnánimo Laertes, ya dentro de casa,
y un magnífico manto a la espalda le echó. Y Atenea
se acercó e hizo crecer al pastor de los hombres los miem-
[bros,
de tal suerte que lo hizo más alto y más grueso que antes.
Y salió él de la pila, y su hijo quedóse admirado
de ver qué semejanza a los dioses eternos tenía.
Y, elevando la voz, pronunció estas palabras aladas:

—Padre mío, en verdad algún dios inmortal ha querido
que te muestres a los que te miren más alto y más bello.

Y Laertes, prudentemente, repuso diciendo:

—¡Ojalá, oh padre Zeus, Atenea y Apolo, me hallase
como cuando tomé la ciudad bien obrada de Nérito,
en la punta del cabo y al mando de los cefalenios,
porque si ayer me hubiese encontrado yo así en nuestra casa,
con las armas vistiendo mis hombros, te hubiese ayudado
contra los pretendientes, partiendo en la casa a muchísimos
las rodillas, y tu corazón se te hubiese alegrado.

Mientras ellos seguían charlando de cosas como éstas,
los demás, acabado el trabajo, el festín prepararon.
En sitiales y sillas sentáronse todos en orden,
y al ponerse a tomar los manjares llegó el viejo Dolio
con sus hijos, los cuales volvían cansados de tanto

trabajar, pues había salido a buscarlos su madre,
la mujer siciliana, y, no obstante tener que criarlos,
del anciano cuidábase desde que se hizo tan viejo.
Cuando vieron a Odiseo y lo conocieron en su ánimo
detuviéronse allí, en plena sala; y Odiseo, entonces,
dirigiéndose a ellos, con suaves palabras les dijo:

—Siéntate a nuestra mesa, ¡oh anciano!, y que cese tu
[asombro,
porque ya hace un buen rato que todos, sintiendo el deseo
de comer, esperábamos que a nuestra casa volvieras.

Así dijo, y se fue Dolio a él con los brazos abiertos,
y, tomó de Odiseo la mano y besó su muñeca.
Y, elevando la voz pronunció estas palabras aladas:

—A nosotros has vuelto, ¡oh amigo!, a los que te esperába-
pero sin esperanza, y ya que los eternos te envían,   [mos,
¡salve y sé muy dichoso! ¡Los dioses la dicha te otorguen!
Y ahora sinceramente responde, pues quiero saberlo:
¿sabe ya la discreta Penélope que has regresado,
o será conveniente mandarle quizá un mensajero?

Y repúsole entonces así el ingenioso Odiseo:

—¡Oh, buen viejo! Ya todo lo sabe; no tengas cuidado.

Dijo así, y Dolio fue a acomodarse en su silla pulida.
E igualmente acercáronse al noble Odiseo los hijos;
con palabras lo felicitaron, tomaron sus manos,
y por orden sentáronse al lado de Dolio, su padre.

[*Las paces*]

Mientras todos se hallaban entonces comiendo en la casa,
fue el Rumor[5], mensajero veloz, por la villa anunciando

---

[5] *El Rumor*. Personificación mitológica.

el destino y la muerte espantosa de los pretendientes.
Y, al oírlo, la gente acudía de todos lugares
a gritar y gemir a la bella mansión de Odiseo;
para su inhumación retiró cada uno a sus muertos,
y entregaron a los pescadores los de otras ciudades
para que los llevasen a ellas en sus naos veloces.
Y con el corazón angustiado se fueron al ágora.

Cuando hubieron llegado allí y fue la asamblea reunida,
se alzó Eupites a hablar, pues no había consuelo a su pena
dentro del corazón por la muerte de Antinoo, su hijo,
primero que Odiseo divino mató con sus flechas.
Y, llorando por él, les habló de este modo, diciendo:

—¡Qué gran daño causó a los aqueos ese hombre, oh ami-
En sus naves llevóse a muchísimos hombres valientes   [gos!
y las cóncavas naves perdió y ha perdido a sus hombres,
y ahora a los cefalenios más nobles la vida ha quitado.
Mas vayamos ahora a buscarlo antes de que huya a Pilos[6]
o a la divina Élida[7], pueblo de reyes epeos,
para que nunca más nos veamos así confundidos.
Afrentoso será que los hombres futuros se enteren
de estas cosas; si no hemos vengado a los hijos o hermanos,
nunca más para mi corazón será grata la vida,
y ojalá para estar con los muertos muriese cuanto antes.
Pero vamos; hagamos que no gane tiempo y se embarque.

Así dijo llorando, y movió a los aqueos a lástima.

El aedo divino y Medonte llegaron entonces
de la casa de Odiseo, en donde dejaron ya el sueño;
se plantaron en medio y quedáronse atónitos todos.
Y el discreto Medonte tomó la palabra, diciendo:

—Escuchadme, itacenses: sin duda a Odiseo los dioses
ayudaron a que ejecutase una hazaña tan grande.

---

6 *Pilos.* Cf. n. 5 al c. II.
7 *Élida.* Cf. n. 13 al c. I.

Pues yo mismo vi a un dios inmortal de pie junto a Odiseo
y era un dios que tenía el aspecto y figura de Méntor.
Este dios inmortal que mostrábase junto a Odiseo
lo animaba unas veces, y a veces, airado, en la sala,
perturbaba así a los pretendientes, que allí sucumbían.

Dijo así, y todos ellos sintieron un pánico verde.
Y habló entonces el héroe ya anciano Haliterses Mastórida,
que era el único que conocí el pasado y futuro,
y con estas palabras habló para el bien de la gente:

—Escuchadme, itacenses, las cosas que voy a deciros:
porque débiles sois han pasado estas cosas, ¡oh amigos!
Porque no me creísteis, ni a Méntor, pastor de este pueblo,
cuando de vuestros hijos quisimos frenar las locuras;
con su orgullo fatal cometieron un crimen monstruoso,
devorando la hacienda, y aun más humillando a la esposa
de un ilustre varón, pues creyeron que no volvería.
Mas pensemos en hoy. Creedme a mí, no vayamos ahora,
que no sea que alguno halle el daño que ha estado bus-
[cando.

Dijo así, y levantóse al momento con gran clamoreo
más de media asamblea; los otros allí continuaron
porque no les gustó lo que dijo, mas sí convencidos
por Eupites, en cambio, corrieron al punto a las armas.

Y ya estando vestidos de bronce que ciega los ojos,
en un grupo reuniéronse ante la villa espaciosa.
Y tomó el mando Eupites, cegado por su tontería,
pues la muerte de su hijo creía vengar, y ya nunca
volvería, pues allí debía cumplirse su suerte.

Mientras esto ocurría, Atenea habló a Zeus el Cronida:

—¡Padre nuestro, Cronida, el más grande de cuantos im-
[peran!
A lo que te pregunto responde: ¿cuál es tu designio?

¿La mortífera guerra pretendes y el duro combate,
o deseas poner amistad entre unos y otros?

Y repúsole Zeus, el que nubes reúne, diciendo:

—Hija mía, ¿por qué estas preguntas, por qué así me in-
[quieres?
¿Es que acaso no has sido tú misma quien ha decretado
que volviera Odiseo a su patria a vengarse de aquéllos?
Haz, pues, cuanto te plazca, que yo te diré lo oportuno.
Si Odiseo divino vengóse de los pretendientes,
séllese un juramento: que él siempre mantenga el reinado,
y el olvido de los que están muertos sembremos nosotros
en los hijos y hermanos, y que unos a otros se amen
como antes, y que haya una paz y riqueza sobradas.

Así dijo, e indujo a Atenea a hacer cuanto ansiaba,
y velozmente ella bajó de las cumbres olímpicas.

Cuando ya de comer y beber estuvieron saciados,
Odiseo paciente y divino habló entonces a todos:

—Salga alguno a mirar, no sea que los que vienen se acer-
[quen.

Dijo, y obedeció al punto la orden un hijo de Dolio;
se paró en el umbral y vio que ellos estaban muy cerca,
y volvióse a Odiseo y habló con palabras aladas:

—¡Ya están cerca! ¡Vayamos aprisa a tomar nuestras ar-
[mas!

Dijo, y se levantaron y las armaduras vistieron;
y eran cuatro, Odiseo, y a más los seis hijos de Dolio,
y Laertes y Dolio también se vistieron las armas,
porque, ya encanecidos, la urgencia guerreros hacíalos.
Y ya estando vestidos de bronce que ciega los ojos,
y abierta la puerta, salieron, y Odiseo guiábalos.

Y acudió al punto a ellos la hija de Zeus, Atenea,
mas mostrándose bajo el aspecto y figura de Méntor.
Y Odiseo paciente y divino alegróse de verla,
y al momento le dijo a Telémaco, su hijo querido:

—Debes ahora, Telémaco, tú que a la lucha te lanzas,
donde siempre los más valerosos consiguen distingos,
procurar no afrentar el linaje de tus ascendientes,
que en hombría y valor todos fuimos sin par en la tierra

Y, prudente, repuso Telémaco de esta manera:

—Padre mío, si quieres verás, por el ánimo mío,
cómo no afrento yo, como me has insinuado, a tu raza.

Dijo así, y alegróse Laertes, y habló de este modo:

—¡Para mí qué gran día, amadísimos dioses! ¡Qué júbilo!
Pues mi hijo y mi nieto disputan en ser valerosos.

E intervino Atenea, la diosa de claras pupilas:

—¡Oh, Arcesíada[8], el que yo más amo de los compañeros!
Ora tú a la Doncella de claro mirar y a Zeus padre,
y blandiendo la pica de sombra alargada proyéctala.

Dijo así, y Atenea infundió un gran valor al anciano
que elevó sus plegarias a la hija de Zeus poderoso,
blandió luego la pica de sombra alargada y lanzóla
y logró herir entonces a Eupites por entre su casco
de broncíneas baberas, pues no impidió el paso del bronce;
y cayó con gran ruido y sobre él resonaron sus armas.

Contra los de vanguardia Odiseo y su hijo ilustrísimo
se lanzaron, hiriéndolos con las espadas y lanzas
de dos filos, y todos, privados de vuelta habrían muerto,

---

[8] *Arcesíada.* Es decir, el hijo de Arcisio, Laertes.

si Atenea, la hija de Zeus, el que lleva la égida,
al gritarles, no hubiese podido atajar a la gente:

—¡Dejad ya de luchar en combate tan cruel, itacenses;
no vertáis ya más sangre y cesad de una vez esta lucha!

Así dijo Atenea, y sintieron un pánico verde;
y el terror hizo que de las manos volasen las armas
y cayesen en tierra, al oírle la voz a la diosa.
Y el afán de vivir los llevó a la ciudad escapados,
y Odiseo paciente y divino, con gritos horribles,
se lanzó a perseguirlos como un aguilón de alto vuelo.
Pero el hijo de Cronos lanzó un rayo ardiente delante
de la diosa de claras pupilas, la hija del Fuerte.
Y a Odiseo le dijo Atenea, la de claros ojos:

—Laertíada, casta de Zeus, ingenioso Odiseo.
Tente y haz que termine esta lucha mortal para todos,
no sea que Zeus el longividente Cronida se aíre.

Atenea habló así, y Odiseo sintió alegre el ánimo.
Y ambas partes juraron la paz, lo que fue hecho por Palas
Atenea, la hija de Zeus, el que lleva la égida,
mas mostrándose bajo el aspecto y figura de Méntor.

, 5, 9, 10, 14, 15, 16, 17, 18, 25, 32, 33,
8,